D0581178

# L'honneur de Lucie

JENNA KERNAN

# L'honneur de Lucie

LES HISTORIQUES

éditions HARLEQUIN

*Collection :* LES HISTORIQUES

*Titre original :* HIS DAKOTA CAPTIVE

*Traduction française de* BLANCHE VERNEY



*Photos de couverture*
*Sceau :* © ROYALTY FREE / FOTOLIA
*Femme :* © ROYALTY FREE / EVELINE KOOIJEMAN / ISTOCKPHOTO
*Réalisation graphique couverture :* © C. GRASSET



83-85, boulevard Vincent-Auriol, 75646 PARIS CEDEX 13.
Service Lectrices — Tél. : 01 45 82 47 47
www.harlequin.fr

ISBN 978-2-2802-4486-2 — ISSN 1159-5981

*A Jim, pour toujours...*

*« Je ne pense pas que les Indiens, qui constituent une source de dépenses pour le gouvernement et une menace permanente pour leurs voisins blancs, ainsi qu'une entrave à la civilisation et à l'évolution, aient le droit de maintenir leurs enfants en dehors de notre système éducatif et de les élever dans leurs traditions barbares. »*

THOMAS JEFFERSON MORGAN,
responsable des Affaires indiennes de 1889 à 1893

*« Si le Grand Esprit avait voulu que je sois un homme blanc, il m'aurait fait naître blanc. Il a placé en vos cœurs certains désirs et projets ; Il a placé dans le mien d'autres volontés. Chaque homme est bon aux yeux du Grand Esprit. Il n'est pas dit que les aigles doivent devenir des corbeaux. »*

TAUREAU-ASSIS, chef sioux

# Chapitre 1

Renard-du-Ciel suivait le bord de la rivière, quand il entendit le premier cri. Une seconde plus tard, une voix haut perchée lâchait une bordée d'injures en lakota. L'instant d'après, une voix plus grave lui répondit, en anglais.

— Aïe ! Petite ordure, je vais t'apprendre à me mordre !

Le bruit d'une gifle résonna, faisant tressaillir Renard-du-Ciel. Il tira sa carabine de son étui de selle et se laissa glisser au sol en silence. Il était habillé comme un Blanc, à l'exception du chapeau, auquel il n'avait jamais pu s'habituer, ainsi que des chaussures : il portait de hauts mocassins à franges qui lui montaient jusqu'aux genoux, plus confortables et plus souples que n'importe quelles bottes de cow-boy. Ses yeux très bleus et son teint assez pâle le désignaient également comme un Blanc, ce qu'il était d'ailleurs, sauf dans son cœur.

Il se fraya un chemin entre les buissons de sauge, vers l'endroit d'où venaient les voix. Un Blanc était en train de lutter avec un jeune Indien tout en essayant de déboutonner son pantalon. La chemise de calicot de l'adolescent était déchirée et tachée de sang. On pouvait distinguer, sur sa peau, des traces de griffures et des écorchures, probablement les marques laissées par les ongles de l'homme qui le tenait à la gorge.

Renard-du-Ciel leva son fusil.

— Lâche-le !

L'homme eut un sursaut de surprise et se retourna, sans toutefois libérer le jeune Indien.

— Ah, tu m'as fait peur, l'ami ! Je ne t'avais pas entendu

venir, lui dit-il. Je travaille pour l'école indienne de Sage River… On me paye pour rattraper ceux qui s'enfuient.

Renard-du-Ciel retira ostensiblement le cran de sûreté de sa carabine et posa son doigt sur la détente.

— Je t'ai dit de le lâcher.

L'homme leva une main en signe de bonne volonté, mais il tenait toujours fermement l'adolescent de l'autre. Son pantalon était à moitié ouvert.

— Je suis en mission. J'ai retrouvé ce gamin qui s'est échappé de l'école, tu comprends ?

— Tu l'as capturé dans tes culottes ? demanda Renard-du-Ciel, glacial.

L'homme rougit fortement en comprenant que ses intentions avaient été devinées. Il se rajusta en hâte.

— Bon, écoute…

Renard-du-Ciel arma d'un coup sec le levier de chargement, lui imposant aussitôt le silence.

— N'aie pas peur, petit frère, assura Renard-du-Ciel au jeune Indien. Il ne te touchera plus.

L'adolescent cessa de se débattre et essuya le sang qui coulait sur son menton. L'homme le lâcha enfin et le jeune garçon s'écarta, mais sans s'enfuir plus loin.

— Ah, tu parles leur charabia, c'est parfait ! dit l'homme avec une jovialité qui contrastait avec son regard inquiet. Qui te l'a appris ?

— Mon père.

Ne comprenant pas, l'autre fronça les sourcils.

— Il faisait du commerce avec eux ?

Renard-du-Ciel eut un sourire de mépris.

— Il s'appelait Dix-Chevaux. C'était un guerrier bitterroot, l'un des peuples lakota, ceux que vous appelez les Sioux.

Au son du nom tant haï, l'homme tressaillit et porta la main à hauteur de son revolver. Renard-du-Ciel le mit aussitôt en joue.

L'homme hésita avant de lever les bras en signe de rémission. Ils se mesurèrent un instant du regard.

— Il vient avec moi, dit fermement l'homme.

— Je ne crois pas, non.

— Mais c'est un fuyard !

— Tu as le choix : soit tu repars seul, soit tu essaies d'emmener le gamin et je te tue.

Des filets de sueur coulaient sur le front et le long des joues grasses de l'homme.

— Je peux finir de me reboutonner ? demanda-t-il.

Renard-du-Ciel hocha la tête en signe d'assentiment.

L'employé de l'école s'empressa de reboucler sa ceinture.

— C'est bon, je m'en vais, bougonna-t-il.

Très raide, il marcha vers sa monture mais, au moment de mettre le pied à l'étrier, il tira son revolver.

Renard-du-Ciel fit feu, en prenant garde de ne pas toucher le cheval. Ce n'était pas de la faute de l'animal s'il portait une telle ordure sur son dos. La balle toucha l'épaule de l'homme, qui s'effondra dans l'herbe. Renard-du-Ciel abaissa alors le canon de son arme, visant entre les deux yeux pour porter le coup de grâce. L'homme regardait fixement la gueule du canon qui lui annoncerait sa mort.

Dans l'esprit de Renard-du-Ciel se forma une image très nette : celle d'une flèche qu'on encochait, d'un arc que l'on bandait et le léger bruit du choc de la pointe dans la chair. Un souvenir. Son front se couvrit de gouttes de sueur et il abaissa sa carabine.

Voyant qu'il ne tirerait pas, le jeune Indien alla prendre prestement le revolver de son tourmenteur et le lui pointa sur la tête. Mais Renard-du-Ciel lui fit tomber l'arme de la main.

Le garçon regarda d'un air de reproche celui qui était venu à sa rescousse, tandis que Renard-du-Ciel posait le pied sur l'arme, en disant simplement :

— Le tuer ne te servirait à rien.

— C'est mon droit !

— Porte un coup, c'est notre coutume et la gloire est la même.

Renard-du-Ciel faisait allusion à la tradition sioux qui voulait qu'un brave puisse simplement « marquer » un adversaire en le touchant, pour prouver son courage.

Le jeune garçon hésita, coulant un regard vers le revolver que Renard-du-Ciel l'empêchait de saisir, et finalement, il leva un gros bâton. Mais au lieu de toucher légèrement l'homme à terre, il le frappa de toutes ses forces. Le chasseur de têtes eut le réflexe de rouler sur lui-même pour éviter le coup, mais, touché à la tempe, il resta étourdi un instant. Le garçon levait de nouveau son bâton quand Renard-du-Ciel le lui arracha des mains.

— Ça suffit, maintenant.

Il s'accroupit près de l'homme pour vérifier qu'il respirait encore, puis il examina sa blessure. Elle n'était pas belle à voir mais restait superficielle. Au moins le blessé ne se viderait pas de tout son sang. Peut-être finirait-il par mourir des suites d'une infection... Ça, c'était l'affaire du Grand Esprit et non la sienne.

Devait-il hisser l'homme sur son cheval et le ramener à l'école ? Il jeta un coup d'œil vers le jeune garçon. La haine brillait toujours dans ses yeux, ainsi que la déception. Autant d'indices prouvant que l'homme avait bel et bien abusé de lui. Le tout était de savoir jusqu'à quel point...

Renard-du-Ciel se releva lentement. L'homme resterait où il était, pas question d'éprouver de la compassion pour lui.

— Allons viens, petit frère, dit-il. C'est fini.

Le jeune garçon haussa les épaules en silence, sans cesser de regarder son tourmenteur étendu à terre. Renard-du-Ciel ramassa le revolver et le lança dans les broussailles.

— Comment t'appelles-tu, mon garçon ?

— Sans-Mocassins.

— Je suis Renard-du-Ciel. Autrefois, j'étais un Bitterroot.

— Je suis du clan des Sweetwater.

— Est-ce qu'il t'a fait du mal ?

Le jeune garçon secoua la tête d'un air farouche. Etait-ce bien vrai ? On ne voyait peut-être pas toutes ses blessures. Renard-du-Ciel essaya d'examiner l'enfant discrètement, sans trop le dévisager. S'il voulait bien seulement lever un peu la tête…

— Il a essayé et puis tu es arrivé.

Renard-du-Ciel se tourna vers le chasseur de têtes. Finalement, il aurait peut-être dû le tuer. Il grinça des dents au souvenir de l'homme blanc qui l'avait emporté loin des Black Hills. Tout comme Sans-Mocassins, Renard-du-Ciel lui avait faussé compagnie à la première occasion.

Il mit la main sur la crosse de son revolver, avant de secouer la tête. En souvenir de l'ami qu'il avait perdu, il y avait bien longtemps de cela, il avait fait le vœu de ne plus prendre aucune vie. Même pas celle d'un cloporte, comme cet homme.

Mais il ne lui avait jamais été plus difficile qu'aujourd'hui de tenir cette promesse. Il dut résister au désir de vengeance qu'il sentait monter en lui. Un véritable Lakota aurait tué cet homme et même mutilé son cadavre. Mais les vrais Lakotas étaient désormais à genoux.

Il se tourna vers le jeune garçon.

— Où vit ta famille ?

— Ils sont tous partis sur le chemin des ombres, sauf ma sœur et mon oncle. C'est lui qui m'a envoyé à l'école des Blancs pour apprendre les mots-bâtons, mais je me suis enfui. Ma petite sœur y est toujours. Je ne pouvais pas l'emmener avec moi.

— Où est ton oncle ?

— Dans la réserve. C'est notre chef.

— Son nom ?

— On l'appelle Aigle-Danseur.

Le cœur de Renard-du-Ciel bondit de joie en entendant prononcer ce nom, pour la première fois depuis bien des années. Ainsi, son ami et mentor avait survécu à la tuerie, songea-t-il avec soulagement. Mais quelle tristesse qu'un grand guerrier comme lui voie aujourd'hui son peuple conquis et parqué comme du bétail ! Renard-du-Ciel avait toujours su qu'il finirait par revenir auprès des siens ; il était fatigué de fuir et voulait faire face à son passé.

— Je connais ton oncle, dit-il simplement, et je serai bien heureux de le revoir.

Le garçon avait appris les bonnes manières. Il dissimula sa curiosité et se contenta de répondre :

— Nous serons très honorés de t'avoir chez nous.

Avec un sourire, Renard-du-Ciel désigna son cheval.

— Nous pouvons monter à deux…

— … ou lui prendre son cheval, suggéra le jeune garçon en montrant son agresseur, toujours étendu au sol.

Renard-du-Ciel plongea son regard dans celui de Sans-Mocassins avant de secouer la tête. Prendre la monture de cet homme était trop dangereux. Cela attirerait inévitablement des questions embarrassantes.

— Non, il ne faut rien lui prendre.

Avec un air déçu, Sans-Mocassins lança un regard en direction du buisson où le pistolet de son tourmenteur avait disparu. Renard-du-Ciel s'approcha alors de lui et plaça une main sur son épaule. L'enfant tressaillit et s'écarta vivement, mais il hocha la tête.

— J'ai un bon cheval, dit Renard-du-Ciel. Il est fort et très rapide. Regarde…

Mais Sans-Mocassins ne pouvait détacher son regard du buisson.

Pour un brave, marcher à pied était une honte. A son âge, le jeune garçon avait déjà sa fierté. C'étaient les femmes qui allaient à pied, tirant les plus jeunes sur un travois. Du moins était-ce ainsi que les choses se passaient autrefois…

— Tu peux prendre les rênes, si tu veux. Je monterai derrière toi.

De nouveau, le garçon hocha la tête sans sourire. Il se passerait probablement du temps avant qu'il n'abandonne cette attitude farouche, mais au moins il pourrait entrer avec dignité dans la grande réserve des Sioux, comme un guerrier.

Renard-du-Ciel accorda un dernier regard au chasseur de têtes. Devait-il lui laisser son cheval ? Il hésita un instant avant de décider que l'homme ne le méritait pas. Après ce qu'il avait fait, cette ordure pouvait bien marcher sur quelques kilomètres. L'animal rentrerait seul à l'écurie, ce qui déclencherait probablement des recherches. Renard-du-Ciel faisait déjà preuve d'une grande clémence envers ce vaurien. Bien sûr, il y avait toujours le risque que la jument aille rejoindre un troupeau de chevaux sauvages. Mais Renard-du-Ciel laissait ce point-là à l'appréciation du Grand Esprit. Il défit la selle et la bride de l'animal. Libérée, la jument s'ébroua et partit au petit trot.

Lorsque Renard-du-Ciel se retourna, il croisa le regard de Sans-Mocassins qui l'observait avec curiosité.

— Comment es-tu devenu l'un des nôtres ? lui demanda-t-il.

— Je voyageais avec les miens dans une caravane de chariots. Mes parents sont tombés malades et Dix-Chevaux les a trouvés le long de la piste. Mon père vivait toujours. Il a offert ses chevaux à Dix-Chevaux si ce dernier acceptait de me conduire au fort le plus proche. Mais Dix-Chevaux a pris bien plus que cela et il m'a gardé. Il m'a appelé Renard-du-Ciel en référence à la couleur de mes yeux.

Sans-Mocassins hocha la tête.

— Tu te rappelles de tes parents ? demanda-t-il encore.

— Non. Dix-Chevaux est mon père et je suis un Lakota, c'est tout.

Ils montèrent en selle et, avant que le vent du soir ne tombe, ils étaient en route vers le nord, vers cet endroit que les Blancs ne réussiraient jamais à effacer de son cœur, là où se trouvaient désormais ceux qu'il aimait.

Ils mirent cinq jours à rejoindre la réserve. Comme ils approchaient des terres indiennes, Renard-du-Ciel évita la route principale. Seuls les purs Indiens étaient autorisés à séjourner ici. Mais ce n'était pas la seule raison pour laquelle il fit un détour. Il préférait contourner la maison de l'agent du Bureau des affaires indiennes. Il préférait ne pas justifier sa présence ici ni les raisons pour lesquelles il était accompagné d'un adolescent. Sans-Mocassins avait fait disparaître les traces de sang sur sa figure et son torse, et portait à présent une chemise propre, bien que trop grande pour lui.

A l'heure où se levait la lune, ils trouvèrent la petite maison de bois rectangulaire où vivait à présent Aigle-Danseur. Son peuple avait longtemps erré, fier et libre, dans les grandes plaines où soufflait le vent. Nomades, les Sioux s'étaient toujours installés où bon leur semblait. A présent, ils étaient enfermés dans de petites cabanes, comme des Blancs, et devaient vivre de quelques subsides du gouvernement. Il y avait de quoi perdre son âme.

Renard-du-Ciel envoya Sans-Mocassins frapper à la porte, pas convaincu d'être toujours le bienvenu. Il n'avait pas revu les siens depuis des années et son mentor avait toutes les raisons de le haïr, à présent.

Lorsque la porte s'ouvrit enfin, un homme parut sur le seuil, une lampe à la main. Etait-ce la lumière orangée qui projetait d'étranges ombres sur son visage, ou avait-il donc tellement changé ?

Ils avaient devant eux l'homme qui avait été le plus brave des guerriers et le meilleur cavalier du clan des Sweetwater.

Mais à présent, il chancelait comme un vieillard. Renard-du-Ciel se souvenait l'avoir vu protéger seul, à cheval, la fuite de femmes et d'enfants contre des dizaines d'ennemis. Aigle-Danseur l'avait pris sous sa protection alors qu'il n'était qu'un enfant et lui avait appris tout ce qu'il savait. Voir ce grand guerrier se déplacer avec tant de difficulté lui brisait le cœur.

Sans-Mocassins le désigna à son oncle. Aigle-Danseur tendit sa lampe dans la direction qu'il lui indiquait.

— Viens mon frère, lui dit-il, tu es le bienvenu ici.

Sa voix, au moins, n'avait pas changé.

Renard-du-Ciel s'avança dans le rayon de lumière et Aigle-Danseur lui sourit. Renard-du-Ciel le reconnaissait mieux, à présent. Il avait toujours les mêmes traits harmonieux et son corps était resté svelte et élancé. L'œil pétillant de joie, il lui ouvrit les bras. Ils s'étreignirent, puis le chef lakota le tint à bout de bras pour mieux le regarder.

— Mais tu arrives à la hauteur de la bosse d'un gros bison, à présent ! lui dit-il.

Agé de vingt-neuf ans, Renard-du-Ciel atteignait maintenant un bon mètre quatre-vingt-dix. Toutefois, il préférait de loin la poétique façon de mesurer de ses frères lakotas. Il eut le sentiment doux et amer à la fois d'être enfin de retour chez lui.

Son ami le fit entrer. L'intérieur de la cabane était un étrange mélange du style de vie des Indiens et de celui des Blancs.

Le chef ne s'était pas encore habitué aux chaises et aux fauteuils. Aussi restait-il fidèle au repose-dos traditionnel qui permettait de s'asseoir sur le sol ou plutôt sur des fourrures disposées sur la terre battue. Il y en avait quatre, alignés en demi-cercle devant la cheminée de briques. Cette disposition rappelait à Renard-du-Ciel le rond sacré des Indiens.

Aigle-Danseur passa son bras autour des épaules de son neveu.

— Merci d'avoir ramené Sans-Mocassins sain et sauf, dit-il à Renard-du-Ciel avec un sourire.

Ils s'installèrent confortablement sur les fourrures. Aigle-Danseur était un hôte accompli ; contrairement aux Blancs, il aurait considéré comme un manque de tact de poser la moindre question à ses invités avant que ceux-ci fussent rassasiés.

Ils dînèrent donc de haricots et de bacon, servis avec du pain noir de maïs et arrosés d'un café médiocre. C'était là le repas ordinaire des cow-boys et non des guerriers sioux. Reclus de fatigue, Sans-Mocassins se mit rapidement à piquer du nez sur son assiette. Dès qu'il eut terminé de manger, son oncle lui donna des couvertures et il alla s'étendre sur une peau de bison, devant le feu.

Puis, Aigle-Danseur parla des jours anciens et de sa nouvelle vie tandis que Renard-du-Ciel buvait son café. Au bout d'un moment, le chef se leva pour aller vérifier que son neveu dormait profondément, avant de revenir silencieusement s'asseoir auprès de Renard-du-Ciel.

— Il a des blessures, sur le visage, commenta-t-il simplement.

Alors Renard-du-Ciel raconta les circonstances de sa rencontre avec l'adolescent.

Quand Aigle-Danseur parla de nouveau, son regard était étrangement fixe et vide.

— Ils refusent de nous livrer les rations de nourriture destinées aux enfants si ceux-ci ne fréquentent pas l'école des Blancs. Que pouvons-nous faire ?

— J'ai été obligé de tirer sur cet homme. Je crains que cela n'arrange pas les affaires de notre peuple, soupira Renard-du-Ciel.

Aigle-Danseur secoua la tête.

— Il est mort ? demanda-t-il.

— Pas sur le coup, non. Mais il pourrait bien mourir de sa blessure.

Le chef vaincu étrécit ses yeux, sourcils froncés comme s'il réfléchissait intensément. Reprochait-il à son ami de ne pas avoir tué ce fauteur de troubles, alors qu'il en avait l'occasion ?

— Cet homme était un Blanc, alors les Blancs vont venir.

— Nous l'avons laissé en vie et n'avons pris aucun trophée.

— C'était sage…

Aigle-Danseur prit sa blague à tabac. Renard-du-Ciel se sentit décontenancé devant cette simple poche en peau de cerf, maladroitement brodée, dont la plupart des franges étaient déchirées. Il était étrange qu'un grand chef comme Aigle-Danseur, qui n'aurait dû posséder que des objets de grande valeur, en conserve un d'aussi médiocre facture.

Son ami remarqua le regard de Renard-du-Ciel et lui tendit la blague à tabac.

— Un cadeau de mon épouse, expliqua-t-il. La toute première chose qu'elle a brodée pour moi.

Renard-du-Ciel prit la pauvre relique dans sa main et la manipula avec tout le respect que l'on pouvait accorder à sa valeur sentimentale. Il sourit d'un air discrètement admiratif avant de la rendre à son propriétaire.

— J'ai construit cette maison pour elle, expliqua Aigle-Danseur. Une maison de Blancs, pour qu'elle s'y sente bien, quand elle reviendra.

Renard-du-Ciel garda le silence, ne sachant trop que répondre, mais déjà son ami était perdu dans ses pensées. Les yeux dans le vague, une expression absente sur le visage, il se mit à bourrer sa pipe en poussant un long soupir, avant de l'allumer avec une brindille enflammée de la cheminée. Il tira profondément sur le tuyau et l'odeur du tabac se répandit autour d'eux. Mais au lieu de savourer la fumée, Aigle-Danseur partit d'une longue et déchirante quinte de toux. Renard-du-Ciel lui versa un verre d'eau, ce qui parut l'apaiser un peu. Puis le chef tendit le calumet à son ami qui fuma à son tour un instant sans parler, avant de le lui rendre.

Ce silence, agréable parce que chargé d'amitié, se prolongea un moment entre eux. Puis Aigle-Danseur regarda Renard-du-Ciel.

— Tu marches toujours sur la « route rouge », alors ? lui demanda-t-il.

La route rouge, la route blanche… La façon indienne de décrire deux modes de vie qui n'avaient guère de chance, en effet, de se recouper jamais.

— Mon cœur est toujours lakota, répondit Renard-du-Ciel.

— Je suis à la fois heureux et triste que tu te sentes toujours des nôtres. J'avais espéré que tu trouverais ta place, parmi…

D'un geste vague vers la porte, il indiqua le monde extérieur.

Ils restèrent de nouveau silencieux un instant et Renard-du-Ciel songea à la dernière fois qu'ils s'étaient vus.

Décidément, pensa-t-il, cette journée était comme une lourde pierre dans son cœur.

— Tu n'as pas oublié, je le vois, dit simplement son ami. Etre venu au secours de ce garçon-là — il montra son neveu — pourra peut-être t'aider à retrouver un juste équilibre dans ta vie.

— Je ne crois pas que je pourrai un jour réparer ma faute.

Aigle-Danseur ne tenta pas de le contredire. Il se contenta de hocher gravement la tête.

— Je sais que tu penses ne pas avoir fait assez pour expier cet accident, et tu es le seul qui puisse en juger. Alors je dois te dire que Chat-Sauvage, le père de ton ami, est toujours en vie, mais qu'à présent ses yeux sont remplis de nuages. Ses filles, Fleur-Eternelle et Jolie-Antilope, ont perdu leurs maris à la guerre, juste avant la bataille de la rivière des Grasses-Pâtures. Peut-être pourrais-tu les épouser ?

C'était ainsi que les Lakotas appelaient la rivière de la Little Big Horn, où ils avaient battu le général Custer. Mais ce n'était pas le plus important. Renard-du-Ciel était si surpris par les révélations d'Aigle-Danseur qu'il en laissa pendre le tuyau du calumet, censé rester toujours parallèle au sol. Certes, il était assez riche pour entretenir deux épouses, certains guerriers sioux en avaient jusqu'à quatre, mais il savait que

Chat-Sauvage le haïssait et il était bien peu probable qu'il veuille jamais l'avoir pour gendre.

— Tu crois qu'il accepterait ? demanda-t-il prudemment.

— Je ne sais pas, mais les temps ont changé, répondit Aigle-Danseur. Les deux sœurs se disputent beaucoup et si elles quittaient sa maison, Chat-Sauvage pourrait prendre une nouvelle femme, à son tour. C'est un chef très respecté et nous avons beaucoup de veuves. Peut-être pourrais-tu vivre de manière agréable auprès d'elles. En revanche, tu ne pourrais pas rester ici, même avec des épouses lakotas. Je suis désolé, mon frère, mais les hommes blancs ne te voient pas comme l'un des nôtres.

Renard-du-Ciel savait que les traités ne permettaient pas aux non-Sioux de vivre sur la réserve, et comme il n'avait pas une seule goutte de sang lakota… Enfant, il en avait beaucoup souffert et cela l'avait poussé à se montrer toujours plus brave que ses camarades. C'était d'ailleurs la cause du drame qu'il avait vécu. Cherchant à se montrer le meilleur chasseur de tous, il n'avait pas pris le temps de vérifier que le cerf qu'il visait de sa flèche à travers les fourrés en était bien un. Il reverrait toujours son ami perdant son sang dans ce bosquet de cotonniers.

— Ce sont de belles femmes, et fortes.

— Pourquoi n'en épouses-tu pas une ? demanda Renard-du-Ciel.

Elles étaient de la tribu Bitterroot et il n'y avait aucun inconvénient à ce que le chef de celle des Sweetwater en épouse une ou bien même les deux…

— Mon cœur n'est pas libre.

A ces mots, Renard-du-Ciel ressentit l'amère morsure du remords. Il hésita.

— Le tien l'est-il, mon frère ?

— Le mien est mort. Je crains que ce ne soit pas un sort très enviable pour une femme que de devoir s'en contenter.

— C'est que tu as perdu ta place dans le monde. Peut-être devrais-tu prendre ces deux femmes et commencer une nouvelle vie en effaçant enfin l'ancienne.

La gorge serrée, Renard-du-Ciel examina la possibilité d'accepter une telle responsabilité. Est-ce que Nuage-Sacré aurait voulu qu'il épouse ses sœurs veuves ? S'il vivait encore, ce serait à lui de veiller sur elles. Renard-du-Ciel sentit le lourd manteau du devoir peser sur ses épaules.

— Interroge leur père, se décida-t-il. S'il le veut, j'épouserai l'une d'elles ou bien les deux.

Aigle-Danseur sourit, visiblement soulagé, et Renard-du-Ciel réalisa qu'il avait parlé un peu vite. Décidément, il avait vécu trop longtemps avec les Blancs et, comme eux, il prononçait des mots avant de les avoir vraiment réfléchis. Aigle-Danseur ne savait pas quel autre poids lui pesait toujours.

Il s'éclaircit la gorge.

— Il y a autre chose que je dois te dire, mon frère. Si, lorsque tu sauras, tu penses toujours que je devrais épouser ces deux sœurs, je le ferai. Mais avant que tu ailles poser la question à Chat-Sauvage, je dois te parler de mon retour parmi les Blancs.

Aigle-Danseur acquiesça et il se rassit, posant le calumet sur son présentoir de bois.

— Après que tu m'as accompagné jusqu'à la route du fort, j'ai rencontré une patrouille de soldats et ils m'ont mené à leur chef, qui m'a interrogé sur les autres captifs blancs. C'était la première chose que mon nouveau peuple voulait savoir…

Honteux, il baissa la tête. Aigle-Danseur ne dit rien et attendit en silence.

— Je t'ai trahi, mon frère, acheva Renard-du-Ciel.

Aigle-Danseur ne cillait toujours pas. Il était bien différent en cela des Blancs, toujours prompts à questionner, à blâmer, à vociférer. Ses frères lakotas avaient la colère lente et ne se battaient qu'après mûre réflexion. Ils connaissaient le pouvoir incendiaire des mots et en usaient avec circonspection.

— Il m'a montré une photographie de ton épouse, Rayon-de-Soleil.

Un muscle frémit sur la joue d'Aigle-Danseur. Renard-du-Ciel aurait aimé que son ami se jette sur lui, qu'il le frappe, qu'il le tue pour ce qu'il avait fait. Mais Aigle-Danseur montrait toute la retenue du grand chef qu'il était.

— Pourquoi as-tu fait cela ? demanda-t-il simplement à voix basse.

Seuls ses yeux montraient la terrible peine qu'il ressentait.

Oui, pourquoi ? Par stupidité, par arrogance…

— Les Lakotas étaient forts, alors, expliqua-t-il. Je savais que l'armée ne se risquerait pas hors des pistes, si loin vers le nord. Et si jamais leurs chefs décidaient malgré tout de s'y aventurer, nos braves leur auraient fait payer cher cette impudence. Jamais je n'aurais cru…

Il n'acheva pas. Comment l'aurait-il pu ?

Ce fut Aigle-Danseur qui le fit pour lui.

— Que son père et sa mère le feraient, eux, et qu'ils l'enlèveraient ?

Le chef hocha la tête et son regard se perdit très loin, au-delà des murs de la petite maison.

— Et que ma propre mère trahirait son fils ?

Les yeux de Renard-du-Ciel s'agrandirent de surprise. Il ne s'était pas attendu à une telle confession. Finalement, il baissa la tête.

— Tu portes un bien lourd fardeau, lui dit pensivement Aigle-Danseur.

— Tout comme toi.

Son ami acquiesça en silence. Renard-du-Ciel se leva.

— Je vais partir, maintenant.

Aigle-Danseur étendit vers lui sa main ouverte.

— Non, tu vas passer la nuit ici, au moins.

C'était un geste d'hospitalité et de courtoisie que Renard-du-Ciel ne méritait pas et qui l'emplit de confusion. Il se rassit, honteux.

— Plusieurs fois, j'ai essayé de mourir honorablement. Je me demande bien pourquoi je suis toujours en vie.

Aigle-Danseur fit attendre sa réponse jusqu'à ce que Renard-du-Ciel accepte de croiser son regard de nouveau.

— Je pense que c'est parce que deux personnes sont en toi ; ton ami habite ton cœur. Et tu dois l'honorer, en menant une bonne vie.

Tous les deux, ils regardaient mourir les braises du feu.

— J'étais avec ton père quand il est tombé, à la bataille de la rivière des Grasses-Pâtures.

Renard-du-Ciel se tourna vers lui avec curiosité. Il avait entendu dire que son père adoptif avait été tué à Little Big Horn, mais il n'en savait pas davantage.

— Il a combattu et est mort en brave.

Renard-du-Ciel brûlait de connaître tous les détails, mais il hésitait à les demander. Peut-être valait-il mieux garder ses souvenirs intacts.

— Merci de me l'avoir dit, répondit-il simplement.

— Il parlait souvent de toi, s'inquiétant de ce que tu devenais dans le monde des Wasichus, exactement comme je m'inquiète à propos de Rayon-de-Soleil. Je me demande si elle est heureuse dans le monde où elle est née.

Aigle-Danseur se tut. Quand il parla de nouveau, sa voix était lointaine et sincère à la fois.

— Les marques tribales que ma mère lui avait faites au visage désespéraient mon épouse. Mais, moi, je les trouvais belles. Longtemps après son départ, j'ai espéré que ces tatouages me la ramèneraient. Tous les matins, quand je prie le Grand Esprit devant la porte, je vois rougeoyer le ciel et je me souviens de la couleur de ses cheveux. Je donnerais tout ce qui me reste de vie, cette vie sans honneur et sans but, rien que pour la revoir une dernière fois.

Derrière eux, le jeune Sans-Mocassins s'étira, repoussa ses couvertures et les rejoignit près du feu. Ses yeux étaient grands ouverts, comme s'il avait été réveillé en sursaut. Aigle-Danseur leva les siens vers lui.

— Tu as tout entendu ? lui demanda-t-il.

— De quelle couleur étaient ses cheveux ? répliqua l'adolescent.

Aigle-Danseur baissa la tête en silence, aussi ce fut Renard-du-Ciel qui répondit :

— Une sorte de roux doré, comme du cuivre au soleil. Longs et ondulés.

Sans-Mocassins passa la main sur son menton.

— Elle porte la marque des femmes Sweetwater ?

Cette fois, le chef dévisagea son neveu avec grand intérêt. Il acquiesça silencieusement.

— Je l'ai vue. Elle est à l'école des Blancs.

Sans cesser de le regarder droit dans les yeux, Aigle-Danseur saisit l'adolescent par les épaules. Puis il posa trois doigts sous sa lèvre inférieure et les abaissa vers son menton.

— Comme ceci ? demanda-t-il.

Sans-Mocassins hocha la tête.

Illuminé de joie, le chef se tourna vers son ami.

— Ma femme est de retour, lui dit-il. Elle revient vers moi.

Renard-du-Ciel se laissa pensivement aller contre son repose-dos. Pourquoi Lucie West reviendrait-elle chez les Lakotas ?

Aigle-Danseur lui agrippa fiévreusement l'épaule avant de se lever, comme s'il allait se précipiter sur la route de l'école. Il parut un instant perdu, déboussolé, puis se retourna vers Renard-du-Ciel.

— Je n'ai pas le droit de quitter la réserve, constata-t-il, égaré. C'est toi qui dois aller la chercher.

Renard-du-Ciel eut un sursaut de surprise mais aucun son ne passa ses lèvres. Il se leva lentement pour faire face à son mentor.

— Je t'en supplie mon ami, implora Aigle-Danseur. Tu dois lui dire que je l'attends, que je lui ai gardé mon cœur.

Renard-du-Ciel se haïssait de devoir lui rappeler l'évidence.

— Mais, mon frère, elle s'est enfuie. Pourquoi vouloir d'une femme qui ne veut pas de toi ?

— Elle ne s'est pas enfuie, elle a été reprise pendant que j'étais absent. Et elle me cherche, aussi. Ne le vois-tu pas ?

— Nous ne sommes même pas sûrs qu'il s'agisse de Rayon-de-Soleil.

— Elle est la seule femme blanche qui porte la marque des Sweetwater. Elle est revenue, et toi aussi, comme au temps où elle me fut enlevée. La grande boucle a fait un tour complet.

— Et si elle s'était remariée ? Elle a peut-être des enfants..., tenta-t-il de protester.

Aigle-Danseur secoua obstinément la tête.

— Et si elle ne veut pas venir ?

Le visage grave et solennel, Aigle-Danseur repoussa de nouveau son objection.

— Elle viendra.

— Tu ne pourras pas l'obliger à rester.

Aigle-Danseur secoua la tête.

— Je ne la garderai que par la puissance de mon amour. C'est toute la force dont j'ai besoin. Va, mon frère. Ramène-la-moi, je t'en prie.

# Chapitre 2

Le lendemain matin, Sans-Mocassins alla rejoindre une bande de garçons plus âgés que lui au bord de la rivière. Comme il les enviait ! Il aurait bien aimé, lui aussi, avoir passé l'âge de quatorze ans et ne pas être obligé de retourner à l'école des robes noires.

Normalement, ces garçons de seize ou dix-sept ans n'auraient pas dû lui accorder un seul regard mais, cette fois, ils le hélèrent au passage. Peu de temps auparavant, leur chef s'appelait encore Arrive-en-retard, mais maintenant qu'il avait accompli sa quête et eu sa vision sacrée, il s'était vu attribuer un nom d'adulte : Eclair-Rouge. Mais comment pourraient-ils acquérir leur plume d'aigle, dans un monde où il n'y aurait plus ni bataille ni chasse aux bisons ? Sans-Mocassins savait que le jeune chef avait vu Renard-du-Ciel quitter la maison de son oncle, tôt le matin.

— Pourquoi Aigle-Danseur accueille-t-il un ennemi chez lui, têtard ? lui demanda le jeune homme en utilisant le surnom que Sans-Mocassins haïssait.

— Ce n'est pas un ennemi.

Cheval-qui-rue eut un ricanement bref. Sans-Mocassins continua :

— C'est le fils de Dix-Chevaux.

Les yeux du garçon s'agrandirent de surprise.

— J'ai entendu parler de lui. C'est celui qui a tué le fils de Chat-Sauvage. Celui-ci n'a plus que deux filles, à présent, et elles sont très belles !

Pourvu que les garçons ne se mettent pas à parler de filles, songea Sans-Mocassins avec ennui. Ce sujet semblait les intéresser au plus haut point ces derniers temps, bien plus qu'aucun autre. Mais ce n'était pas le moment : aujourd'hui, il avait besoin d'eux pour retrouver son ennemi.

— Il s'appelle Renard-du-Ciel et il a tiré sur celui qui m'avait capturé.

Cette fois, il avait de nouveau toute leur attention.

— Il allait…

Sans-Mocassins s'interrompit et se reprit.

— Il me battait et alors, Renard-du-Ciel a tiré sur lui.

Il bomba le torse et ajouta fièrement :

— Moi aussi, j'ai voulu tirer.

Les garçons se mirent à rire.

— Je croyais que tu étais sérieux, lui dit Eclair-Rouge.

— Avec quoi voulais-tu lui tirer dessus ?

— J'avais pris son revolver.

Les rires s'arrêtèrent net.

— Et où est-il, maintenant ? demanda Cheval-qui-rue.

— Renard-du-Ciel… Renard-du-Ciel a voulu le laisser là-bas.

Les garçons échangèrent un regard entendu. Sans-Mocassins sentit qu'il n'était plus leur centre d'intérêt.

— Je peux vous y conduire, si vous voulez.

Ils gardèrent le silence un moment, cherchant visiblement le moyen de se rendre sur place sans lui.

— On pourrait suivre les vautours, suggéra Cheval-qui-rue.

— Il n'est pas mort, s'empressa de préciser Sans-Mocassins.

Eclair-Rouge hocha la tête.

— C'est bon, lui dit-il. Emmène-nous.

Lucie West observa l'inconnu attacher son cheval à un poteau, devant l'atelier du forgeron. Il avait attiré son regard dès son arrivée. Il se tenait en selle avec une grâce peu commune, et qui pourtant lui semblait familière. Il releva ses étriers et sécurisa adroitement la bride autour du madrier. Décidément, cet homme ne bougeait pas comme un soldat ou comme un fermier. Pourquoi avait-il capté ainsi son attention ? se demanda Lucie. Il était plus grand et de carrure plus large que beaucoup, certes, mais…

Et son chapeau, où était-il ? Aucun homme blanc ne sortait, ni ne montait à cheval sans en porter. Lui, pourtant, allait tête nue. Il avait les cheveux longs jusqu'aux épaules, mais ils étaient clairs, parsemés de mèches blondes, ou plutôt décolorées par le soleil. Son visage était hâlé, bien que l'on devinât aisément qu'il était blanc. Peut-être était-ce l'un de ces nombreux métis que l'on voyait partout ces derniers temps…

Ses puissants avant-bras étaient bronzés et elle devinait les muscles qui jouaient sous sa chemise tandis qu'il défaisait les attaches de ses fontes de selle. Une fois qu'il eut terminé, il balança le tout sur son épaule, sans effort. Elle laissa son regard descendre le long du dos et des jambes puissantes de l'étranger, de la taille où pendait le ceinturon du revolver pour s'arrêter net sur les hauts mocassins à franges. Elle connaissait bien ce modèle de chaussures, pour en avoir cousu de semblables, jadis, même si elles n'étaient pas d'aussi élégante facture que celles-ci. Pourquoi cet homme lui semblait-il aussi étrangement familier ?

Ses mocassins pouvaient être une prise de guerre, un achat ou bien le résultat d'un troc, mais cette pensée, pourtant logique, ne parvenait pas à calmer son angoisse.

A cet instant, Mme Fetterer, l'une des matrones qui régnaient d'une main de fer sur l'école pour Indiens de Sage River, s'approcha de Lucie. Voyant qu'elle était captivée par quelque chose, elle suivit son regard.

— Ah, dit-elle, le marchand de chevaux… Je vois qu'il a vendu tout son lot.

La femme se tenait bien droite, raide comme un col amidonné malgré sa silhouette épaisse. Ses cheveux frisés étaient serrés dans un énorme chignon qui faisait paraître sa tête toute petite en comparaison.

Malgré la présence de sa collègue, Lucie ne parvenait pas à détacher son regard de l'étranger. Il se raidit soudain, tout son corps tendu comme s'il sentait qu'on l'observait, puis il se tourna lentement, la main sur le pommeau de sa selle.

Il la fixa de son regard bleu azur, une lueur étrange au fond des yeux. Lucie avait l'habitude que les hommes la regardent, mais là, c'était différent. Le souffle coupé, elle s'empressa de baisser la tête tandis qu'un frisson la parcourait. Mme Fetterer la saisit alors par le bras et la poussa à avancer.

— Non mais, vous avez vu comment il vous regarde ? protesta-t-elle, outrée. Aucunes manières ! Et aussi mal éduqué que les chevaux qu'il vend…

Lucie se laissait guider, résistant à l'envie de partir en courant. Si Mme Fetterer n'avait pas été là, c'était d'ailleurs ce qu'elle aurait fait. Quelque chose dans l'attitude de l'inconnu l'alarmait. La dernière fois qu'elle avait ressenti ce genre de choses, c'était quand elle avait dû se cacher pour échapper aux Sioux.

— Cet homme-là me fait toujours peur, lui confia Mme Fetterer tandis qu'elles s'éloignaient de la forge. Mon mari dit qu'il lui adresse à peine la parole mais que, en revanche, il parle toujours très longuement avec chaque Indien qu'il rencontre.

Lucie sentit ses genoux trembler. Si cet homme-là parlait sioux, il y avait de fortes chances pour qu'il connaisse la signification des marques qu'elle portait sur son menton.

— Est-ce qu'il commerce avec les Indiens ? demanda-t-elle.

Elle aurait juré qu'il fixait toujours son dos.

— Je doute qu'il ait reçu les autorisations officielles pour cela. Et les Indiens, eux, n'ont pas le droit d'acheter ses chevaux. Je ne vois d'ailleurs pas qui pourrait bien vouloir de ses chevaux tachetés du diable. Si vous voulez mon avis, la cavalerie devrait tous les abattre, de même que les bisons. C'est la seule façon de maintenir les Indiens dans le droit chemin.

Elles atteignirent le comptoir de vente et Lucie tint la porte pour sa compagne, en profitant pour jeter un dernier regard derrière elle.

L'inconnu n'avait pas bougé et la regardait toujours fixement. Elle se précipita pour suivre Mme Fetterer à l'intérieur de la boutique. Là, elle s'approcha de la vitrine pour le regarder retirer sa selle et entrer dans la forge.

Mme Fetterer se déplaçait entre les rayons et posa une boîte de pêches en conserve dans son panier.

— Mon Oscar est certain qu'il vend des fusils à ces sauvages…

— De qui parlez-vous ? demanda M. Bloom, l'épicier rubicond qui, lui, faisait bel et bien des affaires avec le Bureau des affaires indiennes.

Lucie s'interrogeait toujours à ce sujet, car l'homme semblait passer le plus clair de son temps à vider lui-même la moitié des bouteilles de whisky qu'il vendait avant de remplacer le contenu par du thé. Cette fâcheuse tendance avait pour conséquence que ses yeux étaient constamment larmoyants et son nez arborait mille veinules éclatées, pourpres comme une fraise trop mûre.

— Ce vendeur de chevaux est de retour. Comment s'appelle-t-il, déjà ? demanda Mme Fetterer.

— Ah ! vous parlez de Renard-du-Ciel ? J'ai entendu dire qu'il avait tué un homme au Texas et qu'ils voulaient le pendre, là-bas.

Bloom s'approcha de la vitrine à son tour.

— Il a déjà vendu tous ses chevaux ?

— On le dirait bien, répondit Mme Fetterer. Avez-vous du savon de qualité, monsieur Bloom ? Ma peau est trop délicate pour supporter le tout-venant…

— Par ici…

Il tira une boîte de sous son comptoir.

— On ne peut qu'admirer un homme qui capture seul des chevaux sauvages, y compris des étalons ! Je me demande comment il s'y prend. C'est proprement incroyable. Incompréhensible même.

— J'espère qu'il les capturera tous, jusqu'au dernier ! reprit Mme Fetterer.

— Pensez ce que vous voulez, mais ces chevaux sont très rapides et se contentent de manger ce qu'ils trouvent. Pas besoin de leur donner du picotin d'avoine.

— C'est bien pour cela qu'il faut nous en débarrasser. Vous avez du talc ?

— J'en attends, mais il vient de l'Est, c'est long…

Mme Fetterer soupira.

— Je crois qu'il faudra que je demande à ma sœur qu'elle m'en envoie.

Elle prit un pain de savon et le plaça dans son panier.

— Savez-vous ce qu'a fait cet homme quand mon mari lui a proposé de castrer ses étalons ? Il a ri, comme si c'était la chose la plus drôle qu'il ait entendue !

Lucie regarda Mme Fetterer et un frisson d'angoisse lui parcourut l'échine. Cela confirmait ses soupçons : cet homme était un familier des Sioux. Aucun guerrier digne de ce nom n'aurait accepté de monter un cheval castré. Les Indiens ne connaissaient que les chevaux entiers, mâles ou femelles. Aigle-Danseur se moquait toujours des soldats de la cavalerie, forcés de castrer leurs étalons pour pouvoir les dominer.

— Peut-être est-il comme ses chevaux et a-t-il juste besoin d'être éduqué, dit M. Bloom, conciliant. Un peu comme vos élèves…

Mme Fetterer eut un reniflement méprisant.

— Lui ? Il est plus sauvage qu'un loup. Aucune femme ne pourrait le civiliser.

L'épicier eut un sourire égrillard.

— Rien ne résiste à une femme, dit-on.

La digne matrone secoua la tête.

— On dit aussi qu'il y a une exception à chaque règle !

Bloom regarda de nouveau la porte de la forge par laquelle avait disparu Renard-du-Ciel.

— Je me demande s'il a croisé Carr, dit-il pensivement. Il devrait avoir ramené ce garçon, à l'heure qu'il est…

— Encore une autre brute ! dit fermement Mme Fetterer.

— C'est un bon chasseur, répondit l'épicier. Pour lui, ces gamins en fuite ne sont pas très différents des coyotes. Mais il n'était jamais resté absent aussi longtemps. Ce gamin-là doit être drôlement plus malin que les autres…

— Ce Carr aurait dû être renvoyé depuis longtemps, je l'ai dit au père Dumax, affirma sévèrement Mme Fetterer.

— Et que vous a-t-il répondu ?

— Il n'a pas voulu tenir compte de mon avis.

Bloom émit une sorte de gloussement amusé.

Lucie jeta un coup d'œil par la vitrine et fut horrifiée de constater que cet étranger qui l'inquiétait tant, ce gibier de potence recherché pour meurtre, venait vers elle à grandes enjambées. Elle fit un bond en arrière, soudain prise de panique.

— Madame Fetterer, je suis désolée, je ne me sens pas très bien, dit-elle à sa compagne. Voulez-vous m'excuser une minute ?

— Je n'en ai que pour un instant.

Les dents serrées, Lucie se plaça juste derrière la porte qui s'ouvrait déjà. Il était peut-être présomptueux de s'imaginer qu'il venait la voir, mais elle avait appris de longue date à se fier à ses impressions. Aussi se glissa-t-elle dehors au moment même où l'étranger entrait dans la boutique. A peine sortie, elle se mit à courir.

Presque aussitôt, elle entendit une porte claquer derrière elle, mais ne se retourna pas ni ne ralentit sa course.

— Lucie ! Lucie West ! appela-t-il.

Comment connaissait-il son nom ?

— Il faut que je vous parle…

Pas si elle pouvait l'éviter…

Lucie était parfaitement consciente que l'homme pourrait la rattraper sans grand effort. Elle était prête à crier si jamais il osait la toucher. Elle portait toujours sur elle le couteau à dépouiller qu'Aigle-Danseur lui avait offert.

Mais il ne la poursuivit pas et elle n'interrompit sa course qu'une fois en sécurité dans sa chambre, la porte verrouillée.

Renard-du-Ciel s'immobilisa, regardant Lucie West courir comme si ses jupes étaient en feu. Elle avait de fort jolies jambes, sous cet attirail. Il n'avait encore jamais vu une femme blanche prendre ses jupons à deux mains et se mettre à courir comme une pouliche effrayée, mais il avait vu des femmes de sa tribu le faire pour échapper aux raids meurtriers de la cavalerie. Avec une femme aussi sauvage, il fallait adopter le même comportement qu'avec les animaux : surtout ne pas crier, ni se lancer à sa poursuite. Même si, dans ce cas précis, la prendre en chasse aurait été bien tentant. Toutefois, s'il voulait gagner la confiance de Lucie, mieux valait qu'il se tempère. Sinon, il ne pourrait jamais lui délivrer le message qui lui avait été confié.

Il avait pris un mauvais départ avec elle, comme bien souvent dans sa vie. Se pouvait-il qu'elle l'ait reconnu, après tant d'années ? Il n'était qu'un petit garçon de onze ans, alors, et leur rencontre avait été très brève. A l'époque, il parlait très peu. Il était ironique que ce soit elle qui refuse de communiquer aujourd'hui.

Il la suivit à distance, à travers la cour de l'école, et eut le temps de la voir claquer la porte du bâtiment qui abritait le dortoir des filles. Il ne servirait à rien d'aller frapper à sa porte pour le moment. De toute façon, il faudrait bien qu'elle sorte un jour.

Il l'avait vue en compagnie de l'épouse du forgeron, ce qui lui donna l'idée de retourner voir celui-ci pour l'interroger un peu.

L'artisan leva les yeux de son enclume quand il le vit entrer.

— Vous avez vendu tous vos chevaux, alors ? lui demanda-t-il.

Renard-du-Ciel acquiesça silencieusement.

— Je me demande comment vous faites pour les dresser aussi vite, commenta le forgeron en hochant la tête. J'aimerais bien vous voir à l'œuvre, une fois…

— Vous connaissez cette femme qui travaille à l'école ? demanda-t-il en ignorant la requête de l'homme. La rousse ?

Le forgeron, qui avait repris son soufflet, l'abandonna pour le regarder avec curiosité.

— Je crois bien que c'est la phrase la plus longue que vous m'ayez dite depuis onze mois qu'on se connaît…

Il appuya sur les manches pour actionner le grand soufflet de bois et de cuir.

— Vous devez parler de Lucie West. Oui, je la connais, c'est une collègue de Dora, ma femme.

Il posa un doigt de suie sur son menton, laissant une trace noire de plus sur son visage déjà crasseux.

— Vous avez vu ses marques ? Ce sont les Indiens qui lui ont fait ça. C'est juste une relation… Dora et moi, on a pitié d'elle à cause de ce qu'elle a enduré. Elle a dû vivre des moments tragiques, pas vrai ?

— Depuis combien de temps est-elle là ?

— Je dirais deux semaines… Elle est la maîtresse des petites. Ma femme dit qu'elle a mauvais esprit. Elle persiste à parler leur charabia aux gamines quand elle croit que Dora ne l'entend pas. Ce n'est pas un service à leur rendre, vous savez… Comment voulez-vous qu'ils apprennent à parler correctement l'anglais, après ça ?

— Elle est mariée ?

Le forgeron parut s'amuser de cette question.

— Excusez-moi si je ris, lui dit-il, mais qui voudrait des restes des sauvages ? Je veux dire : c'est vrai qu'elle serait très jolie, sans ses tatouages, mais les Indiens se sont occupés d'elle, si vous voyez à quoi je fais allusion.

Il actionna encore plusieurs fois son soufflet avant d'ajouter :

— Enfin, tatouage ou pas, elles se ressemblent toutes, dans le noir…

Il regarda Renard-du-Ciel avec un sourire graveleux et satisfait, comme pour quêter son approbation.

Renard-du-Ciel sentit ses poings se serrer et dut résister à l'envie d'en faire usage sur le visage réjoui du forgeron. Les mots de son père lui revinrent à la mémoire, flottant à la surface de ses souvenirs comme une feuille morte sur un étang : « Un guerrier digne de ce nom ne se bat pas sous le coup de la colère. »

— Ma selle est prête ? demanda-t-il d'une voix égale.

— Bien sûr. Ça vous fera cinquante cents.

Renard-du-Ciel compta deux pièces qu'il posa sur l'établi avant de soulever sa selle du chevalet où le forgeron l'avait posée.

— Vous repartez dans quelle direction ? demanda celui-ci.

Renard-du-Ciel hésita et décida de mentir.

— Le sud.

— Ah… Je pense que vous ne tomberez pas sur Norman Carr, alors. C'est un employé de l'école. C'est lui qui recherche les petits sauvages qui s'enfuient. Son cheval est rentré sans lui… On le recherche.

Renard-du-Ciel demeura parfaitement impassible.

— Je me demande si les Indiens n'ont pas encore fait un mauvais coup… Vous les connaissez, vous, les Sioux, pas vrai ? Quelles saloperies vous pensez qu'ils lui ont fait, à propos, à cette femme ?

Renard-du-Ciel pinça les lèvres. A sa connaissance, son mari ne lui avait jamais témoigné que du respect et de la tendresse. Il l'aimait toujours après toutes ces années. Quant à ce qu'elle ressentait, elle, dans son cœur, il n'en savait rien et ne tenait pas à le savoir. Ce n'était pas son affaire. Lui, il n'était que le messager. Il s'en tiendrait là, autant que possible.

— Merci, pour la selle.

Le forgeron répondit d'un hochement de tête, sans cesser d'actionner sa forge.

Une fois à l'extérieur, Renard-du-Ciel reprit Ceta, son cheval, par la bride et le conduisit à l'écurie de louage, où il l'installa dans un box. Puis, finalement, il revint à pas lents vers la cour de l'école, où des petits garçons marchaient en rond comme des soldats. Peut-être les Blancs pensaient-ils que, après leur avoir volé pratiquement tous leurs chevaux, il devait apprendre aux Indiens à marcher.

Les enfants portaient de tristes uniformes gris acier, leurs visages étaient vides d'expression, comme absents. On leur avait coupé les cheveux court, ce qui, chez les Sioux, était signe de deuil. Sans doute n'était-ce qu'une question pratique pour les Blancs. Renard-du-Ciel doutait que les enseignants connaissent la signification indienne de cette règle qu'ils leur imposaient. A lui aussi, on avait coupé les cheveux, et il était en deuil, depuis lors.

Ne pouvant sauver son peuple, il avait trouvé un étrange substitut : il sauvait leurs chevaux.

Les petits garçons terminèrent leur exercice sans but et se dirigèrent vers la chapelle. Les filles, elles, étaient déjà rassemblées pour la leçon de l'après-midi qui consistait à leur faire remuer interminablement des chaudrons de linge sale. Renard-du-Ciel s'installa dans l'ombre du bâtiment de la forge pour guetter l'instant où elles en sortiraient. Il savait qu'alors, Lucie escorterait ses élèves aux vêpres et qu'il aurait une nouvelle chance de lui parler. Un frisson d'anticipation parcourut son corps.

Il avait été très surpris de constater à quel point Lucie était devenue jolie. Il se souvenait bien de la fillette qu'elle avait été, avec ses cheveux fous jusqu'aux reins, ses genoux écorchés et sa silhouette toute fluette. Déjà en ce temps-là, elle avait une bouche qui vous donnait envie de l'embrasser et de grands yeux très bleus qui vous faisaient penser à une eau profonde. Aigle-Danseur avait su voir les promesses de la femme qu'elle deviendrait, mais même lui n'aurait pu imaginer la fleur qui surgirait un jour de ce simple bouton.

Si elle n'avait pas été aussi belle, peut-être aurait-il trouvé les mots quand ils s'étaient rencontrés pour la première fois, au lieu de la dévorer des yeux sans rien dire.

Toutefois, il n'aurait pas cru qu'elle lui couperait ainsi le souffle, des années plus tard. Il se secoua la tête pour chasser ces pensées idiotes de son esprit. Comment une femme comme elle pourrait-elle s'intéresser à un renégat comme lui ? Il tentait de se raisonner, mais rien ne parvenait à brider le désir qu'il ressentait pour cette femme.

Il attendait dans la pénombre, les bras croisés, lorsque le son d'une chanson de son enfance lui parvint. C'était une ronde des Lakotas, que dansaient ensemble filles et garçons. Qui donc avait le courage d'entonner un tel air ici ?

Intrigué, il se laissa guider par la voix cristalline.

# *Chapitre 3*

Lorsque Lucie était arrivée à l'école pour Indiens de Sage River, deux semaines auparavant, elle avait découvert que le poste de professeur qu'elle avait accepté n'avait rien à voir avec ce qu'elle imaginait. Il s'agissait en fait de surveiller les dortoirs et d'assister les travaux pratiques lors des cours manuels imposés aux filles.

Bien sûr, dès qu'elle s'en était aperçue, elle avait été tentée de se battre pour imposer sa manière d'enseigner, mais elle avait vite renoncé à affronter le directeur de l'école. Comme toujours, elle n'avait pas trouvé le courage de faire face au conflit. Elle avait alors mis de côté sa déception, tout en essayant de se convaincre que ce qu'elle faisait était une manière comme une autre de se rendre utile et de servir son prochain.

Pourtant, un sentiment de révolte l'habitait en permanence… Comme elle aurait voulu ressembler à sa mère ! Emportée, indomptable et brave, Sarah West était ce qu'on appelait une femme de caractère. Lucie, elle, se protégeait en permanence, la seule façon pour elle de se sentir en sécurité. N'était-ce pas le plus important ?

Elle était donc restée dans cette école isolée, à quelque soixante kilomètres au nord de Moorehead, dans le Minnesota, où se trouvait la plus proche gare de la ligne de chemin de fer qui reliait ce coin perdu au reste du monde. Elle ne comprenait que maintenant l'utilité d'un tel éloignement : les bonnes gens de Moorehead ne devaient pas tenir à ce que l'école pour

Indiens soit immédiatement à leur porte. C'était également parfait pour empêcher les parents de venir voir leurs enfants, ce qui hâtait encore la perte des repères culturels. Lucie avait passé deux dimanches de suite à l'école et n'y avait pas vu le moindre visiteur. Cela lui serrait le cœur. Ayant également aidé plusieurs petites filles à faire leur courrier, elle avait pu constater que Mme Fetterer contrôlait toutes les lettres avant leur mise à la poste.

Avant cette expérience, et sur le principe, Lucie avait longtemps admiré l'action des bons pères catholiques. Une bonne éducation semblait en effet le seul moyen d'empêcher les jeunes Indiens de devenir les misérables épaves que l'on commençait à voir apparaître dans les réserves. Mais à vivre ici au jour le jour, Lucie s'était aperçue que la théorie était très éloignée de la réalité. Le processus de transformation des jeunes Sioux en bons Américains était en fait une machine à broyer les cœurs et les esprits.

Ayant elle-même été autrefois une esclave, elle se sentait mal à l'aise à l'idée de se trouver à présent plus ou moins dans une position de contremaîtresse. Toutefois, bien qu'assez infâme, cette situation était, il fallait l'avouer, bien plus confortable que la première. Pourtant, si son esprit acceptait l'idée que l'assimilation était la seule alternative à l'extinction, son cœur, oui son cœur, lui murmurait le mot « trahison ».

Lucie tâchait de brider ses émotions. Elle savait bien que se rebeller ne lui servirait qu'à perdre sa place. Elle était enseignante, ou le serait un jour, et songer à scier la branche sur laquelle elle était assise n'avait pas de sens. Mais pourquoi, alors, trouvait-elle si difficile de se plier à la règle ? Elle savait qu'elle ne faisait pas très bonne impression auprès des prêtres et des maîtresses de l'école, qu'il lui fallait faire des efforts pour se racheter.

Aujourd'hui, elle avait le douteux honneur d'assister Mme Fetterer, qui devait apprendre aux petites Indiennes à faire une lessive dans les règles. Les plus grandes regardaient les chaudrons remplis d'eau bouillante avec inquiétude. Finalement, l'une d'elles exprima tout haut ce que les autres pensaient tout bas :

— Les Wasichus veulent nous faire cuire !

Instantanément, ses camarades se mirent à hurler de terreur. Mme Fetterer cria pour rétablir l'ordre, mais sans succès. Alors, Lucie éleva la voix et parla en lakota.

— Mais non, c'est seulement pour laver le linge.

Les fillettes cessèrent aussitôt de crier. Celles qui avaient commencé de s'enfuir en criant firent demi-tour.

— Revenez ! leur cria Mme Fetterer, hors d'elle, avant de se tourner, furieuse, vers Lucie. Je ferai un rapport sur votre attitude, lui lança-t-elle.

Lucie fit la grimace. Comment ces gens espéraient-ils communiquer avec leurs élèves si on ne lui permettait pas de leur parler de temps en temps en lakota, alors que la plupart des enfants ne comprenaient pas encore bien l'anglais ?

— Elles avaient peur que nous les fassions cuire, expliqua-t-elle.

La digne matrone haussa rageusement les épaules.

— Ne soyez pas ridicule !

D'un geste sec, elle tira sur sa robe en laissant errer son regard sur l'assemblée de fillettes qui la contemplaient, les yeux ronds. Les siens s'étrécirent.

— Continuez la leçon à ma place, dit-elle sèchement à Lucie, je reviens.

Sans un mot, elle tourna l'angle du bâtiment et disparut tandis que Lucie la suivait des yeux. Aucun doute : Mme Fetterer était partie faire un rapport au directeur.

Lucie se mordit la lèvre pour l'empêcher de trembler. En dépit des efforts qu'elle déployait pour être aimable avec Mme Fetterer et les autres matrones, ces femmes ne l'appréciaient pas et passaient leur temps à chuchoter dans son dos.

Mais Lucie avait connu des commères dans leur genre en Californie, et elle y était maintenant habituée. Et puis ce n'était pas pour ces mégères qu'elle avait décidé de s'installer ici.

Elle se tourna vers les fillettes. Cette leçon sur la lessive pouvait paraître bien terre à terre, mais il était vrai qu'apprendre à laver correctement le linge pourrait les aider à se faire une place dans la société des Blancs. Lucie les mit au travail, à laver, tordre et étendre les draps de lit. Il n'y avait pas moins de quatre-vingt-six couchages dans les dortoirs de l'école, elles ne risquaient pas de s'ennuyer…

Et cet après-midi de septembre, encore bien chaud et bien humide pour la saison, ne leur facilitait pas la tâche. Bientôt, l'air chargé de vapeur devint irrespirable et les filles se mirent à transpirer dans leur nouvel uniforme trop chaud. Leurs joues étaient rouges et luisantes, mais le règlement de l'école leur interdisait même de rouler leurs manches ou d'ouvrir leurs boutons de col. Lucie regardait leur pauvre petit visage écarlate et suant, le cœur serré.

Mme Fetterer avait peut-être raison : sa compassion pour ces enfants la rendait trop indulgente envers eux. « Discipline, dignité et diligence », lui répétait sa collègue à chaque occasion. Mais que savait-elle de la douleur d'être séparé de sa famille et plongé dans une culture et une langue complètement différentes ? Ses souvenirs de captivité avaient donné à Lucie une profonde empathie pour les enfants dont elle s'occupait. Un sentiment qui, souvent, faisait taire sa prudence.

Les fillettes ressemblaient à des fleurs sauvages qui auraient poussé sur un sol aride. Elles la regardaient avec des regards suppliants et aussitôt, en réponse, quelque chose s'éveilla dans le cœur de Lucie.

Elle commença à battre des mains sur un rythme syncopé ; un grand coup puis trois petites tapes, le tout d'une façon régulière et répétée, encore et encore, pour donner le rythme. Tout de suite, les filles la regardèrent, avides de voir ce qui allait se passer. Lucie commença à chanter en lakota une chanson qui cadençait les rondes, lors des grands rassemblements. Certaines fillettes poussèrent une exclamation de surprise, l'une d'elles cacha sa bouche avec sa main. Deux des plus grandes avaient les larmes aux yeux tandis que les plus petites riaient.

Bientôt, il y eut des sourires sur toutes les lèvres. Les têtes battaient la cadence, tandis que les grandes pelles de bois tournaient dans les marmites. Pour la première fois depuis qu'elle était dans cette école, Lucie se sentait parfaitement en phase avec ses élèves et cette certitude lui donnait une assurance qui s'entendait dans sa voix. On lavait, essorait en rythme, et certaines fillettes se mirent à leur tour à chanter, dans un murmure. Car c'était interdit, sauf pour les hymnes religieux à la chapelle et les chants choraux de bienvenue, lors de la visite de quelque autorité.

Emportées par leur joie, les fillettes se mirent à taper du pied, certaines dansant d'un pied sur l'autre dans une réminiscence des danses tribales d'autrefois. Le travail semblait soudain plus léger et elles prenaient plaisir à s'activer au rythme que Lucie leur indiquait. Pour quelques instants, elles n'étaient plus des victimes, regroupées dans un lieu étrange où des adultes faisaient régner une discipline qu'elles ne comprenaient pas, mais simplement des jeunes filles lakotas, regroupées autour du feu sacré et dansant comme leurs mères et leurs grand-mères l'avaient fait avant elles.

Lucie chantait avec tout son cœur et même avec un entrain qu'elle ne se connaissait pas, jusqu'à ce que le dernier drap fut essoré et accroché sur son fil. Les fillettes ne s'arrêtèrent pas pour autant. Toutes se réunirent de nouveau autour des chaudrons et, épaule contre épaule, continuèrent la danse. Lucie rayonnait de fierté devant tous leurs visages souriants. Elle avait réussi à trouver un lien entre ses élèves et elle.

Encouragée par l'enthousiasme des petites filles, elle se mit à chanter plus fort.

A cet instant, la porte du bâtiment de l'école s'ouvrit à la volée et le père Batista parut sur le seuil. L'espace d'une seconde, sa mâchoire tomba, béante, puis se referma soudain comme une trappe. Le silence se fit instantanément. Toutes les têtes se courbèrent, sauf celle de Lucie, qui se redressa au contraire de toute sa taille, en dépit de l'angoisse qu'elle ressentait.

— Mademoiselle West, que signifie ce comportement ?

— J'ai pensé qu'un peu de musique…

— Ça, de la musique ?

Lucie resta silencieuse. Bien sûr, elle aurait dû présenter des excuses mais, au fond de son cœur, elle savait qu'elle avait bien agi. Pourquoi devrait-on forcer ces fillettes à effacer leurs souvenirs ? C'était leur histoire, ce qu'elles étaient, profondément.

Incapable de soutenir plus longtemps le regard furieux du père Batista, elle baissa la tête.

— Eh bien, qu'avez-vous à dire, mademoiselle West ?

— On dit que les esclaves chantaient, dans les champs, pour oublier leurs chaînes.

Les mots lui avaient échappé sans qu'elle ne puisse rien faire. Aussi surprise que le père, elle leva les yeux vers lui avec appréhension. Il était rouge de colère.

— Dans la cour, vous autres ! ordonna-t-il aux fillettes en haussant la voix. En ligne pour l'inspection.

Les petites se précipitèrent et Lucie sut alors qu'elle n'avait rien changé à leur malheur. Au contraire, elle avait probablement aggravé leur situation.

— C'est un cas de désobéissance flagrant de votre part, mademoiselle West. Veuillez me suivre immédiatement chez le père directeur.

Batista attendit que toutes les fillettes aient rejoint la cour de l'école, puis il se mit en marche. Prenant une profonde inspiration pour se donner du courage, Lucie le suivit d'un pas qu'elle voulait déterminé. Ils firent d'abord le tour du bâtiment fraîchement repeint à neuf où les garçons étudiaient avant de traverser la cour.

Devant elle, juste après la chapelle, se trouvaient les quartiers des religieux. Le côté gauche de la cour était occupé par les ateliers du charpentier et du forgeron, tout près des écuries de louage. Ils passaient devant le Bureau des affaires indiennes lorsque Lucie aperçut le marchand de chevaux qui venait droit sur elle.

— Lucie, écoutez-moi ! lui lança-t-il.

Cette fois, ce fut le père Batista qui l'arrêta.

— Elle ne peut pas vous parler pour l'instant, mon fils, dit-il en poursuivant son chemin.

Sans se laisser impressionner, l'homme se mit à les suivre.

— Je t'en prie, ma sœur, la supplia-t-il dans un lakota parfait. C'est important.

Cette fois, elle s'arrêta.

— Tu étais un captif, toi aussi ? lui demanda-t-elle dans la même langue.

Il acquiesça.

Batista prit Lucie par le bras.

— Je suis le fils de Dix-Chevaux, dit Renard-du-Ciel.

La jeune femme le regarda au fond des yeux et eut un nouveau frisson. Cette fois, elle y était. Cet homme qui paraissait menaçant avait été jadis un petit garçon captif du peuple Bitterroot. Elle essaya de raccorder l'image du gamin dégingandé, seulement vêtu d'un pagne et montant fièrement une belle jument, dont elle se souvenait, avec cet étranger plutôt inquétant.

— Je me souviens de toi.

Batista apostropha Lucie.

— En anglais ! lui cria-t-il. On ne parle qu'anglais, ici.

Il se tourna vers Renard-du-Ciel, au bord de l'explosion.

— Allez-vous-en ou je vous fais chasser d'ici !

Renard-du-Ciel lui adressa un sourire carnassier avant de passer à la langue des Blancs.

— Essayez donc, pour voir.

— Vous n'oseriez pas, je suis un homme de Dieu ! rétorqua Batista, dont le visage était soudain tout pâle.

— Je ne suis pas sûr que nous ayons le même, vous et moi.

Batista pinça les lèvres et saisit le bras de Lucie pour l'entraîner. Comme Renard-du-Ciel paraissait prêt à s'interposer, Lucie lui lança un regard d'avertissement et mit la main à sa poche, ses doigts se refermant sur son couteau. Renard-du-Ciel s'immobilisa.

— Il faut que je te parle, insista-t-il.

— Pour quoi faire ? grogna-t-elle.

— J'ai un message pour toi.

Choqué, et certainement effrayé, Batista l'abandonna à son sort, pressant le pas pour s'éloigner de l'étranger.

Lucie ne quitta pas Renard-du-Ciel des yeux. Qui pouvait bien vouloir lui faire passer un message par l'entremise de cet homme ?

La réponse s'imposa comme une évidence et Lucie sentit ses jambes se dérober sous elle. Oui, qui avait pu choisir cet intermédiaire, sinon le guerrier sioux qui, jadis, avait fait d'elle sa femme ?

— De la part d'Aigle-Danseur ? demanda-t-elle en anglais.

— Oui.

Lucie pouvait à peine parler tant la terreur lui serrait la gorge.

— Je ne veux pas l'entendre.

La jeune femme tourna les talons, s'attendant plus ou moins à ce qu'il la rattrape et la jette sur son épaule. Lui avait-on dit de la capturer, une fois encore ? Elle prit le bas de ses jupes dans ses mains et se mit à courir à travers la cour, les yeux fermés, pour tenter de conjurer les souvenirs qui se succédaient, comme des éclairs aveuglants. Sans vraiment l'avoir calculé, elle se retrouva dans les bureaux de la direction et se laissa tomber sur un banc, bien heureuse de le trouver là car la tête lui tournait.

C'était bien le garçon aux yeux bleus qui était toujours avec Nuage-Sacré, le fils de l'un des chefs de guerre des Bitterroot. Il n'avait jamais voulu parler à Lucie, à l'époque, malgré ses efforts répétés. On disait, parmi les Indiens, qu'il avait été trouvé parmi les morts, ce qui expliquait qu'il ait des yeux de fantôme, alors qu'elle trouvait, elle, qu'ils étaient simplement d'un bleu extraordinaire.

Puis Renard-du-Ciel avait quitté les Sioux et, lorsqu'elle était elle-même revenue parmi les Blancs, ses parents lui avaient appris que c'était lui qui avait reconnu sa photographie et indiqué auprès de quelle tribu elle se trouvait. Personne ne savait d'où venait ce garçon. Lui-même ne se souvenait pas de sa véritable famille…

Quoi qu'il en soit, il l'avait sauvée et elle n'avait encore jamais eu l'occasion de le remercier.

Qu'était-il advenu de lui, quand il avait quitté les Indiens ? Il était parti vers l'ouest, avait-elle entendu dire, mais où exactement, elle n'en savait rien. Comme Lucie, il était revenu vers les grandes plaines, mais, elle, elle n'avait pas voulu revoir les Sioux. Non, plus jamais. Sa captivité avait été terrible et bien que son retour parmi les Blancs n'ait pas été une partie de plaisir, jamais elle n'avait eu peur pour sa vie parmi eux… jusqu'à aujourd'hui.

Comment Aigle-Danseur avait-il pu survivre à toutes ces batailles ? Lucie repensa au jour où on l'avait enlevée à sa mère pour faire d'elle une esclave du clan des Sweetwater.

Durant les mois qui avaient suivi son enlèvement, elle avait beaucoup souffert de sa captivité. La cruauté, les coups, le travail acharné et le manque de nourriture avaient failli la tuer. Mais l'espoir d'être sauvée l'avait soutenue durant tous ces sombres jours. Elle n'avait jamais douté que sa mère la rechercherait sans relâche, et elle avait eu raison de croire en elle.

Pourtant, elle aurait eu bien peu de chances de vivre assez longtemps pour voir le jour de sa libération, si Aigle-Danseur n'avait pas pris soin d'elle. L'intérêt qu'il éprouvait pour elle n'avait toutefois pas été qu'une bénédiction. Il était tombé amoureux de Lucie et lui avait fait quitter le statut d'esclave pour celui d'épouse. Elle n'avait pas eu à s'interroger longtemps ; même à treize ans, Lucie savait bien que sa vie dépendait de la protection du guerrier. Il ne l'avait jamais maltraitée, mais il ne l'aurait jamais autorisée à partir non plus.

De son côté, elle éprouvait à l'égard d'Aigle-Danseur des sentiments confus, un mélange de gratitude et de rancune. Encore aujourd'hui, elle avait des remords pour s'être enfuie, parce qu'elle savait qu'il avait dû en souffrir. Mais pourquoi se sentait-elle coupable, après tout ? Elle avait été sa prisonnière, elle avait eu raison de saisir l'occasion de reprendre sa liberté.

Lucie baissa la tête. Au fond, tout cela ne formait que la partie visible de son fardeau. En fait, elle avait surtout honte d'avoir été la femme d'un Indien, de l'avoir accepté, volontairement. Voilà pourquoi elle n'en parlait jamais. Chaque jour des dix dernières années, elle s'était efforcée de ne plus y penser, essayant de se persuader, en vain, que tout cela ne lui était jamais arrivé. Même ses parents n'étaient pas au courant. Ils pensaient qu'on l'avait forcée, qu'elle n'avait pas eu d'autre solution. Pourtant, elle avait bel et bien fait le choix de se marier plutôt que de rester une esclave, de vivre plutôt que de mourir. Et sa grande honte était, justement, d'avoir choisi la vie à n'importe quel prix.

La tête penchée sur sa poitrine, elle se maudit pour sa lâcheté. Contrairement aux héroïnes de romans, qui estimaient leur honneur au-dessus de tout, elle avait sacrifié le sien pour vivre. Eux tous, les prêtres, Mme Fetterer, M. Bloom, s'ils savaient qu'elle avait fait le choix d'épouser l'ennemi pour sauver sa peau !

Non, ils ne devaient jamais l'apprendre. Lucie protégerait son secret comme elle l'avait toujours fait.

Pourquoi ce messager de son passé maudit la poursuivait-il comme un fantôme ? Il suffisait de le voir pour comprendre qu'il ne la laisserait jamais tranquille. La seule solution était de lui parler, de lui expliquer ce qu'elle éprouvait. Alors il aurait peut-être pitié et s'en irait avant que les autres ne découvrent sa honte. Elle se trouvait aux prises avec un bien cruel dilemme : malgré ses réticences, elle devrait lui parler et faire appel à sa compréhension, au risque de perdre tout ce qu'elle avait réussi à construire jusque-là.

Indécise, elle était perdue dans ses sombres pensées lorsque le père Batista parut sur le seuil du bureau du directeur.

— Mademoiselle West ?

Lucie se leva, prête à se montrer docile, timide et pleine de contrition. Nombreux étaient les combats qu'elle ne pouvait espérer gagner. Elle le savait depuis longtemps. Mais demeurer dans cette école et pouvoir protéger les enfants serait déjà une grande victoire, néanmoins. Ce combat valait bien un mea culpa, même hypocrite.

Et puis, elle avait besoin de ce travail pour vivre. Pourquoi fallait-il qu'elle fasse une tragédie du moindre événement ? Ne pouvait-elle se contenter de faire ce qu'on lui demandait ? Elle avait toujours été lisse auparavant, soumise. Cette révolte qui l'agitait ces derniers temps la surprenait autant que les autres. C'était à force d'obéissance qu'elle avait survécu à la captivité chez les Indiens. Depuis, elle avait toujours adopté le même comportement, en toutes circonstances. Chez ses parents, elle s'en remettait toujours à sa mère… du moins jusqu'au jour où elle avait accepté cette place à l'école pour jeunes Indiens. Pour la première fois, elle était allée contre la volonté maternelle. Sa mère pensait en effet qu'elle faisait une terrible erreur en prenant ce poste. Peut-être avait-elle raison… Si elle était restée tranquillement à la maison, rien de tout cela ne serait arrivé.

Seulement voilà, le foyer de ses parents lui était devenu intolérable, une véritable prison pour son âme. Lucie ne pouvait pas y combattre les fantômes du passé. Mieux valait être une maîtresse d'école célibataire qu'une femme adulte se cachant comme une enfant sous le toit de ses parents. Elle voulait trouver sa place dans le monde, un endroit à elle, où sa présence serait acceptée et nécessaire. Les fillettes avaient besoin d'elle, n'est-ce pas ?

Pourquoi se montrait-elle soudain incapable de se plier aux règles, alors ? C'était pourtant simple : garder ses opinions pour elle et se taire !

Lucie ferma les yeux. Qu'est-ce qui avait changé en elle ? Pourquoi se rebellait-elle alors qu'elle savait parfaitement qu'un tel comportement ne pouvait qu'aggraver ses difficultés ? Ses propres réactions, qu'elle ne comprenait pas parfaitement elle-même, la mettaient en danger et lui faisaient peur. Elle devait suivre les conseils de ses collègues et changer d'attitude.

Le père Dumax se tenait derrière son bureau, les mains dans le dos. Chaque fois qu'elle le voyait, Lucie ne pouvait s'empêcher de comparer son visage à un melon, avec quelques touffes frisées autour des oreilles et un double menton en plus. Il fronça ses épais sourcils broussailleux et des rides profondes se creusèrent autour de sa bouche en signe de désapprobation.

— Je viens de parler avec Mme Fetterer, lui annonça-t-il, et le père Batista m'a rapporté une nouvelle faute au règlement. C'est grave, mademoiselle West.

Tandis qu'il parlait, elle remarqua que sa soutane noire était couverte de poussière. Un détail superflu sur lequel elle se concentra pourtant, afin de tenir bon.

— Est-il vrai que vous entraîniez les fillettes dans quelque danse païenne ? lui demanda le père directeur.

— Ce n'était qu'une chanson, juste pour leur donner du cœur à l'ouvrage…

Les deux prêtres se regardèrent. Batista haussa les sourcils devant cet aveu.

Lucie essaya de s'excuser.

— Je suis vraiment désolée, mon père, j'essayais seulement…

— Oui ?

— Ces petites sont très seules, terrifiées, et leurs familles leur manquent beaucoup. J'ai seulement voulu leur apporter un peu de paix et d'harmonie.

— Lucie, ce sont les enfants d'un peuple vaincu et les pupilles du gouvernement. Nous ne devons pas les encourager à revenir à leurs habitudes tribales. La seule chance qu'elles ont de survivre dans notre civilisation est de s'y adapter. Je pense que vous… plus qu'une autre… vous devriez comprendre cela…

Machinalement, Lucie se frotta le menton. Elle pouvait encore sentir les piqûres de l'os taillé qu'Oiseau-Jaune avait utilisé pour la tatouer. Il n'y avait aucun moyen de cacher ces horribles marques.

Même les bons pères étaient incapables d'en détacher leurs yeux. Elle avait cru que ce serait plus simple, dans cette école, mais il n'en était rien. C'était même pire et elle se sentait plus confuse que jamais. La désillusion était particulièrement pénible, mais il fallait y faire face.

Elle carra ses épaules.

Ce que cet homme en noir ne pouvait pas voir sur son visage, c'était que son expérience chez les Sioux lui avait donné des nerfs d'acier. Il ne lui fallait qu'un seul coup d'œil pour savoir qu'elle était plus forte que lui, psychologiquement.

— Ces enfants ont besoin de compassion, comme tout le monde, déclara-t-elle fermement.

Quelle audace ! Elle n'en revenait pas elle-même. Un lourd silence suivit tandis qu'elle rougissait de confusion.

Le père directeur resta un moment stupéfait, lui aussi, mais il se reprit et poursuivit :

— Mademoiselle West, il est de notre devoir d'éduquer ces pauvres païens. Nous devons tuer l'Indien en eux, pour faire s'épanouir l'homme civilisé.

Lucie courba la tête, mais ne put s'empêcher de répliquer :

— Ce n'est pas nécessaire.

— Vous n'êtes pas en position de juger. Je crois bien que Mme Fetterer a raison : ces sauvages ont perverti votre esprit. Je ne vous permettrai pas de mettre en doute la noblesse de notre mission !

Lucie releva la tête.

— Vous dites que vous voulez les civiliser, mais ils ont déjà une civilisation. Elle est différente de la nôtre, voilà tout. Elle n'est pas plus mauvaise pour autant !

Le père directeur contourna son bureau pour venir la toiser.

— Mademoiselle West, lui dit-il. Nous vous avons fait confiance en dépit de votre tragique passé. Nous vous avions avertie que nous parlions uniquement anglais dans cette école. Mais vous vous êtes entêtée à transgresser cette règle et, bien que prise en flagrant délit, vous ne montrez aucun repentir. Le père Batista vient même de me dire qu'il vous a entendue parler sioux avec un homme, à l'instant.

— C'est exact.

— Alors voulez-vous m'expliquer, mademoiselle West, pourquoi vous mettez délibérément en danger votre situation parmi nous, alors que lors de notre dernier entretien vous m'avez assuré être prête à tous les efforts pour la conserver ?

Lucie retint son souffle. Le père directeur allait la renvoyer. C'était écrit sur son visage.

— Nous comptions sur vous pour être un exemple, pour que nos élèves voient sur vous le résultat de leurs traditions de sauvages, qu'ils acceptent de se repentir et d'accueillir l'esprit du Christ, Notre Seigneur. Mais vous avez déçu les espoirs que nous mettions en vous. A partir de cet instant, je vous relève de tous vos devoirs envers notre école. Je vais bien sûr télégraphier à vos parents et leur demander de venir vous chercher.

Lucie eut l'impression que son cœur s'arrêtait de battre. Pourquoi avait-il fallu qu'elle chante cette stupide chanson ?

— Je vous en supplie mon père, implora-t-elle. Je ne veux pas retourner là-bas. Je dois trouver ma place.

— Peut-être finirez-vous par la trouver, avec l'aide de Dieu, mais ce ne sera pas ici.

Il sembla se détendre un peu.

— Allez en paix, mon enfant, vos parents m'ont assuré que vous serez toujours la bienvenue chez eux.

— Mais justement, c'est chez eux... Moi, j'ai besoin... Il... Il me faut... Je vous en prie, mon père...

Les mots lui manquaient. Un lourd silence s'installa et s'éternisa. Lorsque Lucie eut essuyé les larmes de ses joues, elle releva la tête et vit que le père Dumax l'observait.

— Vous avez été mise à rude épreuve, lui dit-il. Je ne vous tiens pas quitte de votre désobéissance, mais si vous regrettez vraiment votre conduite et si vous vous dévouez totalement à votre mission ici, alors je suivrai le bon exemple que nous a donné Notre Seigneur et je vous pardonnerai. C'est votre dernière chance, mademoiselle West... Je prie pour que vous en usiez avec sagesse.

Derrière Lucie, le père Batista poussa un grognement de colère. Lucie n'avait pas besoin de se retourner pour savoir qu'il désapprouvait son supérieur.

— Je vous remercie, mon père, murmura-t-elle.

— Remerciez plutôt Dieu pour sa miséricorde et souvenez-vous que nous ne sommes pas vos ennemis. Nous essayons, tous ensemble, de sauver ces pauvres petits sauvages. Mais je ne dois pas m'occuper que de leur corps, je suis aussi responsable de leurs âmes !

Lucie acquiesça en silence. Puis le père directeur lui ouvrit la porte et elle se glissa à l'extérieur. Ce n'est qu'au milieu de la cour qu'elle se souvint de l'existence de l'étranger. Elle hésita, regarda autour d'elle mais ne vit nulle trace de lui. Soulagée, elle se hâta vers sa chambre. Elle avait besoin d'écrire à ses parents, de leur confier qu'elle avait failli, une fois encore, à ce qu'on attendait d'elle. Elle avait besoin qu'ils le sachent, même si elle savait qu'ils seraient déçus.

C'était comme si une part d'elle-même était restée chez les Sioux et qu'une autre se promenait dans le monde des Blancs. Et ces deux facettes étaient, à l'image de l'huile et du vinaigre, bien difficiles à mélanger.

Quand elle entendit les fillettes monter dans leur dortoir, Lucie était en train de relire sa lettre. Celle-ci était bien trop crue et bien trop triste pour pouvoir être envoyée en l'état à ses parents. Elle froissa la feuille de papier et la jeta sur le plancher.

Elle avait sauvé sa situation in extremis avec le père Dumax. Toutefois, elle savait pertinemment qu'elle ne partagerait jamais les convictions de ce dernier. Ce qu'il exigeait d'elle était une infamie, tout simplement. Seulement voilà, quelles solutions s'offraient à elle ? Fallait-il qu'elle renonce à son indépendance et qu'elle retourne en Californie, pour vivre aux crochets de ses parents ?

Elle leva les yeux vers la fenêtre et laissa son regard se perdre au-delà de la cour, là où l'herbe de la prairie n'avait pas été coupée et ondulait sous la brise, comme les vagues de la mer. C'était comme un rappel de la troisième option qu'elle avait… Non, elle ne retournerait pas auprès d'Aigle-Danseur. Il avait refusé de la laisser partir, alors qu'elle l'en suppliait. Elle s'était échappée, finalement, mais lui et son peuple avaient laissé leur marque sur elle. A présent, elle n'avait plus de foyer, nulle part où aller… à cause de lui !

Soudain, la cloche du dîner se mit à sonner, rappelant Lucie à ses obligations : elle devait prendre son service à la salle à manger. Le repas commun constituait une étape importante de « l'assimilation » des élèves. Apprendre à manger correctement, ne pas se tromper de couverts, le dîner pouvait devenir une véritable épreuve pour certains. Lucie était très fière des progrès que faisaient les enfants. Bien sûr, il fallait toujours les aider à trouver la bonne manière de tenir sa fourchette, et certaines avaient encore besoin que l'on coupe leur viande.

Une fois dans la cour, Lucie fit mettre les fillettes dont elle avait la charge en rang et les guida jusqu'à la salle à manger. Ce n'est que lorsqu'elles furent assises qu'elle s'aperçut que les plus grandes d'entre elles, celles qui avaient assisté à la leçon de lessive, étaient absentes.

Elle en prévint immédiatement Mme Fetterer, l'interrompant au milieu de la prière du bénédicité, ce qui lui valut un regard glacial de la digne matrone.

— Elles sont punies, expliqua-t-elle sèchement.

Lucie sentit son estomac se nouer.

— Pour avoir chanté ?

— Pour avoir vitupéré dans leur langage impie, et c'est bien votre faute, d'ailleurs !

Lucie se raidit.

— Où sont-elles ?

— A la chapelle.

Lucie repoussa sa chaise et s'élança vers la porte. Mme Fetterer tenta de la retenir en sifflant comme un serpent :

— Je vous ordonne de rester ici. Vos élèves…

Mais Lucie n'écoutait déjà plus. Elle traversa la cour comme un boulet de canon, animée par l'indignation.

Elle trouva les fillettes à genoux devant le père Batista, qui semblait leur administrer la communion. Ce ne fut que lorsqu'elle fut suffisamment proche que Lucie comprit qu'il ne leur distribuait pas le sacrement, mais des paillettes de savon, prélevées sur un pain que l'on utilisait pour la lessive.

— Que faites-vous ? demanda-t-elle, sa voix résonnant avec fureur dans la chapelle.

— Elles doivent apprendre les règles et prier pour que le Seigneur leur pardonne leurs manières de païennes.

— Mais mon père, c'est ma faute si elles ont chanté !

Le religieux plaça une nouvelle paillette de savon sur la langue d'une fillette qui fit la grimace et l'avala avec difficulté.

— Oh ! Mattie, s'exclama Lucie, ne mange pas ça !

Batista la fusilla du regard.

— C'est moi qui leur ai dit de les manger. C'est tout ce qu'elles auront pour souper !

Il fallut à la jeune femme toute sa force d'âme pour ne pas lui faire sauter des mains le plateau d'argent sur lequel il avait placé ces horreurs et le frapper avec. Comment pouvait-on être sans cœur et stupide à ce point ?

— C'est moi et moi seule qui suis responsable.

— C'est exact, mais, malheureusement, le père Dumax vous a absoute. Ces enfants ont besoin d'être dirigées d'une main ferme si nous voulons les débarrasser de leur impiété.

Lucie se tourna vers les fillettes. Une quinzaine d'entre elles n'avaient pas encore subi l'imbécile châtiment.

— Je prends leur punition à leur place.

Le père Batista haussa les sourcils et ouvrit la bouche comme s'il allait protester. Finalement, il resta silencieux tandis qu'un sourire satisfait se dessinait sur ses lèvres.

— Très bien…

— En échange, je demande que ces élèves aillent prendre leur dîner.

Le sourire disparut.

— Non, elles vont d'abord vous regarder et, si vous ne pouvez pas prendre toutes leurs punitions, elles devront les finir.

— D'accord !

Lucie sentait son estomac se soulever d'appréhension.

— A genoux, ma fille, lui dit le religieux d'un ton glacial.

Elle obéit et ouvrit la bouche. La première paillette de savon toucha sa langue. Elle l'avala avec difficulté et s'étrangla à demi. Au deuxième essai, elle essaya de forcer le passage de sa gorge, mais le bout de savon ne voulut pas passer. Elle dut presser sa main sur sa bouche, pincer les lèvres et faire appel à toute sa volonté pour faire descendre le morceau dans son ventre. Finalement, elle rouvrit la bouche pour attendre la prochaine paillette.

Dans les yeux de Batista, elle pouvait voir un sentiment de triomphe. C'était tout l'encouragement dont elle avait besoin pour avaler la suivante et une autre encore. Son estomac se soulevait à chaque déglutition. Elle savait qu'il ne supporterait pas ce traitement longtemps et avalait donc les pastilles aussi vite que possible.

Face à ce spectacle, toutes les fillettes s'étaient mises à pleurer. Mattie, agenouillée auprès d'elle, lui serrait le bras.

— Non, non, mademoiselle, il ne faut pas…

Lucie leva une main apaisante pour tenter de la calmer, mais ce simple mouvement faillit la faire vomir. Elle porta précipitamment la main à sa bouche.

— Il n'en reste que trois, lui dit Batista, mais on dirait que vous en avez assez. Vous êtes verte !

Lucie ouvrit la bouche. De nouveau, elle avala une paillette de savon, puis l'autre…

Le sourire de Batista s'effaça quand il vit que sa victoire lui échappait. Pâle de rage et les lèvres pincées, il lui administra la dernière paillette… qu'elle avala.

Batista reposa le plateau de côté tandis que Lucie, toujours à genoux, se tenait le ventre à deux mains. Le prêtre tapa dans les siennes et les fillettes sursautèrent.

— Debout, vous toutes, et allez dîner, rugit-il. Dépêchez-vous, vous êtes en retard !

Il se tourna et suivit les élèves, laissant Lucie toujours à genoux.

La jeune femme s'effondra sur les dalles. Elle savait qu'elle allait être malade, mais elle ne donnerait pas à ce Batista la satisfaction de le voir. A quatre pattes, elle se traîna vers la porte sur le côté du bâtiment…

Dès qu'elle fut sortie, elle vomit. Nausée après nausée, son estomac se vida de tout son contenu, jusqu'à ne plus rejeter que de la bile.

Le visage luisant de sueur, elle se laissa ensuite tomber sur les marches de bois. Il lui fallut plusieurs minutes avant de pouvoir se lever de nouveau.

A quoi bon rester dans cette école ? Pourrait-elle jamais y trouver sa place ? « L'assimilation » qu'on y pratiquait n'était ni douce, ni respectueuse : on n'apportait aucun amour aux enfants ni même un enseignement, mais seulement une cruelle discipline.

Une fois qu'elle fut capable de marcher, elle se rendit aux cuisines où elle but un peu d'eau, sans toutefois parvenir à apaiser son estomac révulsé, bien au contraire.

Alors seulement elle rejoignit les fillettes autour de la table. Elles avaient toutes les yeux fixés sur elle quand elle entra. Est-ce que les mots qu'elle avait prononcés avaient déjà fait le tour de l'école ?

Elle essaya de se concentrer sur son travail : aider les enfants à manger. Mais en fait, son esprit revenait toujours sur la même pensée : elle avait fait une erreur en acceptant ce poste.

L'image du messager aux yeux azur lui revint alors à l'esprit. Que pouvait bien vouloir lui dire cet homme ?

Lorsqu'elle se leva finalement de table, Lucie se sentait toujours tiraillée entre deux solutions.

*
* *

Renard-du-Ciel embrassa du regard la pièce obscure. Tout l'après-midi et toute la soirée, Renard-du-Ciel avait discrètement suivi Lucie. Il l'avait entendue chanter au lavoir. Elle avait une voix claire et douce, pleine de joie et de passion. Quelle était cette expression, déjà ? « En être tout retourné ». Il en comprenait enfin le sens. Oui, lorsqu'il avait entendu Lucie chanter, tout son être s'en était trouvé retourné. Hélas ! la « robe noire » qui avait pointé le bout de son nez n'aimait pas sa chanson. Il lui avait dit qu'elle était désobéissante. Jusqu'à quel point pouvait-on désobéir lorsqu'on suivait son cœur ? se demanda Renard-du-Ciel. Le cœur de Lucie la ramènerait-il vers le clan des Sweetwater ?

Aigle-Danseur avait peut-être raison, après tout. La place de Lucie était sans doute auprès des Lakotas. En tout cas, la jeune femme n'avait pas sa place ici.

Son impression avait été renforcée un peu plus tard, quand il l'avait vue à son bureau, en train d'écrire. Elle s'interrompait souvent, pinçant son crayon entre ses lèvres et regardant le plafond, comme si elle était totalement perdue. Il avait songé à la possibilité de se glisser dans sa chambre par la fenêtre pour la rassurer. Décidément, cette fille lui donnait des idées absurdes ! Il ne pouvait ni la rejoindre dans son monde ni retourner dans le sien.

En pestant, il avait poursuivi son observation. Lorsqu'elle était ressortie pour le repas du soir, il n'avait eu qu'à se tapir un peu dans l'ombre, puis à passer dans sa chambre, dont elle ne fermait pas la porte à clé.

Il se baissa pour ramasser les feuillets qu'elle avait froissés et jetés au sol. Son écriture cursive n'était pas facile à déchiffrer. Il s'assit sur le plancher et enfin, les mots lui apparurent. C'était une lettre qui commençait par « Papa, Maman ». Ainsi, son père et sa mère, ceux qui avaient réussi à la reprendre au guerrier sioux, vivaient encore.

Il la lut et, à chaque mot, son cœur se serra davantage. Il trouvait exposés là, sur ces feuilles de papier froissées, les sentiments mêmes qu'il gardait enfermés à double tour dans son cœur : le chagrin, l'espoir et le désespoir à la fois, la solitude. Il se releva, plia la lettre et la glissa dans sa chemise, contre sa peau.

Sur le petit meuble de toilette, impeccablement rangé, il y avait un peigne en écaille de tortue et plusieurs brosses de bois. Dans un pot de verre, quelques épingles à cheveux. Deux ou trois rubans de velours noir à côté des serviettes de toilette... Celle qui vivait ici pouvait difficilement être accusée de coquetterie...

Il ouvrit les tiroirs de la commode, s'étonnant de les trouver vides. Où donc rangeait-elle ses vêtements ? Il s'approcha de la petite penderie. Elle ne contenait qu'une seule robe et un épais pardessus de laine, sur des cintres. Surpris, il regarda sous le lit : aucune malle. Où rangeait-elle ses bas et ses sous-vêtements ? Il retourna examiner la penderie et, poussant la robe sur le côté, découvrit une petite malle dans le fond. Il sourit et la tira vers lui, dans la lumière. Le couvercle en était verrouillé. Que dissimulait-elle ? Renard-du-Ciel utilisa la pointe de son couteau pour la crocheter.

A l'intérieur, il découvrit un châle de laine grise avec un bonnet et des mitaines assorties, plusieurs paires de bas et autres sous-vêtements. Il était étonné de constater qu'elle conservait la plupart de ses possessions dans un coffre, comme une femme sioux, au lieu de les placer dans des tiroirs ou de les pendre sur des cintres, comme une Blanche. Elle paraissait toujours prête à quitter sans préavis le lieu où elle se trouvait, tout comme ses sœurs lakotas.

Il respira le châle, mais n'y retrouva pas le parfum de Lucie, plutôt celui du savon noir et de la lanoline. En dessous, il y avait une couverture rouge pliée et, contre le bois de la malle, un portefeuille en cuir qui s'ouvrait comme un livre.

A l'intérieur, il trouva deux photographies, deux portraits, un homme et une femme qui semblaient lui sourire. Il les reconnut tout de suite.

C'était les parents de Lucie. Les cheveux de sa mère paraissaient noirs sur la photo, mais il se souvenait qu'ils étaient d'un roux sombre. Elle fixait l'objectif en souriant. Renard-du-Ciel passa ensuite au portrait de son père. Lucie avait hérité des traits de Thomas West : ses yeux, la forme de son menton, et la blondeur de cet homme, mélangée à la rousseur fauve de sa mère, avait donné le cuivre éclatant de ses cheveux. Ils étaient beaux, l'un et l'autre, mais pas autant que cette somme de grâce et de beauté qu'ils avaient produite ensemble. Lucie était un harmonieux mélange de ce qu'ils avaient de mieux, tous les deux.

Il replaça les photos et souleva la couverture, mais il interrompit son geste, car ce qu'il venait de découvrir le cloua sur place. Au creux de la laine, bien protégés, il y avait les plus jolis mocassins brodés qu'il ait jamais vus. Etait-ce Aigle-Danseur qui les lui avait donnés ?

Il les prit dans sa main et eut une autre surprise. Au fond de l'un des deux, il découvrit le fourreau d'un couteau à dépouiller. Renard-du-Ciel examina ce symbole, que les Sioux offraient toujours rituellement à une femme lorsqu'elle atteignait l'âge adulte. Le cordon était soigneusement enroulé autour de la gaine. Ce genre d'objet se portait autour du cou, généralement. Renard-du-Ciel écarta un peu la lanière de cuir, pour découvrir que l'étui était décoré d'un soleil rouge et blanc. Le nom lakota de Lucie : Rayon-de-Soleil.

Mais où était le couteau lui-même ?

En s'asseyant sur les talons, il trouva lui-même la réponse : sans doute le portait-elle sur elle en permanence. Craignait-elle d'être attaquée pour se montrer aussi prudente ?

Renard-du-Ciel se souvint alors de la peur qu'il avait lue dans son regard lorsqu'il s'était approché d'elle. Il avait d'abord cru qu'elle appréhendait son rendez-vous avec le directeur de l'école, mais il comprenait à présent qu'il pouvait en avoir été la cause. Il fronça les sourcils, mal à l'aise à l'idée qu'il puisse l'effrayer. Bien sûr, comment ne pas être inquiète devant un étranger surgi de nulle part qui l'observait et la suivait partout ?

Il devait lui parler. Il était cruel de la faire attendre plus longtemps.

Il se redressa en regardant autour de lui. Il avait bien du mal à comprendre Lucie West. Elle s'habillait comme une femme blanche, possédait un peigne en écaille et des brosses à cheveux… Elle portait des chaussures de cuir à semelle rigide, rassemblait ses cheveux en un petit chignon serré… Elle se présentait toujours comme une Blanche. Mais là, au milieu de ses affaires personnelles, parmi ses trésors les plus intimes et à côté de la photo de ses parents, on trouvait l'étui d'un couteau à dépouiller et des mocassins lakotas… Il enroula le cordon autour de l'étui et, une seconde plus tard, il entendit un bruit de talons claquant sur le plancher. Il aurait fallu quitter la chambre, et vite, mais Renard-du-Ciel n'en fit rien. Son message devait être délivré.

Le bouton tourna lentement et la porte s'ouvrit tandis que Lucie pénétrait dans la pièce.

# Chapitre 4

Ce n'est que quatre jours après qu'ils eurent quitté la réserve, trottinant à pied sur leurs jambes encore grêles, que les jeunes Indiens atteignirent l'endroit où Renard-du-Ciel avait tiré sur Norman Carr.

— C'est là ! cria Sans-Mocassins.

Ils s'arrêtèrent net. Un rapide examen des environs leur fit découvrir du sang, à présent noir et séché, sur les buissons, des herbes foulées et de la terre retournée à l'endroit où le jeune garçon avait lutté avec la brute.

— Vous voyez, je vous l'avais dit, triompha-t-il. Renard-du-Ciel lui a tiré dessus.

— Pourquoi un homme blanc tirerait sur un autre Blanc pour sauver un imbécile d'Indien ?

— Parce que c'est le fils de Dix-Chevaux.

Cheval-qui-rue émit un ricanement méprisant.

— Il ne l'était déjà plus quand nous n'étions même pas encore nés.

Eclair-Rouge examinait le sol.

— Il est parti par là…

Ils ne retrouvèrent l'homme que le jour suivant. Il était encore à près de dix kilomètres de l'école, marchant très lentement en tenant son épaule blessée. A sa vue, les garçons poussèrent un cri de guerre et se mirent à courir. Sans-Mocassins sentit son estomac défaillir, mais il ne tourna pas les talons. Cet homme avait essayé de le violer. Il voulait qu'il meure ou du moins croyait le vouloir…

Au son du cri de guerre, Norman Carr se mit à courir, faisant feu au hasard sur ceux qui le poursuivaient. Mais il était lent et lourd. Déjà, Cheval-qui-rue avait armé son arc et décoché sa flèche. La pointe acérée traversa la cuisse de Carr.

L'homme poussa un cri strident et s'effondra à terre, essayant de ramper sur son autre jambe et sur son bras encore valide. Serpent-d'Eau, qui était le plus rapide, le rejoignit le premier. Cheval-qui-rue avait bien essayé de dissuader son jeune frère de participer à l'expédition, mais Serpent-d'Eau n'avait pas obéi et les avait suivis depuis la réserve. Agé d'un an de moins que son frère, il était plus fort et plus rapide que lui. Mais Cheval-qui-rue tirait mieux à l'arc. En une seconde, sa deuxième flèche se planta dans la bonne jambe de Norman Carr. En grimaçant de douleur, le chasseur de têtes leva son revolver de nouveau et appuya sur la détente. Le chien claqua sur une chambre vide.

A présent, Eclair-Rouge avait rejoint Serpent-d'Eau et à deux, ils sautèrent sur le Wasichu. Carr n'eut que le temps de rouler sur le dos ; déjà, Serpent-d'Eau avait pris son scalp. Sans-Mocassins sentit son estomac se retourner quand il entendit le bruit de la chair se détachant de l'os du crâne. Serpent-d'Eau leva son trophée sanglant vers le ciel en hurlant son triomphe.

Carr implorait ses persécuteurs, à présent. Les genoux tremblants, Sans-Mocassins devait faire appel aux souvenirs de la main de cet homme sur son cou pour ne pas supplier les autres d'arrêter. Il pouvait encore sentir son sexe contre son visage. La honte le brûla comme un fer rouge et il ne s'entendit pas pousser à son tour un perçant cri de guerre. Il leva le bâton qu'il avait pris chez son oncle, le massif casse-tête à manche de cotonnier garni d'un os de cerf taillé en pointe, et l'abattit de toutes ses forces sur le front de Norman Carr, lui brisant le crâne.

Le corps de Norman Carr se détendit une dernière fois et ses yeux morts restèrent fixés sur Sans-Mocassins. Alors, celui-ci laissa tomber son gourdin dans l'herbe en regardant le cadavre. Le souffle court, il attendait d'être envahi par un sentiment de justice mais, en fait, il se sentait plus effrayé encore qu'auparavant. Cette mort annonçait de nouveaux et sans doute graves ennuis. Il regarda son casse-tête ; dans le choc, il l'avait brisé. Son oncle finirait donc par apprendre leur aventure.

— Prends un trophée, l'encouragea Serpent-d'Eau.

Mais Sans-Mocassins ne voulait aucun souvenir de cette journée.

— Pousse-toi, lui enjoignit Cheval-qui-rue sur un ton impatient en le voyant hésiter.

Il se pencha et coupa une oreille au cadavre.

— Tiens, prends ça…

Cheval-qui-rue dut placer quasiment de force le débris sanguinolent dans la main de Sans-Mocassins. Elle était encore chaude et gluante. Aussitôt, il tourna le dos et, plié en deux, vomit dans l'herbe jaune.

Quelque chose n'allait pas. Lucie le sentait sans savoir dire quoi. Sa peau était parcourue de frissons tandis qu'elle scrutait la demi-pénombre de la chambre.

Tout était tranquille. Les rideaux ne bougeaient même pas. Elle écouta avec attention, pour éventuellement discerner un bruit inhabituel.

Elle fit un pas prudent en avant et discerna ce qui l'avait, peut-être, alarmée : sa lettre avait disparu !

Elle s'approcha de l'endroit, au pied des rideaux, où elle se souvenait avoir jeté les feuillets froissés. Rien ! Elle regarda sous le bureau, puis sous le lit. Rien non plus.

« Quelqu'un » avait visité sa chambre.

Elle soupçonna immédiatement Mme Fetterer. Cette femme était un peu trop curieuse et s'intéressait beaucoup à ses affaires. Lucie se tourna vers la penderie. Elle n'avait tout de même pas osé ?

Elle en ouvrit les portes, poussa les cintres et tira sa malle à l'extérieur. Du doigt, elle en toucha la serrure. Quelqu'un l'avait ouverte.

Elle repoussa le couvercle et examina son contenu. Rien ne semblait avoir été touché. Si jamais cette femme avait trouvé… Elle déposa tous ses trésors sur le plancher. La couverture rouge dissimulait ses secrets. Elle la déplia et en sortit les mocassins à franges, qu'elle serra nerveusement contre son cœur. La tête baissée, elle retrouva un peu son souffle. Au moins, Mme Fetterer n'avait pas trouvé cela. Lucie glissa sa main sous la souple peau de cerf et se saisit de l'étui à couteau. Tirant celui-ci de sa poche, elle l'y replaça. C'était Aigle-Danseur qui lui avait offert ces objets, cadeaux rituels pour une épouse. Lucie ferma les yeux, la tête penchée, envahie par les mêmes sentiments contradictoires.

Elle l'avait haï, parce qu'il la retenait prisonnière, parce qu'il la forçait à choisir entre une terne vie d'esclave et celle d'une enfant-épouse, mais elle devait reconnaître qu'il l'avait aimée, à sa façon. Cependant, pourquoi aurait-elle dû se sentir coupable de le quitter ?

Tout cela n'avait aucun sens. Pourquoi ne pouvait-elle pas, tout simplement, laisser les souvenirs de sa captivité derrière elle ? Pourquoi était-ce si difficile d'être de nouveau une femme blanche ? Si elle ne portait pas ces maudites marques sur le visage, elle aurait pu s'enfuir là où personne ne la connaissait et recommencer une nouvelle vie. Mais Oiseau-Jaune l'en avait empêchée à jamais, le jour où elle avait pris son stylet en os pour faire d'elle une Lakota. Elle n'avait pas d'échappatoire, pas de retour en arrière possible. Il suffisait à quiconque de la regarder pour savoir qui elle était et d'où elle venait.

Elle était marquée, à jamais, sur son âme et sur son corps.

Soudain, ses cheveux se hérissèrent sur sa nuque. Elle laissa tomber les mocassins et se retourna prestement, le couteau à la main. Il était là, l'observant, juste derrière sa fenêtre. Depuis combien de temps l'épiait-il ?

Ce fut alors qu'elle comprit. Ce n'était pas Mme Fetterer qui s'était introduite dans sa chambre, mais cet homme. Machinalement, elle recula et buta sur sa malle. Le temps qu'elle reprenne son équilibre, il avait repassé la fenêtre et atterrissait sans un bruit sur le plancher, souple comme un chat. Bien sûr, il ne portait pas les lourdes bottes rigides des Blancs, mais les souples mocassins d'un guerrier sioux.

— Lucie..., commença-t-il.

Elle brandit son couteau vers lui.

Les mots suivants parvinrent aux oreilles de Lucie dans la douce et chantante cadence lakota. Elle en comprenait encore chaque mot, malgré la panique qui l'avait envahie.

— Sœur, c'est ton mari qui m'envoie. Il m'a transmis un message qu'il faut que tu écoutes.

Elle lui répondit dans la langue des Blancs.

— Quittez immédiatement cette chambre !

Il tendit ses bras devant lui, non pas dans une attitude de reddition, mais plutôt de combat, qu'elle reconnaissait pour avoir souvent observé les garçons qui apprenaient à devenir des guerriers. Rapidement, elle lança un coup d'œil vers la porte pour évaluer la distance qui la séparait d'elle. Elle était trop loin, elle allait devoir se défendre.

Lorsque son regard revint se poser sur son adversaire, il avait avancé de trois pas et se trouvait à portée de sa lame. Elle pointa le couteau en avant, visant son ventre, afin de le tenir à distance, le temps de rejoindre la porte. Il n'eut aucun mal à l'éviter et, quand la main de Lucie passa à sa portée, il lui captura le poignet et le tordit. Le couteau tomba sur le sol.

— Allez-vous m'écouter ? lui dit-il.

Lucie usa de sa dernière arme. Elle ouvrit grand la bouche pour remplir d'air ses poumons et crier. Mais il la plaqua contre lui avec une telle force qu'elle dut expirer tout le souffle emmagasiné. Avant qu'elle ait pu respirer de nouveau, la large paume de l'étranger recouvrait sa bouche, deux de ses doigts verrouillant son menton pour l'empêcher de le mordre. Un instant plus tard, il la jetait sur son lit, face contre l'oreiller et usait de son poids pour l'y maintenir, pendant qu'il lui glissait son bandana dans la bouche, en guise de bâillon. Lui tordant les mains derrière le dos, il lui noua les poignets à une vitesse qui la terrifia.

« Cela » recommençait. Le cerveau de Lucie était comme engourdi, tétanisé. Elle essaya néanmoins de se débattre.

Non, ce n'était pas possible ! Elle ne se laisserait pas capturer de nouveau !

Quand il en eut terminé, il l'assit sur son lit et lui passa tranquillement le cordon de son couteau à dépouiller autour du cou. Puis il se campa devant elle, les bras croisés.

Tout à coup, il tourna la tête, visiblement aux aguets. Une seconde plus tard, Lucie perçut ce qui avait mis l'homme sur ses gardes. Il y avait des murmures dans le couloir. C'était certainement les filles qui rentraient au dortoir. On entendit ensuite le claquement caractéristique des talons de Mme Fetterer sur le plancher. Quand elle frappa à la porte, Lucie sursauta.

— Mademoiselle West ? Etes-vous là ?

Lucie regarda la porte, les yeux écarquillés, espérant que Mme Fetterer s'étonnerait de la trouver fermée et donnerait l'alarme. Le cœur tout près de s'arrêter, elle vit le bouton tourner plusieurs fois.

— Ah, bonté divine ! grommela la digne matrone.

Puis le bruit de ses talons s'éloigna rapidement.

Les épaules de Lucie s'affaissèrent de soulagement. Tout compte fait, c'était mieux ainsi. Renard-du-Ciel était peut-être revenu vivre parmi les Blancs, mais Lucie savait qu'il restait, au fond de lui, un guerrier sioux. Tout dans son attitude l'indiquait. Bien sûr, elle aurait voulu que Mme Fetterer donne l'alarme mais, en dépit de la cruauté de la matrone, Lucie ne tenait pas à ce que cette dernière se fasse enlever. Durant sa captivité chez les Sioux, elle avait connu d'autres captifs et très peu d'entre eux étaient encore vivants. Elle savait, avec une froide certitude, que Mme Fetterer serait incapable de survivre à une telle épreuve.

Lucie tourna de nouveau toute son attention vers Renard-du-Ciel. Si elle n'avait pas été bâillonnée, elle aurait pu lui dire qu'elle était prête à l'écouter, à présent, qu'il était inutile de l'enlever. Mais il devait lire ses pensées, car il murmura d'une voix embarrassée, en lakota :

— Nous ne pouvons pas parler ici.

Lucie secoua vigoureusement la tête, non pour approuver mais au contraire pour exprimer son désaccord. Renard-du-Ciel n'y prêta pas attention. Il lui retira ses chaussures et lui mit les mocassins à la place, puis il l'enveloppa dans sa couverture rouge et la jeta sur son épaule. Elle entendit jouer la clenche de la fenêtre et sentit qu'il enjambait l'appui. Il hésita un bon moment avant de la faire passer de son épaule à ses bras, puis il l'emmena à grandes enjambées à travers la cour.

Lucie se sentait comme un ver dans le bec d'un oiseau. Au bout d'un moment d'une lutte aveugle et inutile, épuisée, en sueur sous la couverture de laine, elle finit par ne plus bouger. Un instant plus tard, il la jetait de nouveau sur son épaule et montait à cheval.

L'école n'était pas un fort. Même si nombre de visiteurs se présentaient naturellement au portail d'entrée, aucune barricade n'empêchait un cavalier de partir. Il la fit glisser devant lui sur la selle, nichée entre ses bras, et écarta la couverture de son visage. Renard-du-Ciel la maintenait par la taille, la serrant étroitement contre son corps. En penchant un peu la tête, elle pouvait apercevoir les lumières du dortoir des filles tandis qu'ils descendaient la colline, vers la vallée. L'emmenait-il directement chez Aigle-Danseur ?

Un doute terrible l'effleura. Et si ce n'était pas vers la réserve qu'il se dirigeait ? Si Renard-du-Ciel était un Sioux hostile en expédition de guerre, ou l'un de ceux qui avaient choisi de suivre Taureau-Assis au Canada ?

Les mots de sa mère lui revinrent à la mémoire. Sarah West avait été horrifiée que sa fille puisse seulement penser à se rapprocher des Black Hills. Elle avait essayé d'empêcher Lucie de postuler à ce poste d'enseignante en s'effrayant de ce que le Minnesota était trop proche des terres sioux. Lucie se rebellait très rarement contre ses parents mais, cette fois-ci, elle avait tenu bon, leur rappelant qu'ils avaient permis à son jeune frère David, à peine âgé de dix-neuf ans, de devenir officier de cavalerie. Il était stationné à fort Scully, à un peu plus de cent cinquante kilomètres de l'école. Sa mère avait dû céder face à cet argument, mais n'avait pas pour autant changé d'avis. La lèvre tremblante, Lucie comprenait à présent qu'elle avait eu raison.

Elle se tortilla sur la selle pour avoir une position plus confortable. Le pommeau de la selle lui rentrait dans la hanche et commençait à lui faire très mal. Aussitôt, Renard-du-Ciel la serra de plus près, lui coupant à moitié le souffle. Elle essaya alors, pour se détendre, d'écouter les sons de la nuit, mais on n'entendait guère que le bruit du vent dans les herbes et celui des sabots du cheval sur le sol. Les taches blanches du corps de l'animal brillaient dans la nuit. Tout autour, partout, des ombres.

Au-dessus de leurs têtes brillaient faiblement les premières étoiles. Lucie respira profondément. Autour d'elle, l'étreinte de son ravisseur se relâcha peu à peu. De toute façon, ficelée comme elle l'était, elle ne pouvait pas même sauter du cheval. Il lui fallait être patiente et attendre.

Peu à peu, elle se sentit s'engourdir tandis que les muscles d'acier de Renard-du-Ciel se détendaient. Elle refusait de le regarder, se concentrant sur le cou du cheval et sur sa tête qui dodelinait doucement au rythme de la marche. La moitié de sa crinière était noire et l'autre blanche. C'était exactement le genre de monture qu'un Indien recherchait et que les Blancs, dans leur ensemble, abhorraient. Après la défaite de Custer à Little Big Horn, le général Crook en avait fait abattre un grand nombre, alléguant avec une logique imparable que, sans leurs chevaux, les Sioux ne pourraient plus mener de raids. De même, sans les bisons, ils ne pouvaient plus nourrir leur famille. La tête de Lucie se mit à dodeliner également, au rythme de l'animal. Devant eux, des ombres cachaient les étoiles, formant une sorte de mur végétal dans l'obscurité. Lucie comprit bientôt qu'ils étaient arrivés devant une rangée d'arbres. Cotonniers, trembles et saules poussaient près des cours d'eau, ils devaient donc se trouver au bord de la large rivière boueuse qui serpentait au nord-ouest de l'école. Ils pénétrèrent cette oasis et Renard-du-Ciel alla jusqu'à la rive pour permettre à son cheval de boire tout son soûl. Quand l'animal eut relevé la tête, son cavalier la fit glisser de la selle et la déposa sur le sol. Il s'écarta, à l'instant même où les jambes de Lucie se dérobaient sous elle. Que croyait-il donc ? Qu'elle allait tenir debout, après toutes ces émotions ? Il s'accroupit auprès d'elle et murmura son nom tandis qu'il la débarrassait de la couverture. Elle vit briller la lame de son couteau au clair de lune. Comment faisait-elle pour ne pas être déjà morte de frayeur ? songea-t-elle avec un frisson. Etait-ce à cause de l'attitude déterminée de Renard-du-Ciel, de la franchise qui émanait de toute sa personne ?

Il coupa la corde qui retenait ses poignets, et ses mains se retrouvèrent libres. Elle les frotta, ainsi que ses bras, jusqu'à se faire presque mal et elle voulut porter la main à son bâillon. Mais déjà, il détachait le bandana et elle put cracher le tissu qu'il lui avait fourré dans la bouche.

Il lui tendit sa gourde en peau. Lucie avait suffisamment d'expérience de la captivité pour savoir qu'il ne fallait jamais refuser de la nourriture ou de l'eau lorsqu'on vous en proposait. Elle but autant qu'elle le put et la lui rendit à moitié vide.

Elle se souvint alors qu'il lui avait rendu son couteau. Mais il était plus grand, plus rapide et plus fort qu'elle. Il avait déjà démontré qu'il pouvait la désarmer aisément. Elle préféra donc rester tranquillement assise tandis qu'il lui détachait les chevilles.

Pourquoi donc s'était-il arrêté aussi près de l'école ? La dernière fois qu'elle avait été enlevée, les Indiens avaient chevauché trois jours sans presque jamais s'arrêter pour manger ou prendre un peu de repos. Là, ils n'étaient qu'à deux ou trois kilomètres de l'école, pas davantage. Pas assez loin pour échapper aux poursuites, mais suffisamment pour que personne ne l'entende crier.

Elle attendait qu'il parle, qu'il dévoile ses intentions, dont elle n'était pas exactement sûre. Mais il la regardait en silence, son visage rendu encore plus anguleux par les ombres de la nuit. A la lueur des étoiles, ses yeux paraissaient plus clairs encore. Il avait l'air grave. Se trompait-elle ou bien y avait-il vraiment du regret dans son regard ? Elle l'espérait, car elle comptait exploiter la moindre faiblesse de sa part.

Il leva la main et elle ne tressaillit pas quand son pouce effleura sa joue, dans une caresse qui paraissait presque trop légère pour un homme de sa taille et de sa force. Lucie sentit son cœur s'emballer. C'était bien une caresse, il n'y avait pas de doute. Elle se demanda s'il n'avait pas dans l'idée de la séduire ou de la violer. Beaucoup d'hommes blancs pensaient qu'elle pouvait s'estimer heureuse s'ils s'intéressaient à elle. Pourquoi serait-il différent ?

Elle savait qu'un homme était prêt à dire n'importe quoi pour obtenir ce qu'il voulait. Les plus brutaux utilisaient la force. Jusqu'à présent, elle avait toujours eu son père ou son frère David pour la protéger.

Sans cesser de la regarder, il abaissa sa main, l'air étrangement peiné.

— Je vous ai un peu égratigné le visage, murmura-t-il, l'air de s'excuser.

Machinalement, elle porta la main à sa joue, puis toucha les tatouages, sous sa lèvre inférieure.

— J'ai déjà des marques, sur le visage, répliqua-t-elle froidement.

Elle leva le menton et le regarda droit dans les yeux, comme si elle le défiait de baisser les siens. Cela impressionnait certains hommes, qui préféraient alors rompre le contact. Mais il ne fit rien de tel. A la grande surprise de Lucie, il lui prit tranquillement le menton dans sa main pour examiner ses tatouages.

— Cela ne fait que souligner la beauté de votre bouche, lui dit-il tandis que son pouce, de nouveau, passait sur les marques en une légère caresse.

Ce contact procura à Lucie une excitation furtive, qui la mit aussitôt en état d'alerte. Que lui arrivait-il ?

Il s'écarta d'elle et elle resta un moment bouche bée. Il avait bien dit « la beauté de sa bouche » ? Personne n'avait utilisé ce mot à son sujet depuis sa capture. Avant, on lui disait qu'elle était belle, « une petite chérie », « pleine d'espièglerie et de joie ». Après, les mots qu'elle avait le plus souvent entendu prononcer à son sujet étaient « hideuse », « tragique » et « déshonorée ».

Il se moquait d'elle, bien sûr. Elle se redressa.

— C'est une offense que de dire une chose pareille !

Il s'assit sur ses talons, les avant-bras négligemment posés en travers des cuisses.

— Vous les avez laissés vous convaincre que vous n'étiez pas belle, Lucie ? Vous les avez laissés prendre ce pouvoir sur vous ? Il ne faut pas les écouter. Ils mentent.

Il paraissait tellement sincère qu'elle faillit le croire.

— Vous êtes belle et peu importe ce qu'ils pensent.

Lucie croisa les bras sur sa poitrine en le foudroyant du regard.

— Pourquoi m'avez-vous amenée ici ?

De nouveau, elle avait la chair de poule. Mais ce n'était pas exactement un frisson de peur. C'était autre chose, qui semblait ne se produire que lorsqu'il approchait d'elle. Elle n'était pas familière de cette réaction et pourtant, elle la reconnaissait. Le cœur qui battait plus vite, le souffle qui s'accélérait, la légère impression d'être grisée, comme lorsque, petite fille, elle s'amusait à tourner comme une toupie. La vérité était que, contre toute raison et toute prudence, elle trouvait cet homme excitant.

— Avez-vous tué un homme au Texas ? lui demanda-t-elle soudain.

— Au Texas ?

Il haussa les sourcils avec un sourire qui n'avait rien de rassurant.

— Non.

Cela laissait beaucoup d'autres Etats où il avait pu commettre un meurtre…

— Etes-vous recherché ?

Cette fois, son sourire fut plus bref, et plus triste aussi.

— Personne ne me recherche, non. Je suis exactement comme vous.

Lucie en fut assez décontenancée et il lui fallut un moment pour recouvrer tous ses esprits.

— Mais quand vous êtes parti de chez les Sioux, lui dit-elle, vous étiez avec cette famille. Il n'a pas dû être bien difficile de...

— De quoi ? la coupa-t-il. D'oublier qui j'étais ? De nier tout ce que je ressentais ? Non, figurez-vous, ça n'a pas été facile.

Cette fois, Lucie eut plus de mal à soutenir son regard. Elle détourna les yeux et, après un silence embarrassant, il lui fallut du courage pour le regarder de nouveau.

— Vous n'êtes donc pas resté avec ce mormon ?

Les lèvres de Renard-du-Ciel se pincèrent jusqu'à n'être plus qu'un trait et il baissa la tête. Ainsi, il avait l'air aussi dangereux qu'un bison mâle prêt à défendre sa harde. Lucie se prépara à fuir.

— Je ne vous ai pas amenée ici pour parler de lui, lâcha-t-il d'une voix dure.

— Alors pourquoi m'avez-vous amenée ici ?

Il se leva et lui tendit la main. Sans bien savoir pourquoi, elle y mit la sienne et le laissa l'aider à se relever. Ce faisant, elle s'approcha un peu trop près... et il la retint un peu trop longtemps.

Enfin, il s'écarta d'elle, sans toutefois rompre le contact de leurs yeux.

— J'ai promis à votre mari de vous délivrer son message. J'ai une grande dette envers Aigle-Danseur et je ne pouvais guère lui refuser ce service.

Lucie lui tourna le dos pour faire quelques pas dans l'herbe bien verte de la rive, que l'étalon de son ravisseur broutait de bon appétit.

— Si je vous écoute, me ramènerez-vous à l'école ensuite ?

Il s'approcha, si près qu'elle pouvait sentir son souffle sur sa nuque. Elle ressentit soudain un besoin presque irrésistible de se retourner, de se blottir contre son torse et de sentir ses bras forts l'enlacer. Serait-il un amant tendre ou bien brutal ? Lucie ne pouvait s'empêcher de se le demander, bien qu'elle sache pertinemment que jamais elle ne pourrait espérer ce qui paraissait à la portée de la main de tant de femmes : un mari, des enfants, un foyer bien à elle. Elle était résignée à cela depuis longtemps…

La voix de Renard-du-Ciel interrompit sa rêverie.

— Si c'est votre souhait…

Elle se retourna pour lui faire face.

— Bien sûr que ça l'est !

— Pourquoi vouloir retourner dans ce sale endroit ?

— Parce qu'on a besoin de moi, là-bas et que…

Il la regarda comme s'il doutait que ce soit vrai. Il l'avait dit lui-même : personne ne recherchait son aide ou sa compagnie, comme personne ne recherchait celles de Lucie.

Elle prononça la phrase suivante comme on dégaine une arme :

— … et que j'y suis heureuse.

Le ricanement bref qu'il émit en réponse prouvait qu'il ne croyait pas un mot de ce mensonge.

Elle se raidit, prête à argumenter, à se défendre. Mais il mit la main à sa poche intérieure et en sortit quelque chose. Doucement, il déplia une feuille de papier qu'il lui brandit sous le nez.

Renard-du-Ciel étudia la réaction de Lucie. A la façon dont elle haussait les sourcils et dont ses yeux s'agrandissaient, il sut qu'elle avait reconnu la lettre qu'elle avait écrite à ses parents.

— Vous mentez, lui dit-il très doucement.

— Vous l'avez lue ?

Aux oreilles de Renard-du-Ciel, cette question était moins un reproche qu'une véritable caresse. Cette femme l'avait fasciné dès le premier instant où il l'avait vue à l'école. Il récita de mémoire :

— « J'ai fait une terrible erreur en venant ici. Rien n'a changé pour moi. »

Elle essaya de lui arracher le feuillet, mais il fut plus prompt. Il le replia et le remit dans sa poche. C'était comme un petit morceau d'elle, qu'il entendait bien garder.

— Ceci ne vous appartient pas, lui dit-elle, les dents serrées.

— Je n'ai fait que prendre ce que vous ne protégez pas.

— Comme un Indien !

Il acquiesça et sourit.

— J'aimerais bien que cela soit aussi simple…

Son sourire disparut et il la regarda intensément. Les yeux de Lucie s'agrandirent de surprise.

— Vous comptez… retourner vivre avec eux ?

La boule de chagrin qu'il avait à présent dans la gorge l'empêcha de parler. Bien sûr, c'était son plus cher désir… Retourner en arrière, remonter le temps et changer le passé, le transformer, l'annuler, le recréer de toutes pièces.

Il ne put qu'avaler sa salive et acquiescer silencieusement. Puis il prit sa main. Elle ne la lui retira pas et il dut faire un effort pour ne pas caresser sa peau douce.

Il savait bien qu'il ne pouvait pas se permettre de la désirer. On lui avait déjà retiré tous ceux qu'il aimait et tout ce à quoi il tenait, ce n'était pas forcément une bonne idée que de retenter sa chance, et surtout pas avec cette femme-là.

Lucie n'était pas une vierge à marier, mais la femme de son ami.

Il la ramena sur la couverture et la fit s'asseoir à côté de lui. Face à la rivière, il écouta un moment son cheval paître paisiblement et les criquets chanter, tandis qu'il tâchait de refouler ses regrets et ses désirs.

— J'ai le plus grand respect pour votre mari, lui dit-il. Il est tout ce que j'aurais voulu être. C'est pour lui, et pour lui seul, que je fais cela. Jamais je ne pourrai lui rendre ce qu'il m'a donné. En fait, c'est moi qui ai honte de…

Il s'arrêta net. A quoi bon lui parler de cela ? Elle n'était pas ici pour l'aider à supporter son fardeau. Pourtant, de manière étrange, il se sentait lié à elle, comme il ne l'avait été à personne depuis son exil.

Il lâcha sa main.

— Quand votre mari m'a demandé de vous délivrer son message, je n'ai pas pu refuser.

Prononcer ces paroles l'aidait à se rappeler que Lucie ne serait jamais à lui. Elle appartenait à un autre…

— Etes-vous prête à l'entendre, Lucie ?

Elle regardait droit devant elle, mais il avait pu voir sa tête s'incliner très légèrement.

— Il veut que vous sachiez qu'il vous a gardé son cœur. Il ne s'est jamais remarié, bien que de nombreuses veuves souhaitent l'épouser. Il ne croit pas que vous vous êtes enfuie, mais plutôt que vous avez été capturée contre votre volonté et que vous avez cherché à le retrouver, tout comme lui a prié chaque jour pour votre retour. Il a la certitude… que vous ne vous êtes pas remariée et que vous n'avez pas d'enfants.

Lucie se tenait la tête courbée, comme si chaque mot qu'il prononçait lui faisait terriblement mal. Il résista à l'envie de la serrer dans ses bras. Souffrait-elle, elle aussi, d'être seule en ce monde et de ne pas y trouver sa place ? Il serait si simple d'ouvrir son cœur à cette femme et de l'y accueillir. Mais il n'en était pas question. Il était un homme d'honneur, jamais il ne séduirait la femme d'un ami. Ses erreurs passées avaient fait de lui un réprouvé, chassé par son peuple. Il ne pouvait pas se permettre, en plus, de perdre son honneur.

Sans même s'en apercevoir, il passa au lakota, la langue de son enfance, en s'éclaircissant la gorge.

— Il t'aime toujours, Rayon-de-Soleil. Il te demande de revenir auprès de lui afin qu'il puisse te chérir comme autrefois et pour toujours.

# *Chapitre 5*

Lucie posa son regard sur Renard-du-Ciel, songeuse. Sous la douce lumière des étoiles, il semblait encore plus beau.

— Lucie ? Vous avez compris ? reprit-il en anglais. Il m'envoie parce qu'il n'a pas le droit de quitter lui-même la réserve.

Elle se sentait complètement désemparée, fragile comme la première couche de glace qui se forme sur la rive d'un lac. Aigle-Danseur avait envoyé cet homme la chercher.

— Lucie, il vous aime toujours.

Sa voix était basse et douce, comme s'il se parlait à lui-même.

Soudain, la colère de la jeune femme éclata et elle lui répondit sèchement :

— Oui, oui, je sais, il m'aime. Il m'a aimée dès qu'il m'a vue. Il me désirait, alors il m'a prise, contre ma volonté. Je l'ai supplié de me laisser rentrer chez moi, chez mes parents, mais il a refusé.

Elle leva vers Renard-du-Ciel des yeux pleins de ressentiment.

— C'est cela, l'amour, pour vous ?

— Il vous chérissait.

— Comme on aime son chien.

Comme s'il ne comprenait pas, Renard-du-Ciel fronça les sourcils.

— Mais… il n'aurait pas pu vous épouser si vous ne le vouliez pas. La tradition lakota ne le permet pas…

Elle baissa la tête, oubliant toute sa morgue, et poussa un

lourd soupir. Finalement, elle releva la tête et plongea son regard dans celui de Renard-du-Ciel.

— Je vous en prie, le supplia-t-elle, n'en parlez à personne. Je ne m'en relèverais pas, si on savait.

Renard-du-Ciel resta un moment silencieux. Il était incapable de comprendre ce que Lucie ressentait. Quel déshonneur y avait-il à être la femme d'un grand guerrier ? Son mari était un meneur d'hommes, un chef que lui-même aimait et respectait. Que voulait-elle de plus ?

— Si cela vous faisait tellement honte, pourquoi l'avoir épousé ?

Le défi flamboya de nouveau dans les yeux de la jeune femme.

— Le soir même de notre capture, l'une d'entre nous s'est suicidée. C'était son choix. Quelques mois plus tard, une autre captive, ma seule amie, Alice French, a appris que son maître voulait l'épouser. Elle s'est enfuie. C'était son choix, à elle aussi. Quelques jours plus tard, il rapportait au campement son scalp sanglant. Mon choix à moi a été de demeurer l'esclave de la mère d'Aigle-Danseur.

Elle montra le tatouage, sur son menton.

— Elle m'a fait ceci, pour me décourager de m'enfuir. Alors j'ai choisi, en effet. J'ai choisi de vivre et j'en ai payé le prix.

— Vous parlez comme si vous haïssiez votre mari…

— Je le hais, oui, parce qu'il m'aimait peut-être, mais pas assez pour me laisser partir avant que je sois marquée. Je le hais pour ne pas m'avoir laissé d'autre choix possible que de devenir sa femme et, finalement, je le hais pour m'avoir sauvé la vie, pour m'avoir témoigné de la tendresse, si bien que je n'ai pas eu la force de le tuer quand j'en avais le pouvoir.

Renard-du-Ciel écoutait en silence, le cœur serré. Rien d'étonnant à ce qu'elle ne veuille pas revenir auprès de son époux.

Lucie entoura ses genoux de ses bras, comme pour s'étreindre elle-même et se réconforter.

— Sans lui, je serais morte. A cause de lui, je ne suis pas vraiment en vie.

Elle le regarda droit dans les yeux, un regard franc et profond qui le déconcerta.

— Comme vous l'avez vous-même remarqué, je n'ai ni mari ni enfants, parce que aucun homme blanc ne voudra jamais de moi. Je ne peux même pas être une véritable maîtresse d'école.

Puis elle garda le silence, les yeux fixés sur la rivière.

Renard-du-Ciel se leva. Il se sentait l'esprit et le cœur particulièrement vides.

— Je vais vous ramener à l'école, dit-il simplement.

Mais Lucie ne se leva pas pour le suivre. Elle émit un étrange petit son étranglé, presque un sanglot.

— Ils préféreraient que je ne revienne pas, vous savez. Que diriez-vous si tous les gens que vous rencontrez vous regardaient avec curiosité, dégoût ou bien encore pitié ? Que feriez-vous si on ne vous admettait qu'au seul nom de la charité chrétienne ?

Il ne put rien répondre, bien sûr. Elle n'était pas vraiment mieux lotie que lui. Il avait l'air d'un Blanc, mais se sentait sioux, tandis que Lucie se pensait blanche, mais que chacun pouvait voir qu'elle ne l'était plus.

— Eh bien, je vais vous ramener en Californie alors, chez vos parents.

— Vous feriez cela ? s'étonna-t-elle.

Il hocha la tête.

— Oui, ou bien chez votre mari. Les Lakotas vous accueilleront bien. Il n'y aura pas d'insultes ni de mépris. Vous auriez une meilleure vie en redevenant sa femme et vous pourriez même avoir des enfants.

— Non.

— Alors, il mérite au moins de savoir que vous ne l'aimez pas.

— Vous n'aurez qu'à le lui dire.

Il secoua la tête. Selon la tradition lakota, ce qu'elle lui demandait était impossible. Seul l'un des deux époux pouvait rompre ce mariage. Pour les Blancs, divorcer était une honte ou un péché, mais les Sioux, eux, savaient que le temps pouvait séparer un couple. Ils ne voyaient aucun mal à cela. Toutefois, ils avaient bel et bien une tradition liée à cette situation particulière : Lucie devait simplement, mais obligatoirement, annoncer la séparation devant témoins.

— Tu dois le dire, murmura-t-il en lakota.

Elle se libéra dans un souffle.

— Aigle-Danseur n'est plus mon mari. Je ne suis la femme de personne.

Visiblement, elle n'avait pas compris. Il répéta, plus explicite :

— C'est à lui que tu dois le dire.

Lucie se mit aussitôt à sangloter, le visage enfoui dans ses mains. Bouleversé par sa réaction, Renard-du-Ciel sentit son cœur se serrer. Il tomba à genoux devant elle, sans trop savoir ce qu'il devait faire, et regarda les épaules de Lucie tressauter de chagrin.

Il posa doucement sa main sur son bras et elle ne la retira pas. Au contraire, elle posa la sienne sur son poignet, s'y accrocha, les épaules toujours secouées par les larmes, comme si elle ne pouvait plus s'arrêter.

Tout doucement, il caressa la nuque de Lucie et l'attira contre lui dans un geste de protection. Elle resta pelotonnée contre son torse, sans toutefois l'entourer de ses bras.

Ils avaient connu la même mésaventure mais, ensuite, les choses avaient été bien différentes. Lui, il avait eu le privilège de devenir le fils adoptif d'un chef. S'il n'avait pas commis une mauvaise action envers « le Peuple », il aurait pu rester parmi ses frères jusqu'à la fin des temps, combattre à leurs côtés… perdre avec eux…

Blottie contre lui, Lucie tremblait encore, oppressée par l'angoisse. Il la berça doucement, comme la brise agite les branches des cotonniers. La gorge serrée, il appuya sa joue contre sa tête et la laissa pleurer. S'il y avait une chose qu'il comprenait au monde, c'était bien le chagrin. Ils l'avaient tous deux reçu en héritage.

Ses sanglots redoublèrent. Etait-ce donc si difficile de rompre ce mariage dont elle ne voulait pas ? Elle n'avait pas l'air si heureuse de recouvrer sa liberté.

— Lucie…

Elle l'agrippa par la chemise de ses petits doigts fins puis, sans crier gare, elle le lâcha, essayant d'essuyer ses joues trempées de larmes, sans réussir à faire autre chose qu'à inonder son visage davantage encore. Enfin, elle leva les yeux vers lui.

Comment pouvait-il ignorer à quel point elle était belle ? Son chagrin l'atteignait au cœur comme une flèche.

Troublé, il se releva. Il devait la ramener, à présent.

— Personne ne le sait, murmura-t-elle.

Il ne comprenait pas.

— Une fois, j'ai essayé de le dire à ma mère, mais elle m'a dit de ne pas parler de cela et j'ai renoncé. Je n'ai rien dit, à personne, jusqu'à aujourd'hui. J'ai fait semblant que cela n'était jamais arrivé, mais au fond de moi je savais bien…

Le son de sa voix diminua jusqu'à n'être plus qu'un murmure.

— … je savais bien que j'étais mariée.

Renard-du-Ciel hocha la tête.

— Et vous le resterez jusqu'à ce que vous lui annonciez le divorce.

— Non, protesta-t-elle. Je dois seulement le dire devant témoins.

Il secoua la tête.

— Vous devez le lui dire, à lui, devant témoins. Il le mérite.

— Je ne le ferai pas.

Il soupira, agacé qu'elle ne veuille pas accepter de faire ce qu'il fallait.

— Alors, vous resterez sa femme, car il n'est pas question que je les lui dise à votre place.

Lucie le regarda en mordant sa lèvre. Il pouvait presque entendre le débat auquel elle se livrait : faire ce qui était le moins douloureux ou faire ce qui était juste. Cruel dilemme…

Lorsqu'elle releva la tête, il sut quelle décision elle avait prise. Déçu, il soupira. Si elle ne voulait pas faire ce qu'il fallait pour les libérer tous deux, ils resteraient liés l'un à l'autre pour toujours.

— Où voulez-vous aller, à présent ? lui demanda-t-il. A l'école ou chez vos parents ?

Elle défroissa sa longue robe contre ses chevilles et se remit debout.

— Je ne veux pas rentrer en Californie, je refuse qu'ils soient témoins de mon nouvel échec.

— Votre mère s'est beaucoup battue pour vous retrouver. Je ne crois pas qu'elle vous abandonnerait.

Elle se frotta les yeux de nouveau.

— Non, sans doute pas. Mais elle m'avait interdit d'accepter ce poste.

— Et pourquoi avez-vous désobéi ?

Lucie pinça les lèvres et haussa les épaules.

— Parce que je ne suis plus une enfant à qui l'on dicte la marche à suivre.

Malgré son affirmation, elle avait l'air d'une petite fille, en cet instant. Jusque dans son attitude de défi.

— Est-ce la véritable raison ? demanda-t-il.

Les épaules de Lucie s'affaissèrent.

— Pourquoi vous répondrais-je ?

— Pourquoi, en effet ? Peut-être parce que je suis bien la seule personne qui pourrait vous comprendre.

Elle scruta son visage, comme si elle cherchait à y trouver une raison de lui faire confiance. Mais que pouvait-elle donc y lire ?

— Mon retour a soudé mes parents. Cela a sauvé leur couple. Ils se sont remis à vivre. J'ai trois petites sœurs et deux frères dont je suis assez vieille pour être la mère.

Elle se détourna.

— Ils sont heureux, à présent, sauf sur un point.

Il attendit, mais elle ne développa pas sa pensée.

— Lequel ?

Lucie le regarda comme si elle redoutait d'être mal comprise ou, peut-être, de l'être trop bien. Puis elle se lança et, curieusement, elle le fit en lakota.

— Moi. Je suis le rappel de leurs souffrances, le souvenir de leurs années perdues, sacrifiées. Quoi que je fasse ou dise, je suis un reproche vivant, celui qu'ils pensent mériter pour n'avoir pas su me protéger. Ils auraient bien voulu me rendre le chemin moins pénible, mais ils n'y sont pas parvenus. Chaque fois qu'un Wasichu me blesse d'un mot ou d'un regard insultant, l'atteinte est deux fois plus forte pour eux. Je préfère leur mentir plutôt que rentrer vaincue et lire toute leur souffrance dans leurs yeux.

Renard-du-Ciel avait toujours su qu'elle était brave, mais là, elle l'étonnait vraiment. Il dut résister à l'envie presque irrépressible de la serrer dans ses bras. Il se contenta d'acquiescer.

— Vous voulez protéger ceux que vous aimez. C'est naturel et honorable. Vous montrez l'amour que vous avez pour eux, en les épargnant.

Le menton de Lucie se mit à frémir, mais elle retint ses larmes.

Il reprit la couverture et la posa sur les épaules de la jeune femme. Ainsi, elle lui rappelait les femmes lakotas.

— L'école, alors ? demanda-t-il, soucieux de penser à autre chose.

— Oui. Les filles ont besoin de moi. Bien que…

— Oui ?

— Enfin… Ce n'est pas ce que j'avais imaginé.

Il lui fit signe qu'il comprenait. C'était la première parole honnête qu'elle prononçait à propos de cet endroit.

Il prit les rênes de Ceta et le fit se tenir tranquille. Lucie n'avait nul besoin qu'on lui tienne le pied pour monter en selle. Elle se hissa souplement et lui laissa l'étrier pour qu'il puisse monter à son tour.

Durant le trajet de retour, ils ne prononcèrent pas un mot. Renard-du-Ciel se laissa distraire par l'odeur enivrante de la peau de Lucie, captivé par la courbe gracieuse de son cou. Il connaissait déjà la souplesse de son corps, sa chaleur. Il la tenait contre lui, tandis que Ceta allait d'un pas tranquille, et il se prenait à rêver qu'il l'emportait avec lui au bout du monde.

Il repoussa cette idée saugrenue avec force. Même s'il avait été assez ignoble pour voler la femme d'un ami, il savait qu'il ne méritait pas de connaître le bonheur, pas alors que les os de Nuage-Sacré achevaient de tomber en poussière sur sa plate-forme funéraire.

Mais il avait beau tenter de se raisonner, cela ne l'empêchait pas d'être attiré par cette femme. Que pensait-elle de lui ?

— Lucie ?

Etait-ce bien lui qui venait de parler ?

Il avait passé le plus clair de sa vie d'adulte tout seul et pourtant, jamais il n'avait ressenti sa solitude avec autant d'acuité qu'aujourd'hui. Ce vide, là, dans sa poitrine, était le même que le jour où il avait dû quitter sa famille indienne.

— Comment vous accommodez-vous de cette solitude ?

Surprise par la question, Lucie réfléchit posément, choisissant de bien mesurer sa réponse au lieu de formuler, simplement, les premiers mots qui lui passaient par la tête. C'était une question importante, qui méritait une réponse franche.

— Eh bien, j'essaie toujours de trouver quelque chose qui ait plus d'importance que ma petite personne. Prenez ces fillettes, à l'école. Elles aussi, elles sont seules. Leur famille leur manque, la route rouge leur manque. Seulement, cette route s'efface et va disparaître. Elles ont besoin d'être armées pour survivre à cette disparition annoncée. J'espère simplement que, un jour, ces enfants me pardonneront.

— C'est pour cela que vous êtes revenue ?

— Pour cela et pour laisser mes parents en paix, avec leurs autres enfants.

— Ce sont vos parents, à vous aussi…

Elle soupira.

— Pas exactement. Celui que je croyais être mon père est mort de maladie peu avant ma capture. Je n'ai rencontré mon véritable père qu'après mon départ de chez les Sioux. Thomas West avait quitté ma mère pour chercher de l'or, en promettant de revenir, mais il ne l'a jamais fait. Ma mère n'a retrouvé sa trace qu'après ma capture. Elle le croyait mort, et lui la savait mariée à son frère. Il croyait que j'étais leur enfant… sa nièce. Apparemment, celui que je prenais pour mon vrai père manipulait ma mère. Mais elle ne m'a jamais dit l'exacte vérité.

Lucie pensa à Samuel West, celui qu'elle avait appelé papa lorsqu'elle était enfant. Depuis sa mort, il lui manquait terriblement. Sa mère pensait-elle quelquefois à l'homme qu'elle avait épousé – et avec qui elle avait vécu pendant près de quatorze ans ? Et pourquoi n'avait-elle pas eu d'enfants avec Samuel ? A présent, avec David, Julia, Cary, Nelly et le bébé Theodore, sa mère avait prouvé qu'elle n'était pas stérile. Samuel et elle avaient-ils seulement partagé le même lit ?

Elle se demandait aussi si la vie de son vrai père avait été aussi solitaire que la sienne…

La voix de Renard-du-Ciel s'éleva derrière elle.

— Vous sauvez les enfants, moi je sauve les chevaux…

— On m'a dit que vous en vendiez…

Il repassa au lakota et elle comprit que c'était la langue avec laquelle il se sentait le plus à son aise.

— Je les appelle, expliquait-il, ils viennent à moi et je leur explique qu'ils ne peuvent plus vivre comme avant, que leur territoire va se rétrécir et qu'ils vont disparaître, comme les bisons. Mais que, moi, je peux leur apprendre une nouvelle vie…

Lucie sourit. Au fond, c'était un peu ce qu'elle essayait de faire avec ses élèves.

— Je comprends, répondit-elle dans la même langue. Et ils t'écoutent ?

— Certains, oui, d'autres, non. Ils ne veulent pas me suivre, alors je les laisse partir avec une prière pour les protéger des balles des Wasichus.

Ainsi, il ne se considérait pas comme un Blanc.

— Renard-du-Ciel… C'est ainsi que « le Peuple » t'appelle, n'est-ce pas ? Pourquoi as-tu quitté les Lakotas ?

Comme il ne répondait pas, elle se tourna sur la selle pour le regarder. Il avait l'air grave, et l'on sentait que cette question l'embarrassait.

— Nous sommes presque arrivés à l'école, il ne faut plus faire de bruit, sinon ils vont nous entendre.

Lucie n'était pas dupe. Il s'agissait à l'évidence d'une tactique pour éviter de répondre à sa question. Il ne voulait tout simplement pas aborder ce sujet. Elle avait l'impression d'avoir brisé l'espèce d'étrange intimité qui était née entre eux. Ils avaient beaucoup en commun, mais elle ne le connaissait pas vraiment.

Enfin, ils parvinrent au sommet de la colline qui dominait

l'école et traversèrent la prairie jusqu'au bâtiment du dortoir. Renard-du-Ciel l'emmena, à cheval, jusque sous sa fenêtre. Tout semblait tranquille.

Etait-il possible que personne ne se soit aperçu de rien ?

— Je vais vous aider à monter, murmura-t-il.

Lucie sentit deux larges mains entourer sa taille et la soulever sans le moindre effort. Etait-il satisfait d'être bientôt débarrassé d'elle ?

Sa mission était terminée. Il n'avait aucune raison de s'attarder.

Il la déposa précautionneusement sur l'appui de fenêtre. Elle bascula ses jambes à l'intérieur, puis se pencha pour passer la tête à l'extérieur afin de le remercier. Ce faisant, elle se trouva nez à nez avec Renard-du-Ciel.

— Te reverrai-je ? demanda-t-elle, toujours en lakota.

— Je dois dire à... à Aigle-Danseur que tu ne viendras pas.

Lucie eut une pointe de remords. Elle connaissait les traditions sioux : pour rompre son mariage, elle devait en faire la déclaration devant témoins et devant son mari. Jamais elle ne s'y résoudrait ! Elle avait bien trop peur d'affronter Aigle-Danseur. Durant toutes ces années, elle avait fait comme si rien de toute cette histoire n'avait existé, en vain. A présent, un sentiment de honte la rongeait. La honte d'avoir épousé un homme qu'elle n'aimait pas. Elle savait parfaitement ce qu'on lui dirait si cela se découvrait : mieux valait être une prisonnière qu'une... Oui, elle savait comment on l'appellerait, et le mal que cela ferait à sa famille lorsque cette révélation leur parviendrait. David était officier au fort Scully, aux portes de la réserve. Que diraient ses camarades s'ils apprenaient que sa sœur s'était donnée à un Indien volontairement ?

Sans s'en rendre compte, elle repassa à l'anglais.

— Faut-il vraiment qu'il sache que vous m'avez vue ?

— Il sait que vous êtes ici, Lucie. Vous ne pouvez pas continuer à le faire souffrir.

Il la regarda un long moment en silence, puis murmura :

— Je ne repartirai que dans la matinée, au cas où vous changeriez d'avis…

Puis il reprit les rênes de son cheval et s'en alla, sans un regard en arrière, laissant Lucie seule, penchée à sa fenêtre.

Lorsque Aigle-Danseur se réveilla, son neveu était rentré. Le jeune garçon avait disparu depuis quelques jours et Aigle-Danseur avait espéré qu'il était retourné à l'école, comme il le lui avait demandé.

Toutefois, quand il avait appris que trois adolescents étaient partis avec lui, il avait commencé à s'inquiéter. A travers les murs en planches de la cabane, on entendait le bruit autrefois familier de cavaliers qui approchaient. Sans-Mocassins s'étira et mit sa main devant ses yeux pour les protéger de la lumière du matin. C'est alors qu'Aigle-Danseur vit qu'il avait du sang sous les ongles. Il le secoua pour le réveiller.

— Debout !

Le garçon écarquilla les yeux. Un instant plus tard, on entendait résonner des voix d'hommes. Le garçon bondit aussitôt sur ses pieds.

— Lave tes mains et reste à l'intérieur, lui ordonna calmement son oncle.

Les coups frappés à la porte firent sursauter Sans-Mocassins. Il prit son couteau à dépouiller et commença à retirer le sang et la poussière de ses ongles.

Aigle-Danseur le regarda sans mot dire. Le garçon semblait pâle et nerveux. Ses mains tremblaient. Etait-il sorti de la réserve ?

— Aigle-Danseur, commanda une voix au-dehors. Ouvrez cette porte !

Il obéit et sortit sur le seuil, face aux soldats montés et à l'agent du Bureau des affaires indiennes.

Lucie lui avait appris un peu d'anglais et il pouvait à peu près comprendre ce que l'on disait, si ses interlocuteurs ne parlaient pas trop vite. Mais là, il ne distinguait pas un mot du charabia de l'homme qui lui faisait face. L'étranger était en uniforme et portait des attentes d'officier sur les épaules et de grandes moustaches grises qui lui donnaient l'air d'un coyote.

Comme il ne répondait pas, l'officier appela un civil encore à cheval, qu'Aigle-Danseur reconnut tout de suite. C'était Thornton Lewis, l'interprète officiel. Comme toujours plus ou moins soûl, il fallut l'aider pour descendre de son cheval. Il s'avança en tanguant comme un navire dans la tempête, les yeux humides et injectés de sang.

— Répétez-lui ce que j'ai dit, ordonna l'homme-coyote.

L'interprète le regarda d'un air hébété en tenant son pantalon, et l'officier dut expliquer, légèrement excédé :

— Des noms. Je veux des noms. Nous allons faire un exemple de ces sales…

Aigle-Danseur ne pouvait saisir tous ces mots prononcés en avalanche.

— … signé un traité et ils doivent s'y tenir. Des noms, bon Dieu !

Lewis parla.

— Il a vu quatre guerriers dans la prairie, avec des armes. Qui sont-ils ?

Aigle-Danseur secoua la tête pour indiquer qu'il ne savait rien.

L'officier poussa un petit reniflement méprisant. Mais cette fois, il articula moins vite.

— Parlez-lui du garçon.

Immédiatement, Aigle-Danseur se sentit envahi par cette angoisse particulière qui le saisissait toujours quand l'un des siens était en danger. Pourquoi était-il toujours plus facile de faire face soi-même au risque que d'y voir exposé quelqu'un que l'on aimait ?

— Ton neveu, parti de l'école. Il y a une lune de ça. L'homme de l'école, le suivre… Plus personne les voir, tous les deux, depuis des jours.

Aigle-Danseur fit une moue dégoûtée. L'homme était un ivrogne et un imbécile qui se permettait de lui parler comme à un enfant de deux ans.

— Toi, vu le garçon ?

Aigle-Danseur secoua la tête.

— Les traités disent : tous les enfants aller à l'école.

Le chef se tourna vers l'officier.

— Cet homme est ivre, dit-il en anglais.

L'officier ignora sa remarque et se tourna vers l'interprète.

— Et l'employé ? Norman Carr… Il l'a vu ?

Lewis transmit la demande. Aigle-Danseur secoua la tête.

— Vous le croyez ? demanda l'homme-coyote.

L'ivrogne eut un rire gras.

— C'est un Indien. Evidemment que je ne le crois pas.

— Dites-lui que si le garçon se montre, nous voulons le savoir.

L'interprète traduisit, puis tenta de remonter sur son cheval. Il n'y parvint pas et tomba sur son séant dans la poussière du chemin. On le remit debout tant bien que mal, on le hissa en selle et la petite troupe fit demi-tour en direction de la rivière.

Aigle-Danseur attendit que le bruit des sabots se soit suffisamment éloigné pour qu'on l'entende à peine parmi les bruits du village. On s'était attroupé autour de sa maison, les gens avaient accompagné les soldats jusqu'à sa porte. Déjà, les anciens s'assemblaient et murmuraient entre eux. Aigle-Danseur se tourna vers sa cabane de rondins et rencontra le visage inquiet de Sans-Mocassins.

Qu'avait donc fait son neveu ?

Lucie ferma la fenêtre et bloqua l'abattant, de peur que Renard-du-Ciel ne change d'avis et ne l'amène à Aigle-Danseur. Elle se coucha avec son couteau à portée de la main et, quand elle parvint enfin — brièvement — à s'endormir, elle rêva de sa capture.

Aigle-Danseur l'attendait et ne s'était jamais remarié. Où vivait-il ? Dans la réserve, sans aucun doute, mais avait-il une maison et une terre ? C'était les termes du traité, avec une aide alimentaire et des semences pour tous ceux qui accepteraient de devenir cultivateurs. Elle essaya de l'imaginer derrière une charrue, mais il lui était difficile de se le représenter sans son cheval.

Les Blancs lui avaient pris cela, comme le reste, et il l'avait perdue, elle, pour toujours. Elle essaya de chasser l'idée que son mari pouvait être malheureux et humilié. Cette simple pensée lui était douloureuse.

Elle repensa aux bras de Renard-du-Ciel autour d'elle. Combien de temps lui faudrait-il pour retourner à la réserve ? Elle n'avait pas une idée bien claire de la distance qui séparait Sage River des terres sioux.

Elle lança un regard vers la fenêtre. Le ciel bleu nuit se marbrait déjà de rose. Bientôt, les sombres collines se dessineraient sous une ligne orange. Un rossignol chanta sous sa fenêtre pour saluer l'aube. Renard-du-Ciel allait quitter la ville, elle pourrait oublier cette histoire, l'enterrer profondément en elle. Renard-du-Ciel ne parlerait pas et elle pourrait laisser croire qu'elle avait été forcée, alors qu'il n'en était rien.

Sa gorge était tellement serrée qu'elle pouvait à peine déglutir. Renonçant à dormir, elle se leva, fit sa toilette à l'eau glacée de sa cuvette, s'habilla et tressa ses cheveux en une natte qu'elle enroula soigneusement autour de sa tête.

Elle s'approcha de la fenêtre. Est-ce que tout cela lui était réellement arrivé ? Renard-du-Ciel l'avait-il vraiment enlevée, avant de la ramener ici ? Elle roula ses épaules, frotta ses bras endoloris et roides d'avoir été attachés.

Les coups rapides frappés à la porte la firent sursauter. Sa main attrapa instinctivement son couteau, tandis qu'elle faisait face à la porte.

— Mademoiselle West, vous avez assez boudé ! Ouvrez immédiatement cette porte.

Lucie se détendit et rangea le couteau dans ses jupes. La digne matrone était déjà venue frapper à sa porte, la veille. Ne pouvant imaginer qu'elle était attachée et bâillonnée sur son lit, Mme Fetterer avait bien sûr préféré en conclure qu'elle faisait la tête.

Elle tira le verrou et ouvrit la porte.

— Oui, madame ?

Mme Fetterer leva la lampe à pétrole qu'elle tenait à la main et la regarda avec surprise.

— Vous êtes déjà habillée ?

Lucie ne sut que répondre.

— Bon, venez, le père Batista m'envoie vous chercher. Il s'est passé quelque chose d'inquiétant. Nous devons aussi lui amener la sœur de ce garçon qui s'est enfui.

Lucie avait entendu parler de cette fugue, bien sûr, mais elle ne savait pas que le fugitif avait une sœur. Les enfants étaient séparés à l'arrivée à l'école, en fonction de leur sexe et de leur âge.

— Qui est-ce ?

— Maud.

La petite n'avait pas encore sept ans et se trouvait donc sous la responsabilité de Lucie. Tout ce que celle-ci savait d'elle, c'était que sa maman était morte. Son nom indien était Oiseau-qui-gazouille et c'était donc ainsi que Lucie l'appelait, mais en anglais, toutefois.

— J'arrive dans une minute.

— Amenez Maud avec vous.

Lucie referma la porte et alla prendre son châle, parmi les affaires qu'elle avait abandonnées çà et là, la nuit passée. Quand elle eut boutonné ses bottines, elle prit sa lampe et se dirigea vers le dortoir des petites. Il y faisait encore sombre, mais certaines fillettes s'étiraient déjà. Elle se dirigea vers le lit d'Oiseau-qui-gazouille et s'agenouilla à son chevet, posant doucement sa main sur son épaule. Soucieuse de rassurer l'enfant, elle lui parla en lakota.

— Viens, ma chérie, lui dit-elle, nous allons voir le grand-père.

Oiseau-qui-gazouille se redressa dans son lit et la regarda, les yeux agrandis par la peur.

— Chuuut, lui murmura la jeune femme, tu vas réveiller les autres…

— Tu vas me ramener chez moi ?

— Non, ma chérie, le grand-père veut seulement te parler.

— Mais je n'ai rien fait de mal. Je fais mes prières au petit Jésus, je me lave les mains et la figure.

— C'est très bien. Allons, viens…

Lucie l'aida à se lever, à enfiler sa robe grise et ses bas noirs. Elle lui arrangea les cheveux comme elle le put et vit que de nombreuses fillettes étaient maintenant éveillées. Elles regardaient Oiseau-qui-gazouille avec une curiosité mêlée d'effroi.

— Viens !

Lucie se releva et tendit la main à la fillette.

Dans le couloir, Mme Fetterer les attendait. Lucie passa à l'anglais pour murmurer à la fillette :

— Il n'y a pas de raison d'avoir peur.

Mais la petite serrait sa main aussi fort qu'elle le pouvait.

— On vient juste de l'apprendre, dit Mme Fetterer. Ils ont trouvé le corps de M. Carr. Il a été massacré par les Indiens…

Lucie tressaillit, mais se reprit tout de suite.

— Comment ?

Comment cette femme pouvait-elle annoncer ce genre de nouvelle aussi calmement ? Mme Fetterer n'avait changé ni de ton ni d'attitude.

— Ils ont mutilé son corps, lui ont coupé les mains et l'ont transpercé de leurs flèches. On dirait qu'il avait oublié que le garçon avait de la famille… Une famille de sauvages !

Le cœur de Lucie se mit à battre très vite. Elle avait peur. Elle ne savait pas exactement de quoi, car elle n'avait rien fait de mal, mais elle avait l'impression d'être elle-même coupable.

— Quand est-ce arrivé ?

— Il y a plusieurs jours, à ce que j'ai compris, et ils n'ont toujours pas retrouvé le garçon. Comment s'appelle-t-il, déjà ? Attendez, je crois que je m'en souviens : Philip… Non, Charles-Philip. Il n'a pas plus de douze ans, mais ils ont la sauvagerie dans le sang.

Un peu plus loin, le père Batista les attendait devant le dortoir des filles. La lanterne était devenue inutile, le jour étant bien levé à présent. La tête de Lucie lui tournait, de fatigue et d'anxiété.

— J'aimerais savoir pourquoi le père Dumax a pensé que j'étais incapable de lui amener cette petite Indienne, murmura Mme Fetterer au père Batista.

— Peut-être vous le dira-t-il quand nous le verrons, répondit celui-ci.

Ils n'eurent pas à attendre et furent immédiatement introduits dans le bureau du père Dumax, qu'ils trouvèrent en conversation avec quatre officiers de cavalerie. Le religieux les écoutait, le visage grave et les mains jointes.

Quand elle vit les uniformes, Oiseau-qui-gazouille poussa un cri d'effroi et disparut presque complètement dans les jupes de Lucie. Etonnée par cette réaction, Lucie songea soudain que la fillette ne lui avait jamais dit comment était morte sa mère. Etait-ce au bout d'une baïonnette ? Oiseau-qui-gazouille avait-elle vu ces hommes détruire son village ?

Elle l'entoura d'un bras protecteur et lui murmura quelques mots rassurants en lakota.

— Mademoiselle West, madame Fetterer, merci d'être venues si rapidement. Avez-vous entendu ce qui est arrivé à M. Carr, que nous employions pour retrouver les élèves en fuite ?

— Que lui est-il arrivé ? demanda Mme Fetterer, comme si elle l'ignorait.

— Il est parti pour un monde meilleur.

Mme Fetterer se raidit, l'air plus revêche encore qu'à son habitude. Il était évident qu'elle n'aimait pas Carr, mais pour quelle raison ? Lucie l'ignorait.

Le père Dumax se tourna vers les officiers, restés silencieux.

— Ces messieurs voudraient retrouver le garçon qu'il poursuivait. Cette enfant est bien sa jeune sœur ?

Lucie n'aimait pas la manière dont ces militaires regardaient la petite qu'elle avait en charge. Sa main se referma sur son couteau, dans sa poche. Si le directeur croyait qu'elle allait livrer une fillette de cet âge à l'armée, il se trompait.

— Oui, mon père. Comme vous l'aviez demandé.

— Mademoiselle West, cette petite est sous votre responsabilité, je crois ?

Lucie acquiesça.

— Comprend-elle assez bien notre langue ?

— Elle débute. Elle la comprend un petit peu.

Sa paume devenait moite, sur la corne du manche de son couteau.

Le directeur montra de nouveau les militaires.

— Ces messieurs ont dû se séparer de leur interprète habituel. C'est pourquoi nous aurions besoin de vous pour interroger cette petite.

Lucie acquiesça. Quel paradoxe ! La veille encore, on lui interdisait de parler lakota, mais, aujourd'hui, les priorités avaient changé. Heureusement, la captivité lui avait appris à dissimuler ses émotions.

L'officier qui était à la droite du père directeur prit la parole :

— Demandez-lui si elle savait que son frère allait s'enfuir.

Lucie s'accroupit aux pieds de la petite et reprit sa main tremblante dans la sienne.

— Ces tuniques bleues recherchent ton frère, parce qu'il s'est enfui.

— Ils vont le tuer ? demanda l'enfant.

— Non, ils veulent seulement lui parler. Tu savais qu'il voulait s'en aller d'ici ?

La petite secoua la tête. Lucie se tourna vers les adultes.

— Eh bien ? demanda Mme Fetterer.

Lucie serra les dents pour ne pas pousser un lourd soupir. Fallait-il donc qu'elle traduise aussi un signe de tête qui dans la plupart des pays du monde signifiait toujours « non » ?

— Non, elle ne le savait pas.

L'homme qui était à la droite du père directeur se mit à aboyer comme si Lucie était une recrue.

— Demandez-lui où il est allé !

— Elle ne savait pas qu'il était parti, comment voulez-vous qu'elle sache où il est allé ?

L'officier la regarda plus attentivement, les yeux étrécis. Etait-il en train de penser qu'elle était une « fille à Indiens », comme on disait ?

Ce qu'elle savait, c'était qu'elle aimait suffisamment cette petite fille pour s'interposer entre l'officier et elle.

— Demandez-lui !

Lucie se tourna de nouveau vers la fillette.

— Où tu crois qu'il a pu aller ?

Oiseau-qui-gazouille retira son pouce de sa bouche et répondit :

— Chez notre oncle.

— Comment s'appelle-t-il ?

— Notre peuple l'appelle Aigle-Danseur.

Lucie se redressa dans un sursaut comme si elle avait été piquée par un serpent.

— Qu'est-ce qu'elle a dit ?

La jeune femme sentait la tête lui tourner. Ce jeune garçon qui s'était enfui de l'école et cette fillette devaient être les enfants de la seule sœur d'Aigle-Danseur, Ombre.

C'était Ombre qui avait découvert que Lucie avait ses premières règles et lui avait appris ce qu'il fallait faire, ce fut elle aussi qui l'amena à son frère quand Aigle-Danseur s'inquiétait que sa mère puisse la tuer. Ombre ne l'aimait pas, mais elle s'était arrangée pour la maintenir en vie et pour la traiter humainement car, en revanche, elle aimait son frère. Et à présent, sa fille était sous la garde de Lucie.

Elle pensa à la croyance des Lakotas en une grande boucle, un cercle universel auquel toutes choses étaient reliées et donc connectées entre elles. Elle se mit à trembler.

— Mademoiselle West ! Qu'a-t-elle dit ? aboya l'officier.

Lucie le regarda en clignant des yeux comme si elle avait quelque peine à se rappeler qui il était. Puis elle se reprit, se souvenant de ce qu'elle était venue faire ici.

— Elle pense que le garçon est allé chez leur oncle.

— Et c'est tout ?

Elle acquiesça, prise de vertige, comme une convalescente à peine rétablie.

— Alors, pourquoi tremblez-vous comme une feuille ? demanda l'officier.

Lucie se tourna vers Mme Fetterer, mais il était clair qu'elle ne trouverait aucun soutien de ce côté.

Quant au père Dumax, il demeurait imperturbable. Rien à attendre de lui non plus. Elle se tourna vers le visage peu amène de l'officier.

— Parce que je ne savais pas que la mère de cette enfant était ma…

Sa quoi ? Sa geôlière, sa belle-sœur ?

— … qu'elle était mon amie.

Mme Fetterer eut un sursaut outré et la regarda d'un air encore plus désapprobateur que d'habitude.

— Mon père, s'il vous plaît, savez-vous ce qui est arrivé à sa mère ? Est-elle en vie ? demanda Lucie.

Le père Dumax se leva, fit le tour de son bureau et sortit un dossier d'un meuble de classement. Il semblait savoir exactement où le trouver.

En tout cas, Ombre était en vie sept ans auparavant. La fillette qui s'accrochait à sa main en était la vivante preuve.

— Nous n'avons pas de temps à perdre avec cela, protesta l'officier.

— Elle est orpheline, répondit le père directeur sans s'émouvoir. Son seul parent vivant est… oh…

Il s'interrompit et regarda Lucie, faisant enfin le lien qui s'imposait. Il connaissait le nom du guerrier dont elle avait été la captive. Tous ceux qui avaient eu accès à son dossier le savaient.

— Quand a-t-elle vu son frère pour la dernière fois ? demanda l'officier.

Le cœur brisé, Lucie pensa à Ombre. Comment était-elle morte ? Elle s'agenouilla devant la petite orpheline et lui traduisit la question du soldat.

— Dans la cour. Il marchait.

— Il t'a parlé, avant de partir ?

La fillette secoua la tête. Lucie la prit dans ses bras, la souleva et l'installa sur sa hanche tandis qu'elle faisait face aux militaires. Seulement alors, elle traduisit les paroles de l'enfant.

— Elle ne sait rien du tout, conclut-elle. Je la ramène au dortoir.

— Nous n'avons pas terminé.

Lucie ne redoutait pas cet homme. Il n'avait pas le pouvoir

de la tuer ni de la battre. Il pouvait seulement élever la voix, comme le vent qui hurlait sur la plaine. Elle s'avança vers lui et il dut reculer. Il se heurta au bureau, derrière lui.

— Si, monsieur, lui dit-elle, nous en avons fini et même bien fini de tout cela.

Puis elle tourna les talons et quitta le bureau, mais avant de refermer la porte elle entendit l'officier parler au père Dumax.

— C'est la fameuse Lucie West, n'est-ce pas ? Celle qu'ils ont capturée ? On pourrait pourtant penser qu'elle veut les voir tous morts, après ce qu'ils lui ont fait !

Elle referma la porte et emmena Oiseau-qui-gazouille à travers la cour. Le clairon sonnait déjà, appelant les enfants à se rassembler comme de bons petits soldats. Lucie détestait cet embrigadement militaire. En fait, elle commençait à haïr cet endroit et tout ce qui s'y rapportait.

— Mademoiselle West, vous avez entendu ?

C'était le père Robert, l'un des plus jeunes parmi les religieux, qui venait vers elle à grands pas. Lucie dut s'arrêter et l'attendre. Elle voulait emmener Oiseau-qui-gazouille... L'emmener où, d'ailleurs ? L'enfant ne serait en sécurité nulle part. Sa mère était morte. Elle était exilée dans un univers étranger au sien. Que faire ?

Elle s'arrêta pour attendre poliment le religieux. Oiseau-qui-gazouille cacha son visage dans son épaule.

— Vous avez entendu la nouvelle ?

— Celle du meurtre ? Oui.

— Non... l'autre. Les arrestations, dans la réserve.

C'était comme si des doigts glacés la saisissaient soudain à la gorge. Elle se mit à bercer machinalement Oiseau-qui-gazouille, une main sur son petit dos.

— Qui ? Qui a été arrêté ? demanda-t-elle, haletante.

— Quelques-uns des chefs sioux. Ils vont être retenus à fort Scully jusqu'à ce que l'on découvre qui a tué ce pauvre

M. Carr. Ils disent qu'ils les pendront tous si le coupable ne vient pas se dénoncer.

— Aigle-Danseur ?

Le jeune prêtre acquiesça.

— Oui, il est parmi eux.

Ce monde qu'elle avait tant essayé d'oublier lui éclatait de nouveau au visage. Peut-être était-ce l'effet de la grande boucle, mais cela ressemblait davantage à une locomotive qui roulait vers elle à tombeau ouvert.

Ironie du sort, Aigle-Danseur était en prison au fort où son jeune frère servait comme officier. Elle ne savait pas si elle pourrait aider Aigle-Danseur ou si son frère l'aiderait, mais elle savait qu'elle était blanche, que tout le territoire était au courant de ce qui lui était arrivé et que son frère était bel et bien en poste au fort où l'on allait détenir les chefs sioux. Peut-être que ces trois facteurs ne seraient d'aucune utilité à Aigle-Danseur, ou peut-être que si. Autrefois, il l'avait aidée à se maintenir en vie. A présent, c'était son tour. Une fois sa dette payée, peut-être pourrait-elle enfin se débarrasser de son souvenir et de la culpabilité d'avoir été sa femme durant toutes ces années.

Elle allait le rejoindre.

Etrangement, cette décision avait été facile à prendre. Pas besoin de réfléchir des heures, de se poser trop de questions.

Renard-du-Ciel… était-il déjà reparti ?

Lucie regarda autour d'elle, comme s'il était vraisemblable que le dresseur de chevaux puisse apparaître au milieu des enfants sortant de leurs dortoirs pour se mettre en rang. On était dimanche, donc il n'y aurait pas de cours, aujourd'hui, mais une répétition de la chorale et le service religieux.

Dans la matinée… Il lui avait dit qu'il partirait dans la matinée.

Lucie regarda le ciel. Le soleil brillait, déjà haut au-dessus des toits de l'école. Elle déposa Oiseau-qui-gazouille à terre, à sa place dans le rang.

— Je vais aller aider ton oncle, lui dit-elle en lakota.

La petite la regarda et murmura :

— Dis-lui que je travaille dur pour tracer les bâtons.

Lucie sourit.

— Oui, je lui dirai, répondit-elle.

— Mademoiselle West ? Mais que faites-vous ? Où pensez-vous aller comme ça ?

C'était Mme Dwyer, la plus âgée des matrones de l'école. Elle ne lui avait jamais témoigné la moindre sympathie, elle était même pire que Mme Fetterer. Elle s'avançait pour lui couper la route, mais Lucie marcha sur elle et la saisit par le revers de son caraco.

— Ecarte-toi de mon chemin, lui dit-elle en lakota, les dents serrées, et occupe-toi de tes affaires, sinon c'est moi qui m'occuperai des tiennes !

Les enfants mirent leurs mains devant leur bouche pour ne pas éclater de rire. Puis Lucie passa devant la matrone médusée et se dirigea vers les écuries. Elle les atteignit comme Renard-du-Ciel, déjà en selle, en sortait.

— Vous savez qu'ils l'ont arrêté ? demanda-t-elle.

Il hocha la tête.

— Oui, je vais à fort Scully voir ce que je peux faire…

— Je viens avec vous. Laissez-moi juste le temps de rassembler quelques affaires.

— Je vous attends, répondit-il en mettant pied à terre.

Lucie se hâta vers sa chambre. Elle sortit tous les objets de sa malle et les mit dans la couverture, qu'elle noua comme un baluchon. Puis elle retira ses chaussures, qu'elle laissa derrière elle, et mit ses mocassins. Elle défit son chignon, laissant sa longue natte pendre dans son dos. Enfin, elle prit un papier, une plume et écrivit sa lettre de démission. Ceci fait, elle réfléchit un instant. Elle s'était opposée à ses parents, particulièrement à sa mère, pour obtenir ce poste et revenir dans les Black Hills, pour aider ces enfants dont elle croyait favoriser l'avenir en leur apprenant les manières des Blancs. L'expérience avait été un échec cuisant, et voilà qu'elle était prête à abandonner toute sécurité pour suivre Renard-du-Ciel dans la prairie, jusqu'au territoire indien...

Elle se remit à trembler.

Il était clair que l'on n'améliorait pas le sort des enfants, ici. Dans son cœur, elle savait qu'elle devait partir, que c'était sa seule chance d'apaiser un peu sa culpabilité et sa honte. Mais il était bien difficile de sortir de l'ombre et d'affronter encore le mépris et la désapprobation.

Elle pensa à Aigle-Danseur dans sa cellule. Elle avait honte, non de ses propres actions, mais de celles des siens, des Blancs. Elle se leva, souffla sur la feuille pour sécher l'encre avant de la plier.

Au lieu de la culpabilité et de l'angoisse attendues, elle ressentait une surprenante impression de liberté. Mais cette sensation s'estompa rapidement, tandis qu'elle drapait son châle autour de ses épaules. Etait-ce bien elle, qui se préparait à rejoindre un quasi étranger, pour venir au secours d'un homme dont elle avait été la captive ? Un homme qui l'avait maintenue en vie, certes. La mère de Lucie ne la croyait pas capable de prendre une décision réfléchie. N'était-elle pas en train de lui donner raison ?

Ce que Sarah West avait fait pour sauver sa fille avait réclamé énormément de courage, le même qu'il allait falloir à Lucie pour obtenir la libération d'Aigle-Danseur.

Le chef du clan des Sweetwater savait-il qui avait tué Norman Carr ?

Lucie prit son baluchon et quitta la pièce. Dans la cour, elle rencontra Mme Fetterer.

— Pourriez-vous dire au père Dumax qu'une affaire de famille urgente m'appelle, et lui donner ceci de ma part ?

La digne matrone pressa la lettre sur sa poitrine.

— Qu'est-il arrivé ? demanda-t-elle.

Lucie carra ses épaules et prononça les mots qu'elle redoutait tant.

— Mon mari a été arrêté.

Mme Fetterer eut un sursaut de surprise.

— Votre mari ? Mais vous n'êtes pas mariée !

— Dites-lui que je vais à fort Scully, pour le faire libérer.

— Mais voyons, pour faire libérer qui ?

— Mon mari, Aigle-Danseur.

# Chapitre 6

Comme Lucie n'avait pas de cheval, elle se rendit directement à l'écurie de louage.

— Je vous paierai deux fois le prix, déclara-t-elle à M. Fetterer lorsque ce dernier lui eut déclaré qu'il n'avait aucun cheval disponible.

L'homme se tenait devant elle, grattant nerveusement ses bras couverts de marques de brûlures.

— Ça ne vous avancera à rien. Les chevaux ne sont pas à moi. Ils ont des propriétaires.

Lucie jeta un coup d'œil sur une jument bai. Le forgeron suivit son regard.

— Celle-ci, elle appartient à M. Bloom. C'est plutôt un cheval d'attelage, mais on peut la seller, à la rigueur.

— Vous croyez qu'il me la vendrait ?

— J'en doute fort.

Renard-du-Ciel, qui se tenait près de la porte, lâcha les rênes de son étalon et revint vers eux. Son cheval le suivit docilement.

Il s'adressa à Lucie, ignorant Fetterer.

— Allez lui dire que je lui offre quarante dollars pour sa jument.

Lucie se hâta vers l'épicerie et revint avec Bloom. L'épicier aurait été fou de refuser une telle offre, mais cela ne l'empêcha pas de bougonner quelque chose à propos d'argent volé, en suivant Lucie à l'écurie de louage.

Pour ce prix, Renard-du-Ciel exigea en plus une selle

et une bride, avant de sortir de sa poche deux pièces d'or de vingt dollars qui brillaient même dans la pénombre de l'écurie. Bloom se hâta de les faire disparaître dans la sienne et l'affaire fut conclue. Renard-du-Ciel attacha le baluchon de Lucie à la selle.

Elle pensa aussitôt à sa captivité, durant laquelle elle avait été obligée de se déplacer à pied pendant des kilomètres, portant tous les bagages pour que les hommes gardent leurs mains libres en cas d'attaque. A l'époque, Lucie aurait été prête à monter n'importe quelle haridelle sur un bout de peau de bison pour éviter le calvaire de la marche. Toutefois, en plusieurs occasions, elle avait dû constater le bien-fondé de cette pratique. Plus d'une fois elle avait pris la fuite avec les autres femmes et les enfants, tandis que les hommes faisaient face à une attaque de la cavalerie.

— Lucie ? l'interpella Renard-du-Ciel.

Elle ne l'avait pas même vu se mettre en selle, et voilà qu'il semblait prêt à prendre le départ.

Elle fit un effort pour revenir à la réalité du moment. Un homme ne dépensait pas quarante dollars en or pour acheter une vieille jument, surtout quand il était lui-même marchand de chevaux. Agissait-il seulement par fidélité envers Aigle-Danseur ou espérait-il quelque chose en retour ? Lucie n'était pas assez naïve pour croire qu'il avait acheté ce cheval par charité chrétienne. Son estomac se noua…

Il la regardait toujours, les sourcils froncés.

— Cette jument ne vous plaît pas ? demanda-t-il.

— Si, merci de l'avoir achetée.

Il lui décocha un sourire dévastateur. L'effet que cet homme avait sur elle était très troublant, d'autant plus qu'une sorte d'excitation avait fait place à l'impression menaçante qu'elle avait d'abord eue de lui. Comment expliquer qu'elle se fie à lui si rapidement ? Après tout, il était un étranger pour elle…

Non, pas exactement. Pas pour tout, en tout cas. Ils avaient en commun un passé, une expérience, qui suffisait à les rapprocher. Mais cette nervosité qu'elle ressentait auprès de lui, cet afflux de sang continuel à ses joues, voilà qui était en revanche entièrement nouveau. Elle allait voyager seule avec Renard-du-Ciel et était déraisonnablement excitée à cette perspective. Que lui arrivait-il donc ?

Le sourire de son compagnon s'effaça et Lucie comprit qu'il avait eu l'impression de lui faire un cadeau et que son attitude lointaine lui gâchait son plaisir. Très embarrassée, elle rougit fortement, de nouveau.

— Vous avez donc changé d'avis, lui dit-il, comme s'il tentait de trouver une explication à son embarras.

Elle acquiesça en silence. Elle avait peur en effet. Peur de quitter la sécurité de l'école pour parcourir la prairie avec un inconnu, peur de retourner auprès de celui qui l'avait retenue captive. Mais surtout, elle avait peur de sa propre excitation à la perspective de ce voyage… Où tout cela allait-il la mener ? Elle n'allait tout de même pas se laisser séduire par un homme qui semblait aussi sauvage que les étalons qu'il dressait.

En fait, elle oscillait constamment entre sa raison et son instinct. Le regard braqué droit devant elle, sur l'immense prairie, elle se sentait minuscule…

— Vous savez, Lucie, il a vraiment besoin de vous.

Elle déglutit et tourna la tête vers Renard-du-Ciel. Il semblait agir avec une confiance qu'elle admirait. Cet homme-là avait toujours l'air de savoir ce qui était juste et il attendait d'elle qu'elle fasse son devoir envers… son mari.

Elle hocha la tête.

— Je suis prête.

M. Bloom lui tint sa jument quand elle mit le pied à l'étrier. Elle passa sa jambe par-dessus la selle et, une fois en place, regarda l'étalon qu'elle avait monté la veille, remarquant à présent, en pleine lumière, qu'il avait les yeux pairs : un bleu et un marron.

— Comment s'appelle-t-il ? demanda-t-elle.

— Ceta, répondit Renard-du-Ciel, parce qu'il vole !

Le nom du faucon en lakota. Il avait donné à son cheval le nom du plus rapide de tous les oiseaux.

— Je suis prête, murmura-t-elle.

M. Bloom leva la main pour les arrêter.

— Vous ne seriez pas en train d'oublier quelque chose ? leur dit-il. Avez-vous besoin de bacon, de café, de haricots ?

En temps que propriétaire du seul magasin à des kilomètres à la ronde, l'homme ne voulait pas manquer une occasion de gagner de l'argent, on le voyait bien…

Renard-du-Ciel secoua lentement la tête.

— Vous allez avoir très faim, avant de rejoindre Fort Scully.

— Je ne le pense pas, dit simplement Renard-du-Ciel en souriant.

— Comme vous voudrez.

L'épicier se tourna vers Lucie.

— Vous êtes bien sûre de ce que vous faites ? lui demanda-t-il. Vous ne seriez pas plus en sécurité ici, maintenant « qu'ils » reprennent leurs raids ?

Elle eut un mouvement de tête vers Renard-du-Ciel.

— Je suis en sécurité avec lui.

Lucie pensait ce qu'elle disait, mais son affirmation eut l'air de surprendre Renard-du-Ciel, qui tourna la tête vers elle. Elle savait qu'il la protégerait des dangers extérieurs. Quant à savoir si elle ne serait pas en danger avec lui, c'était une autre histoire. Ne l'avait-il pas enlevée, la nuit précédente ?

Elle se força à se rassurer. C'était idiot ; s'il avait voulu abuser d'elle, il l'aurait fait à ce moment-là.

Lucie se mordit la lèvre en se rendant à l'évidence. Renard-du-Ciel la fascinait comme aucun autre homme avant lui. Si quelqu'un lui avait dit qu'elle quitterait un jour l'école en compagnie d'un homme comme lui et en se plaçant sous sa protection, elle ne l'aurait jamais cru…

Elle était sans doute folle de prendre un tel risque mais, étrangement, elle était sûre de pouvoir placer sa confiance dans cet homme. Et puis, quelque chose lui disait qu'il le fallait.

— Au revoir, monsieur Bloom... monsieur Fetterer...

Le forgeron hocha la tête et esquissa un sourire.

— C'est donc vrai, que vous êtes mariée à un de ces sauvages ?

Renard-du-Ciel se prépara à venir à son secours avant même qu'elle le lui demande. Mais Lucie leva la main pour le retenir et il hésita.

— Oui, monsieur Fetterer. Aigle-Danseur est mon mari.

— C'est pour ça qu'ils vous ont renvoyée ?

C'était donc ainsi qu'il se représentait son départ. Elle s'apprêtait à corriger les propos de M. Fetterer lorsqu'elle comprit que c'était inutile. Les religieux présenteraient sans doute les choses de la même manière et il ne servait à rien de se justifier devant des personnes qui ne l'avaient jamais soutenue.

— Entre autres choses.

— Ma femme dit que vous êtes une « fille à Indiens »...

L'insulte la prit de court. Pourquoi se préoccuper de l'opinion de cet homme, dont l'œil égrillard ne cessait de monter et descendre sur elle ? Ne devait-elle pas d'ailleurs s'habituer à être traitée ainsi ? Elle baissa les yeux un instant, déstabilisée.

Soudain, Renard-du-Ciel démonta souplement et avança vers M. Fetterer. Impressionné, le forgeron recula, comme un gros crabe. Si Lucie avait besoin d'une preuve que Renard-du-Ciel la défendrait en toutes circonstances, elle l'avait à présent. L'Indien au visage pâle se tourna vers elle, comme pour lui demander la permission d'intervenir. Son regard brillait d'une telle colère qu'elle eut envie de sourire, attendrie par sa réaction.

Elle secoua toutefois la tête, refusant d'être la cause d'une bagarre. Se contrôlant avec peine, Renard-du-Ciel retourna à son cheval et se hissa en selle dans un mouvement qui alliait force, grâce et colère en même temps.

Lucie se tourna sur sa selle pour accorder un dernier regard à l'école. Elle avait nourri de bien grands espoirs, à son arrivée à Sage River : celui de dissimuler à tous une vérité qui était pourtant inscrite sur son visage, de trouver enfin un havre de paix et de compréhension. Mais elle avait tout gâché. Oui, en un sens, ils l'avaient bel et bien mise à la porte et elle avait perdu sa place. Le nier ne servirait à rien.

Décidément, elle avait complètement dévié de la route qu'elle s'était fixée en venant ici. La veille encore, elle aurait été mortifiée si elle avait su que quelqu'un connaissait son secret et, aujourd'hui, elle en parlait en public. Il y avait un indéniable sentiment de liberté attaché à cette révélation. Désormais, elle ne se cachait plus, elle assumait son passé. Et elle commençait tout juste à prendre conscience du poids que représentait ce secret dans sa vie. Toutefois, elle ne pouvait s'empêcher de redouter les conséquences pour sa famille.

La dernière fois qu'elle avait ressenti un aussi néfaste pressentiment, elle était encore captive d'Aigle-Danseur. Mais à présent, elle allait vers son destin en toute liberté et connaissance de cause, pour des raisons qu'elle n'osait pas même se figurer.

Pour le meilleur et pour le pire, elle avait brisé ses chaînes et n'avait pas d'autre choix que de se rendre à fort Scully. Par un étrange coup du sort, les rôles étaient inversés. C'était au tour d'Aigle-Danseur d'être captif des Blancs.

Lorsqu'elle eut fait un signe à Renard-du-Ciel pour lui dire qu'elle était prête, ce dernier mit Ceta au galop et le cheval partit si rapidement que M. Fetterer en perdit l'équilibre et tomba sur son gros derrière, dans la poussière de la rue. Avec un sourire, Lucie donna un petit coup de talon dans les flancs de sa nouvelle monture et la jument s'élança derrière le cheval de Renard-du-Ciel, vers la prairie.

*
* *

Le soleil sur le visage, ils faisaient route vers le sud-ouest. Renard-du-Ciel essayait de rester attentif au souffle du vent et surveillait les oiseaux qui se laissaient porter paresseusement par ses courants, mais son esprit ne parvenait pas à se libérer de cette femme. La brise, justement, lui portait son parfum à chaque bouffée d'air qu'il respirait.

Rien de ce qu'il avait pu lui dire n'y avait fait quelque chose mais aujourd'hui, à la seule annonce de l'arrestation d'Aigle-Danseur, elle avait changé d'avis. Elle ne ressemblait d'ailleurs pas à la femme qu'il avait enlevée la veille. Elle tremblait alors et avait des larmes plein les yeux, ses cheveux étaient noués en un chignon très strict. Elle portait la robe aux multiples jupons d'une Blanche, ses bottines raides et serrées.

Eh bien, ces chaussures peu pratiques, elle ne les portait plus. De souples mocassins en peau de cerf blanchie les remplaçaient. Plus d'épingles en métal dans ses cheveux non plus et son couteau à dépouiller pendait dans sa gaine, autour de son cou, à la vue de tous. Le châle, sur ses épaules, rappelait la couverture que portaient toutes les femmes sioux. Cette transformation le choquait presque. A qui avait-il affaire ? La sage institutrice blanche ou l'épouse d'un guerrier lakota ?

Les changements ne s'arrêtaient pas là. Il respira profondément et reprit son examen. Le visage de Lucie était détendu, son attitude, confiante. On ne sentait en elle ni incertitude, ni crainte. Son menton levé lui donnait un air fier et serein à la fois. La nuit dernière, elle était belle. Aujourd'hui, elle était magnifique et il ne pouvait détacher ses yeux d'elle.

— Est-ce que j'ai de la suie sur la figure ou est-ce que vous regardez mon menton ? lui demanda-t-elle.

Il sursauta. La voix n'était pas particulièrement douce ou chaleureuse et quelque chose, dans son ton, l'avertit qu'il devait répondre avec tact.

— Vous semblez... différente.

— C'est ce que les tatouages faciaux font à une femme, en général.

— Non, je voulais dire : différente d'hier.

— Ah…

Elle n'en dit pas plus.

Hier, en effet, elle avait tenté de repousser le souvenir d'Aigle-Danseur, alors qu'aujourd'hui elle avait admis devant le forgeron qu'elle était bien son épouse et qu'elle partait pour lui sauver la mise. Avait-elle changé d'avis ? Resterait-elle mariée au chef sioux ? Renard-du-Ciel se posa la question en regardant fixement l'horizon immense, le soleil lui éblouissant les yeux.

Pas une seule fois elle ne se plaignit de la chaleur, ou de la faim. Pourtant, ils ne s'arrêtèrent pas à midi, poursuivant leur périple inlassablement. Renard-du-Ciel s'était attendu à la voir se conduire comme une Blanche, mais il semblait qu'elle était redevenue celle qu'il avait côtoyée autrefois dans la prairie, tout au long de la piste du Nord.

Il se souvint qu'il s'était montré arrogant, alors, et en ressentit une pointe de remords.

— Je… je regrette de ne pas vous avoir parlé… quand…

Elle ne fit pas semblant de ne pas savoir de quoi il parlait.

— Nous étions très jeunes… Vous aviez probablement peur du jugement de vos amis. Vous étiez toujours avec ces jeunes garçons bitterroot.

Il acquiesça. Le temps colorait ces souvenirs d'une teinte douce-amère.

— Oui, c'était mes amis. Je crois que je faisais beaucoup d'efforts pour devenir l'un des leurs.

Il y était d'ailleurs parvenu, jusqu'à ce faux pas qui avait fait de lui de nouveau un Blanc, l'ennemi que l'on haïssait.

Son cœur se déchira. Une fois de plus.

— Ils vous ont relâché ou on vous a délivré ? demanda Lucie.

Comme il ne répondait pas tout de suite, elle se tourna vers lui, l'air interrogateur.

Comment lui expliquer ce qui s'était passé, comment il avait dû s'exiler ? Il n'en avait jamais parlé à personne. Ils avaient, elle et lui, bien des choses en commun, mais pas celle-là.

— Dans mon cœur, je ne les ai pas quittés.

Il enfonça ses talons dans les flancs de Ceta et l'étalon prit le trot.

— Nous allons camper sous ces arbres, là-bas, dit-il avant de s'éloigner sans répondre à sa question.

Lucie observa Renard-du-Ciel. A peine quelques mètres plus loin, il fit repasser son cheval au pas. Il n'avait nul besoin de se presser : le bosquet était en vue et ces plaines n'étaient plus le territoire hostile qu'elles avaient été. Avait-il voulu s'éloigner un peu d'elle et de ses questions ? Mais alors, avait-il été relâché ou délivré ? Avait-il été forcé de partir, comme la captive comanche Cynthia Ann Parker, éloignée contre sa volonté de la seule famille qu'elle avait ? Ou avait-il été, comme ses élèves à elle, plongé de force dans le monde des Blancs ?

Cet homme-là était un mystère. Elle en avait bien quelques clés, mais le reste était dans l'ombre et Lucie était bien décidée à tout savoir de lui, même si elle devait pour cela lui dévoiler une grande part d'elle-même. Si quelqu'un pouvait la comprendre, c'était bien lui, cet ancien captif, qui avait vécu la même expérience qu'elle. Il connaissait le monde des Sioux et celui des Blancs. Mais, contrairement à elle, il n'avait visiblement pas choisi de retourner auprès des siens. Depuis son départ de la tribu, il semblait avoir erré dans la vie. Et le chemin qu'il avait voulu suivre avait brusquement disparu, avalé par l'histoire, qui s'était emballée. Il n'en était pas la seule victime, il y en avait bien d'autres, à commencer par les enfants de l'école de Sage River… Ils devaient tous trouver une nouvelle façon de vivre. Lucie pensait toujours que les Indiens n'avaient d'autre choix que d'assimiler les habitudes des Blancs. C'était leur seule chance de ne pas être balayés par l'histoire. Elle jeta un coup d'œil à Renard-du-Ciel. Il ne lui avait pas fait mystère de son opinion sur ce point. Il rejetait complètement les écoles missionnaires et lui-même, d'ailleurs, ne s'était jamais laissé complètement assimiler.

A bien y réfléchir, était-ce bien étonnant ? Lucie pensa de nouveau à ses élèves. Comment pourraient-ils trouver leur place parmi des gens prompts à les juger sur des apparences et qui les haïssaient ?

« Un bon Indien est un Indien mort. » La célèbre phrase du général Sheridan était la norme et non l'exception. L'éducation parviendrait-elle à changer cela ?

Lucie serra les dents tandis qu'elle rejoignait Renard-du-Ciel sous le bosquet de cotonniers. Il avait déjà dessellé son cheval et commençait à bâtir un foyer pour allumer un feu.

— Comme c'est aimable et… évolué de votre part…

— Quoi donc ?

— De ne pas me laisser faire le travail qui revient traditionnellement aux femmes : aller chercher du bois et préparer le feu.

— J'ai pour habitude de le faire moi-même.

— Je vois…

Etait-ce vraiment le cas ? Ou n'était-ce pas plutôt qu'il préférait l'exclure de son univers, même pour les tâches les plus humbles ? Tenait-il tant à sa solitude qu'il observait toutes les mesures propices à la conserver ? Elle le regardait déposer tranquillement les bûches sans lui prêter la moindre attention. S'il pensait se débarrasser d'elle ainsi, il faisait fausse route, plus ils passaient du temps ensemble et plus il l'intriguait.

Finalement, elle se campa devant lui.

— A quelle distance se trouve fort Scully ? demanda-t-elle.

Lucie pensait qu'ils avaient parcouru à peu près trente kilomètres, en ce premier jour. Ce n'était pas si mal, si l'on prenait en compte qu'ils avaient pris la route assez tard. Etaient-ils déjà sur le territoire du Dakota ? Un frisson la traversa à cette pensée. Fort Scully avait été construit près de la réserve du Sud, que l'on appelait depuis peu Cheyenne River, et Aigle-Danseur, lui, vivait dans celle du Nord, appelée Standing Rock, mais elle ne connaissait pas la localisation exacte de ces deux territoires.

— Le Missouri est à cent quatre-vingts kilomètres au sud-ouest, à peu près.

Lucie en demeura bouche bée. Pourquoi l'école avait-elle été installée dans le Minnesota, si les familles des enfants vivaient à une telle distance ? Rien d'étonnant à ce qu'elle n'ait jamais vu un parent d'élève en visite.

— Je n'avais pas idée qu'il fallait aller aussi loin…

Renard-du-Ciel eut un petit sourire, comme s'il s'était attendu à cette remarque. Lucie commençait à connaître cette expression sur son visage.

— Les parents qui viennent voir leurs enfants à l'école doivent marcher jusque-là ? Le voyage doit leur prendre des semaines.

Il ne répondit rien, la mâchoire serrée.

— Pourquoi le gouvernement ne fait-il pas construire des écoles plus près de la réserve ? demanda Lucie, en pensant tout haut.

Renard-du-Ciel lui lança un regard incrédule.

— Lucie…, commença-t-il du ton que l'on emploie avec un enfant un peu lent d'esprit ou quelqu'un qui ne jouit pas de toutes ses facultés.

Elle le défia du regard, furieuse face à son attitude méprisante.

— C'est pourtant évident… Ils ne veulent pas que les enfants puissent entendre parler des traditions de leurs ancêtres. Ils veulent qu'ils apprennent les dix commandements. Il n'y a pas de doute à avoir quand on voit les programmes, le peu de congés qu'ils ont, l'obligation d'être en apprentissage durant l'été... Croyez-vous qu'il s'agisse seulement d'apprendre à ces garçons à devenir des fermiers ? Allons donc ! On a voulu les couper des leurs afin qu'ils oublient qu'ils sont des Lakotas.

— Mais ils apprennent à devenir des citoyens américains !

Renard-du-Ciel secoua la tête.

— Cessez de vous bercer d'illusions en croyant que c'est pour leur bien. C'est pour le plus grand profit des gens qui convoitent leurs terres, c'est tout.

— Et que feriez-vous, vous, si vous en aviez le pouvoir ? demanda Lucie.

— Je rendrais leurs enfants aux Indiens, pour commencer. Puis je leur permettrais de chasser, au moins de temps en temps, de façon saisonnière. Ils peuvent très bien subvenir à leurs besoins, si on les laisse faire.

— La chasse leur servirait d'excuse pour aller attaquer les ranches isolés, rétorqua Lucie sur un ton peu convaincu.

Renard-du-Ciel haussa les épaules.

— Pourquoi le feraient-ils ? Ils ne sont plus des guerriers. A quoi sert donc un homme, quand sa famille n'a plus besoin ni de sa protection ni de la nourriture qu'il rapporte ? Ils n'ont plus aucun but dans la vie. Alors ils traversent la rivière pour aller acheter du whisky aux trafiquants qui le leur vendent. Que peuvent-ils faire d'autre que boire, pour oublier ?

Elle n'avait pas pensé à tout cela et le doute commençait à s'insinuer sous la muraille de ses certitudes. Elle évita de croiser son regard.

Il posa doucement la main sur son épaule, mais la retira dès qu'elle tourna la tête. A présent, il regardait fixement le feu.

— Puis-je vous laisser seule un moment ? demanda-t-il.

— Vous allez chasser ?

Il acquiesça et tira de ses fontes un objet que Lucie reconnut tout de suite. C'était une outre en peau de bison, et soutenue par des lanières de cuir, pour être portée sur l'épaule. En la voyant, Lucie se laissa envahir par le souvenir de tous ces petits matins où elle devait se lever pour aller puiser de l'eau à la rivière ou dans un ruisseau, puis retourner très vite aux tipis et s'occuper du feu, avant que sa maîtresse ne rejette ses peaux de bison, pour se lever. Harassante autant que terrifiante était la vie d'une captive des Lakotas.

Renard-du-Ciel observa son visage et se rembrunit visiblement, comme s'il devinait ses pensées.

— Je peux le faire, si vous voulez…

— Non.

Sa voix lui parut étrangement sèche et coupante.

— Allez faire ce que vous avez à faire, j'irai chercher de l'eau.

Il lui tendit l'outre dont elle se saisit avant de se diriger vers la rivière.

— Attention aux serpents, lui lança-t-il. C'est l'heure où ils sortent…

Naturellement, elle le savait. Elle avait même pris un bâton pour battre les buissons. Comme il était étrange que toutes ces habitudes lui reviennent aussi vite !

Une fois au bord de la rivière, elle se dévêtit et entra dans l'eau jusqu'à la ceinture. Elle se servit du sable fin du lit de la rivière pour frotter sa peau et la débarrasser de la poussière et de la sueur. Finalement, elle rinça ses cheveux, sortit de l'eau et les secoua. Elle enfila sa robe sur son corps encore humide, mais abandonna son corset sur la rive. Une journée passée à cheval avait suffi à lui démontrer que cet accessoire était plus contraignant qu'il n'était utile.

Elle revint à pas lents et précautionneux vers l'emplacement de leur camp tout en ramassant du bois mort au passage. Puis elle s'assit sur la mousse dans une tache de soleil, la tête rejetée en arrière pour bien sécher ses cheveux. Quelques instants plus tard, elle sentit le regard de Renard-du-Ciel sur son dos.

— Vous vous êtes baignée ? demanda-t-il.

La réponse était évidente, alors elle se contenta de lui sourire.

Il lui tendit un long serpent à sonnette dont il avait coupé la tête.

— Pouvez-vous faire cuire ceci ?

Elle se releva pour prendre le serpent.

— Je vais me baigner, moi aussi, lui dit-il.

Elle acquiesça et entreprit aussitôt de préparer l'animal. Elle le vida et allait préparer un lit de braise pour le mettre à griller, quand elle songea à Renard-du-Ciel qui devait être en train de se baigner dans la rivière. Les jeunes filles indiennes avaient pour habitude d'aller espionner les garçons, pendant leur bain. Captive, elle n'avait jamais osé et, une fois mariée, c'eût été très incorrect, bien qu'elle n'ait guère que treize ans à cette époque.

Elle se glissa dans les hautes herbes, aussi silencieuse qu'un lynx, se guidant à l'oreille, et trouva un endroit bien caché d'où elle pouvait observer Renard-du-Ciel. Il était debout, dans l'eau jusqu'à la taille. Elle avait d'abord pensé le surprendre pour plaisanter mais, dès qu'elle l'aperçut, désir l'envahit tout entière. Les bras levés, il frottait ses cheveux, révélant une musculature parfaite. Lucie en demeura figée sur place, émerveillée par la beauté de cet homme. L'eau ruisselait sur lui et ses muscles se tendaient et se détendaient harmonieusement.

Son estomac se noua et un long frisson la parcourut. Jusque-là, elle ne s'était jamais permis de rêver à un homme. Jamais elle n'aurait cru rencontrer quelqu'un capable de voir au-delà des marques qu'elle portait sur le visage. Jamais elle n'aurait cru qu'un homme lui dirait un jour qu'elle était belle…

Renard-du-Ciel la désirait, c'était évident. Il avait passé cette première journée à l'observer à la dérobée, convaincu qu'elle ne se rendait compte de rien. Et de son côté, Lucie ne pouvait nier l'attirance qui la poussait vers lui. Et ce sentiment allait en grandissant. Combien de temps faudrait-il avant que ce désir ne soit trop fort pour être dominé ou même ignoré ?

Ses illusions explosèrent soudain, comme elle prenait conscience que ses sentiments n'étaient sans doute pas partagés. Renard-du-Ciel était un homme et, comme tous les hommes, il n'était intéressé que par une chose…

La différence entre lui et les autres, c'était que, lui, elle était prête à le croire. Elle avait envie de le croire. Au point d'oublier qu'elle ne serait plus jamais la jolie jeune fille qu'elle avait été…

Elle secoua la tête, dégoûtée par son attitude. Elle avait tellement espéré rencontrer un jour un homme qui lui ferait la cour et serait sincèrement amoureux d'elle qu'elle avait placé tous ses espoirs en Renard-du-Ciel. Chimères !

Elle écarta un peu les branches qui gênaient sa vue. Certes, Renard-du-Ciel l'attirait plus qu'aucun autre, mais cela ne voulait pas dire qu'il était fait pour elle.

Il lui fallut un court instant pour prendre conscience qu'il avait fini et qu'il était en train de se rincer, les deux mains en coupe. Bientôt, il allait sortir de l'eau et elle le verrait nu. C'était bien là le genre de vision dont le souvenir risquait de la laisser éveillée toute la nuit, voire les suivantes, pendant longtemps. Un tel spectacle ne s'oubliait pas…

Il se tourna vers la rive et sembla regarder dans sa direction. Instantanément, Lucie s'aplatit dans l'herbe. Sa main rencontra une pierre plate, bien ronde et bien lisse, de celles que l'on utilisait chez les Lakotas pour tuer les lapins. Elle la prit dans sa paume et évalua son poids.

Il y avait longtemps qu'elle ne s'était pas exercée à ce genre de tir. Sans compter que Renard-du-Ciel était grand et fort, le jeu qu'elle jouait avec lui pouvait s'avérer dangereux.

Mais qu'attendait-elle ? Quand avait-elle appris à se montrer aussi prudente ? Durant sa captivité, certainement, quand l'impulsivité était un luxe qu'elle ne pouvait pas se permettre.

Et une fois de retour parmi les siens, les regards accusateurs et les ragots avaient fait d'elle une femme méfiante et revêche, bien avant l'heure.

Déterminée à obéir à ses pulsions, pour une fois, elle soupesa une dernière fois la pierre avant de la lancer sur Renard-du-Ciel…

# Chapitre 7

Quelque chose heurta l'épaule de Renard-du-Ciel. Il poussa un juron en lakota et se tourna rapidement vers la rive, où il avait laissé sa ceinture d'armes et son couteau. Alors, un rire de femme s'éleva d'un épais fourré, à quelques mètres au-dessus de la berge. Surpris, il haussa les sourcils. Comment avait-elle pu s'approcher aussi près sans qu'il l'entende ? Décidément, Lucie West n'était pas comme les autres femmes blanches… Elle pouvait se cacher et se déplacer très silencieusement, telle une Sioux. S'il savait à présent où elle se trouvait, c'était parce qu'elle avait bien voulu qu'il le sache… Mais dans quel but l'espionnait-elle ? Etait-ce un jeu ?

Il y avait bien des années qu'il ne s'était pas laissé entraîner dans ce genre d'enfantillages. Si longtemps, en fait, qu'il en avait pratiquement oublié les règles. Pas tout à fait, cependant…

Le sourire aux lèvres, il plongea au fond de la rivière. Si Lucie voulait jouer avec lui, elle allait trouver à qui parler. Il émergea soudain juste devant le fourré où elle se trouvait. Il avait une boule de vase à la main.

Lucie se découvrit en bondissant sur ses pieds.

— Je me rends ! lui cria-t-elle en riant.

Renard-du-Ciel ne la poursuivit pas et elle battit en retraite en se frayant un passage dans les buissons avec son bâton. Il prit le temps de rincer son corps et ses cheveux, puis de s'ébrouer et de se rhabiller, avant de suivre le chemin qu'elle avait ouvert.

Elle riait toujours quand il la rejoignit près du feu, quelques minutes plus tard. C'était un son si surprenant pour lui qu'il s'arrêta net pour l'écouter.

Tout son corps était sensible, non pas à cause de la morsure de l'eau froide, mais à cause d'elle. Chaque fois qu'elle était près de lui, son sang se mettait à bourdonner et son ventre se nouait inexplicablement. Renard-du-Ciel connaissait ce sentiment, bien qu'il ne l'ait pas éprouvé depuis longtemps. Il désirait Lucie.

Cet aveu fait à lui-même lui donna des sueurs froides. Il avait bien des raisons de se l'interdire. Mentalement, il fit le tour de toutes les objections, mais les réfuta les unes après les autres. Elle était mariée à un ami, un frère. Oui, mais elle voulait divorcer, elle l'avait dit elle-même. Aigle-Danseur allait faire pour lui une offre à Chat-Sauvage pour la main de ses deux filles. Là encore, Chat-Sauvage ne voulait plus entendre parler de lui et Renard-du-Ciel ne connaissait pas ses deux filles. Pourtant, ce mariage était la meilleure des choses à faire. Ou plutôt la plus prudente…

Il secoua la tête tandis que la vérité lui apparaissait clairement : il ne voulait pas de Lucie car il savait parfaitement qu'elle le rendrait heureux et, ça, il ne pouvait pas se le permettre !

Il s'éclaircit la gorge et Lucie le regarda en souriant.

— En voilà des manières, lui dit-il en s'efforçant de prendre le ton de la plaisanterie.

— Vous êtes fâché parce que vous ne m'avez pas entendu venir !

— C'est bien possible, concéda-t-il en souriant.

Il tourna la brochette de bois vert sur laquelle elle avait enfilé le serpent.

— Voulez-vous que je vous prépare la peau, pour la tanner ? demanda-t-elle.

— Merci, je peux le faire.

Il ignora sa mine désappointée devant son refus. Il ne voulait pas qu'elle s'occupe de lui comme si elle était sa femme.

Il plia une branchette de cotonnier et y enfila la peau pour l'étirer, la cousant sur le bord avec du fil en nerf d'élan. Puis il posa son ouvrage à côté de lui quand Lucie lui tendit une brochette. Entre les dés de viande de serpent grillé, il reconnut des morceaux de tubercules sauvages. Il en fut si agréablement surpris qu'il en oublia son air sévère et passa directement au langage lakota.

— Tu en as trouvé ? J'adore ça !

— Il y avait longtemps que je n'en avais pas cueilli. Cela ressemble à des petites pommes de terre nouvelles…

— C'est bien meilleur !

Lucie sourit et parut se détendre, comme si elle appréciait sa réaction. Elle piqua d'autres petits tubercules dans les braises. Leur peau était noire et craquelée par la cuisson, mais sous cette enveloppe, leur chair était blanche et tendre.

— Moi, ce sont leurs graines que je préfère, dit-elle.

— Ah oui ! Grillées…

Ils échangèrent un sourire et finirent leur repas en silence. Pour la première fois depuis bien longtemps, Renard-du-Ciel n'était pas seul. Auprès de Lucie, il ne se sentait ni étranger, ni importun, et la peur qu'il avait lue dans ses yeux au début avait disparu. Oui, la compagnie d'une femme comme elle était appréciable.

— C'est agréable d'être avec quelqu'un qui ne vous dévisage pas comme si vous étiez une bête de foire, dit-elle soudain, rompant le silence en exprimant exactement la même pensée que la sienne.

Surpris, il se tourna vers elle.

— C'est ce que les hommes font, avec vous ?

— Parfois, ils me regardent et parfois, ils évitent de regarder. Mais avec vous, je me sens à l'aise, je ne redoute pas votre regard. Avec vous, j'ai l'impression… d'être normale.

— Mais vous l'êtes !

Elle eut un sourire triste.

— Vous savez bien que non… Ces marques hideuses sur mon visage… Vous, vous ne semblez pas les voir lorsque vous me regardez.

Il faillit protester, lui dire combien elle était belle, à la lueur du feu, mais il se souvint qui elle était et qui il était lui-même. Lui parler de cette façon eût été avouer sa faiblesse. Il se contenta donc de manger en silence.

Le voyage à cheval et le jeûne qu'ils s'étaient imposé avaient donné à Lucie un excellent appétit. Elle mangea toute sa part de la viande de serpent, ainsi que plusieurs tubercules cuits sous la braise.

Quand il eut terminé, Renard-du-Ciel s'adossa à sa selle et soupira de contentement.

— Il y avait longtemps que je n'avais pas partagé un repas avec quelqu'un…

— Vous menez une vie très solitaire, lui dit-elle avec un air grave.

— C'est un choix. Je préfère ma propre compagnie à celle de mes semblables.

— Parce que vous vous sentez différent ?

— Parce que je *suis* différent.

Elle hocha la tête.

— Sans doute. Moi aussi, je me sens ainsi, quelquefois.

Il la regarda.

— Seulement quelquefois ?

Elle eut un petit sourire.

— Je n'ai pas été avec eux aussi longtemps que vous…

Presque insensiblement, Lucie se rapprocha de lui. Peut-être allait-il accepter de parler un peu, à présent qu'il avait l'estomac plein ? Elle se garda toutefois de demander le pourquoi et le comment de son départ de chez les Bitterroot et tenta plutôt un autre biais :

— Où vous ont-ils emmené, après fort Laramie ? Je revois Mme Douglas essayant de vous apprendre à manger une tarte aux mûres avec une fourchette. Vous aviez du jus et de la pulpe de fruit sur tout le visage et les mains.

Renard-du-Ciel rougit. Pourtant, Lucie n'aurait pas cru pouvoir l'embarrasser facilement. Bien sûr, elle savait à son sujet des choses que la plupart des gens devaient ignorer. Elle l'avait connu quand il n'était qu'un adolescent, égaré dans un milieu qui lui était étranger. Il passa nerveusement la main dans ses cheveux et esquissa un sourire.

— C'est bien loin, tout cela…

— Oui, et pas si loin, pourtant. Vous ne voulez pas me parler de ce que vous avez fait depuis ? Je pourrais vous raconter mon histoire après…

Elle laissa sa phrase en suspens. Renard-du-Ciel pinça ses lèvres en regardant fixement devant lui. C'était lui qui était sur la sellette, à présent, et il ne semblait pas aimer cela. Elle n'avait plus peur de lui, mais il y avait encore plus d'une barrière entre eux.

— Allons, lui dit-elle, c'est si effrayant que cela à raconter ?

Il se tourna vers elle et Lucie découvrit dans son regard une douleur indicible. Quittant le ton du badinage, elle reprit :

— J'aimerais beaucoup l'entendre. S'il vous plaît…

— Vous aimez les histoires tristes ?

— Disons… que j'en ai une certaine habitude.

— Les dames du fort ont fait de moi leur protégé. Je détestais les chaussures qu'on me faisait mettre et les jetais à la première occasion, mais j'aimais les tartes. La première nuit, je me suis sauvé par la fenêtre pour retourner au campement des miens. Alors, je me suis souvenu…

Il s'interrompit et baissa la tête.

— Enfin… que c'était impossible. Alors je suis rentré… Je pense que le capitaine Douglas était jaloux, parce que sa femme passait beaucoup de temps à discuter avec moi. Alors, il s'est arrangé pour que je parte avec Eli Sutton.

— C'était ainsi qu'il s'appelait ? Je ne lui ai jamais parlé. Il avait l'air très sérieux.

Renard-du-Ciel serra les dents à ce souvenir.

— Très. Il prenait mon éducation très au sérieux, en effet. A coups de trique.

— Il vous battait ?

Lucie n'essaya même pas de dissimuler l'horreur qu'elle ressentait.

— Très régulièrement, plus souvent qu'il ne me donnait à manger… Il m'a appris à utiliser une charrue, à réciter mes prières et à reconnaître qu'il était plus fort que moi. Mais il ne l'est pas resté très longtemps. J'ai vite grandi.

Les yeux de Lucie s'agrandirent de surprise. Etait-il vraiment un meurtrier ? Elle l'avait tout d'abord supposé, mais n'avait plus envie de le croire à présent.

— Renard-du-Ciel… ?

Il comprit sa question muette.

— Non, je ne l'ai pas tué. J'aurais dû, mais je n'ai pas pu. Je lui ai simplement volé son cheval.

— Au Texas ?

— Comment ? Non, dans l'Utah. C'est la deuxième fois que vous me parlez du Texas.

Est-ce qu'elle rougissait ? En tout cas, elle avait du mal à croiser son regard.

— M. Bloom, l'épicier, disait que vous étiez un meurtrier recherché. C'est lui qui a parlé du Texas.

Renard-du-Ciel tressaillit. Bloom ne pouvait pas avoir entendu parler de Nuage-Sacré, mais il ne s'était trompé qu'à moitié. Recherché, il l'était bel et bien, mais pas par les Blancs. Il regarda Lucie. Voilà pourquoi il préférait garder tout cela pour lui. Trop de questions sans réponse, trop de fautes qui ne seraient jamais réparées. Il ne méritait pas cette femme, pas après ce qu'il avait fait.

— Tout ce que j'ai fait au Texas, c'est d'y conduire des troupeaux.

— Vous avez été cow-boy ?

Lucie paraissait admirative. On voyait bien qu'elle n'avait jamais participé à un *long drive*, sinon elle saurait qu'il n'y avait rien de romantique à accompagner ainsi des centaines de vaches à la boucherie. Rien de notable, à part la distance et la poussière.

— J'ai conduit quelques *drives*, oui, après m'être enfui. Mes patrons trouvaient que j'étais doué pour m'occuper des chevaux. Mais je n'aime pas beaucoup conduire des animaux à la mort, même des vaches, alors j'ai arrêté…

— J'aimerais bien vous voir dresser un cheval un jour.

Renard-du-Ciel sourit. Ce n'était pas la première fois qu'on lui faisait ce genre de demande et d'ordinaire, il était peu enclin à y accéder.

Lorsqu'il apprivoisait les chevaux, il se sentait libre et en parfait accord avec la nature. C'était un sentiment unique qu'il ne tenait à partager avec quiconque. Pourtant, étrangement, il avait envie que Lucie connaisse cette part de lui…

Raison de plus pour lui dire non !

— Pourquoi pas ? Un de ces jours…, dit-il toutefois en hochant la tête. Et vous ? Vous m'avez dit que vous me raconteriez votre histoire…

— Oui… ah, par où commencer ? Mes parents sont restés ensemble, ils ont eu cinq autres enfants ; David est né l'année de leur mariage, il a dix-neuf ans et il est officier à fort Scully. J'espère qu'il va nous aider, mais je n'en suis pas certaine. Il ne comprend pas les Lakotas et leur garde rancune.

— Pourquoi diable ? Ils ont perdu…

Elle lui lança un regard compréhensif.

— Vous ne comprenez pas très bien les Blancs, n'est-ce pas ? David, en tout cas, a une belle carrière devant lui.

Le sourire de Lucie s'effaça.

— Je sais que ma mission va l'embarrasser. Mais vous ne pensez pas qu'elle va lui nuire, tout de même ?

— Je n'en sais vraiment rien…

Renard-du-Ciel fronça les sourcils. Il avait toujours considéré les soldats comme ses ennemis et il n'aimait pas l'idée que Lucie puisse avoir un lien de parenté avec l'un d'eux.

Il plongea son regard dans celui de Lucie. Elle semblait soucieuse et une jolie ride s'était creusée entre ses sourcils. Renard-du-Ciel mourait d'envie de la toucher. Au bout d'un moment, elle parut se ressaisir et rompit ce troublant échange silencieux.

— Puis Julia, reprit-elle, née l'année suivante. Elle est fiancée à quelqu'un de très bien.

Il perçut un léger tremblement dans sa voix. Pourquoi cela ? A présent, elle avait les yeux fixés droit devant elle, comme si elle voulait éviter de croiser les siens. Le mariage de sa sœur était-il pour elle un douloureux rappel de ce qu'elle ne pouvait pas avoir ? Cela lui manquait-il ? Renard-du-Ciel l'observait à la dérobée tout en se demandant si elle pouvait être à ce point différente des femmes blanches… et à ce point identique à lui.

Lucie continua, comme si de rien n'était.

— Le fiancé de Julia est un naturaliste qui veut l'emmener jusqu'en Alaska. Cary a treize ans et veut être peintre. Nelly a dix ans. Il a fallu six ans à maman pour la convaincre de porter des jupes. Puis il y a eu Melissa. Elle a été emportée par une maladie des poumons. Nous en sommes tous très tristes. Elle n'avait que trois ans et tout le monde l'adorait. Et puis Theodore est arrivé, l'année dernière, et ce fut une bénédiction. Je l'appelle « petit castor » car il leur ressemble quand il fait ses dents sur une cuiller de bois, expliqua-t-elle en riant.

Renard-du-Ciel essayait de partager son enthousiasme, mais le cœur n'y était pas. Elle avait une famille, des frères, des sœurs, des parents. Pourquoi le fait de savoir qu'elle les avait retrouvés après sa captivité le faisait-il se sentir si seul ? La chaleur avec laquelle elle en parlait l'isolait plus encore.

Pour penser à autre chose, il essaya de se représenter les frères et sœurs de Lucie.

— Ils ont les cheveux roux, comme vous ?

— Oui, en plus sombres.

— Vous êtes la plus âgée de tous… Vous devez être un peu comme une tante, pour eux ?

Le sourire de Lucie s'évanouit aussitôt. Quel idiot ! Il avait voulu entretenir la conversation et voilà qu'il la contrariait !

— Il… il m'est parfois arrivé de prétendre que j'étais leur mère…

Elle essuya furtivement ses yeux, pour effacer les larmes qui menaçaient de couler.

Pourquoi pleurait-elle ? Embarrassé, Renard-du-Ciel ne savait que faire devant ce désespoir si semblable au sien.

— Comme je sais que je n'aurai jamais d'enfant, j'imagine que c'était une manière de combler un manque…

— Vous pourriez avoir une famille, protesta-t-il.

— Oui, si quelqu'un voulait bien de moi.

Elle se tourna vers lui, très digne en dépit de ses yeux brillants de larmes.

— J'espère que je ne vous choque pas si je vous dis que je ne traîne pas vraiment une foule de soupirants derrière moi…

— Les hommes blancs sont stupides, grogna-t-il simplement en réponse.

— J'ai de la chance d'avoir des frères et sœurs, et mes parents. Je le sais bien. Mais parfois…

— … on n'a pas besoin d'être seul pour éprouver de la solitude, compléta-t-il.

Lucie le dévisagea en silence. Comment pouvait-il déchiffrer aussi clairement ses émotions ?

— Oui… C'est dur de les voir quitter le nid. David d'abord, et puis Julia… Bientôt, elle sera mariée, elle aura des enfants, et moi… C'est la volonté de Dieu, sans doute, mais…

Sa voix se brisa de nouveau. Elle ferma les yeux, les paupières crispées, refusant de dire tout haut que sa vie stagnait comme un étang où ne parviendrait plus d'eau vive. Ils allaient tous quitter la maison, un à un, et elle serait seule à rester. C'était cette certitude qui l'avait poussée à abandonner la sécurité du cocon familial pour revenir près du territoire sioux, mais cela s'était avéré un échec total.

Lucie respira profondément et trouva le courage de regarder Renard-du-Ciel de nouveau. Elle ne pouvait lui demander d'être honnête avec elle si elle ne l'était pas en retour.

Elle essuya ses paumes sur sa robe comme pour effacer tout le drame de sa vie.

— En fait, dit-elle, j'ai bien eu une proposition de mariage.

Il gardait les paupières baissées. Il avait de très longs cils, pour un homme.

— Mais vous êtes déjà mariée, objecta-t-il.

— Ma mère dit que mon mariage indien ne compte pas.

— Et vous, qu'en dites-vous ?

Lucie baissa un instant les yeux sur le feu, sur les flammes qui léchaient le bois mort. Comment lui faire comprendre ce qu'elle ressentait ?

— Aigle-Danseur vous aime. Il n'aime que vous.

Il la regardait intensément, à l'affût de ses réactions, comme un chasseur.

— Il pourrait vous donner une famille…

Elle pinça les lèvres.

— Mais, moi, je ne l'aime pas. Je n'ai jamais été que sa captive.

— Ses sentiments pour vous sont très forts.

— Ils l'ont toujours été. Rien de ce que j'ai pu lui dire ne l'en a jamais dissuadé. Mais est-ce bien de l'amour, ces sentiments-là ?

— Que voulez-vous que ce soit d'autre ?

— Vous pensez que c'est l'amour qui lui a fait prendre une jeune fille terrifiée, qu'il a épousée et gardée contre sa volonté en l'empêchant de revoir sa famille ? C'est ça que vous appelez l'amour, Renard-du-Ciel ?

— C'était la guerre.

— S'il m'avait aimée, il aurait eu à cœur de faire ce qui était le mieux pour moi, ce qui m'aurait rendue heureuse.

— Peut-être vous aimait-il trop pour supporter de vivre sans vous.

— Il a donc pris la décision tout seul.

— S'il s'est montré tellement égoïste, pourquoi vous souciez-vous de lui à présent ?

Lucie se redressa un peu et entoura ses genoux de ses bras.

— Je voudrais l'aider, si j'y arrive.

— Pourquoi cela ? Vous disiez que vous aviez rompu tous les liens qui vous rattachaient encore à lui. D'ailleurs, pourquoi avez-vous dit aux Wasichus que vous étiez sa femme, alors qu'à moi vous m'aviez dit que vous vouliez rompre votre mariage ?

Les yeux de Lucie s'agrandirent de crainte.

— Vous ne devez dire à personne que j'ai nié être sa femme !

Il se raidit un peu, surpris par la jalousie qu'il ressentit à ces mots. Ne voulait-il pas qu'elle redevienne la femme d'Aigle-Danseur ?

Ils se regardèrent en silence. Une colère froide brillait dans les yeux de Renard-du-Ciel, un jugement sans appel.

— Pourquoi cela ?

— Parce que ce n'est qu'en étant sa femme que je peux l'aider. Les épouses ont certains droits. Je peux demander à le voir et parler en son nom, par exemple.

— Donc, vous voulez redevenir sa femme ?

Lucie secoua la tête.

— Non, plus jamais. Mais il ne faut pas le dire, ni à lui ni à personne. Pas encore.

Renard-du-Ciel se leva pour ajouter du bois dans le feu. Quand il se rassit, Lucie reprit la parole.

— Savez-vous qui a pu tuer Norman Carr ?

Il se crispa pour ne pas tressaillir sous son regard. Devait-il lui avouer la vérité ? Il soupesa une branche dans sa main, comme pour mieux réfléchir à cette question.

— Je ne sais pas. Je ne suis sûr que d'une chose : aucun des chefs indiens n'est impliqué. Ils étaient tous à des kilomètres de là, sur la réserve.

— Vous pensez que c'est une ruse de l'armée pour les forcer à obéir ?

— Peut-être, d'une certaine manière. Mais il se trouve que Carr a… fait quelque chose au neveu d'Aigle-Danseur, quand il l'a rattrapé. Il l'a battu et… il s'apprêtait à se servir de lui… comme un homme peut se servir d'une femme.

Lucie retint un cri d'horreur.

— Quoi, vous voulez dire… qu'il voulait violer ce jeune garçon ?

Renard-du-Ciel acquiesça tandis que Lucie demeurait immobile, pâle et silencieuse.

— Mais… comment le savez-vous ? demanda-t-elle finalement.

— Parce que je l'en ai empêché.

Il soutint son regard, conscient de ce qu'elle devait penser. Et comment aurait-il pu le lui reprocher ? Elle ne savait pas qu'il n'était pas un tueur, qu'il était incapable de tuer, depuis ce fameux jour…

— Ce n'est pas moi qui ai fait ça, Lucie.

La posture très raide de la jeune femme montrait qu'elle n'en était pas convaincue.

— J'ai tiré sur lui, ça oui. Parce que, en montant à cheval, il avait dégainé son arme et se préparait à faire feu sur moi. Mais je l'ai touché à l'épaule, ici.

De son index, il montra un point situé au-dessus de sa clavicule.

— Vous lui avez tiré dessus ? répéta-t-elle.

— Oui, et j'ai chassé son cheval pour qu'il rentre seul à l'écurie et déclenche les secours. Il était à moins de cinquante kilomètres de l'école. Il aurait dû pouvoir rentrer à pied.

— Mais il n'est jamais revenu.

— Non, en effet.

— Qu'avez-vous fait du garçon ?

— Je l'ai ramené à la réserve, chez Aigle-Danseur. Sans-Mocassins lui a dit que vous étiez enseignante à l'école et c'est alors qu'il m'a envoyé vous porter un message. Sur le chemin du retour, j'ai cherché à retrouver Carr, ne le voyant pas, j'ai cru qu'il était finalement rentré. Ce n'est qu'une fois à l'école que j'ai appris qu'on avait bien revu son cheval, mais pas lui.

— Et vous ne savez pas ce qui est arrivé après cela ?

— Non.

— Vous lui avez tiré dessus et vous l'avez abandonné ?

Cela ressemblait à une accusation.

— Il avait voulu faire du mal au garçon. Il ne méritait pas qu'on l'aide.

Lucie lança un regard de côté en direction des chevaux. Devinant qu'elle songeait à s'enfuir, Renard-du-Ciel fut surpris du désespoir qui le gagna. Aigle-Danseur connaissait-il ce besoin impérieux, cette soif de l'autre ?

— Vous auriez dû prévenir l'école de ce qui s'était passé.

Renard-du-Ciel n'avait pas même songé à se rendre au Bureau des affaires indiennes. Pour lui, ces gens étaient toujours ses ennemis, il ne pouvait leur faire confiance et préférait les éviter.

— Ils auraient pu faire diligenter une enquête. Trouver Carr et le faire arrêter. Le renvoyer, au moins.

— Vous dites cela parce que vous avez toujours confiance en eux. Vous croyez qu'ils feraient ce qui est juste…

— Pas vous ?

— J'ai vu ce qu'ils faisaient aux enfants dans cette école. Il n'y a aucune justice là-dedans et vous n'auriez pas dû prendre part à cette mascarade.

— Nous essayons de leur apprendre à devenir des gens civilisés.

— Vous essayez surtout de leur faire honte de ce que le Grand Esprit a voulu qu'ils soient.

— Non. Nous essayons de leur apprendre des choses utiles et de faire d'eux des citoyens américains.

— … et des fermiers, je sais. Mais on leur a volé leurs terres.

— Les réserves sont de vastes territoires.

— De mauvaises terres, inutilisables.

— On ne pouvait tout de même pas les laisser tuer des gens, capturer des femmes et des enfants !

Le menton levé, elle semblait le mettre au défi de répliquer.

Il poussa un long soupir.

— C'est la guerre qui continue, Lucie, ne vous y trompez pas. Au lieu de les tuer ou de les affamer, on leur vole leurs enfants, leur avenir.

— C'est toujours mieux que de les exterminer.

— Le « mieux » n'est pas toujours le « bien ».

— Comment osez-vous me juger ? lui lança-t-elle. J'ai essayé d'aider ces malheureux enfants. De leur rendre les choses plus faciles. Ils ont besoin d'éducation et aussi d'apprendre un métier.

Lucie bondit sur ses pieds. Les bras croisés sur sa poitrine, elle se rendait bien compte qu'elle adoptait une attitude défensive. Etait-ce lui qu'elle essayait de convaincre, ou bien elle ?

Il se leva à son tour et elle se sentit toute petite et honteuse.

— Aigle-Danseur n'a pas réussi à faire de vous une Indienne, lui dit-il. Qu'est-ce qui vous fait croire que vous pourrez faire des Blancs de ces enfants ?

— Ce n'est absolument pas ce que nous faisons !

Il ne répondit pas, mais leva les yeux au ciel. Elle en fit autant. Ils avaient commencé à discuter alors que le soleil se couchait à peine et que les étoiles s'allumaient dans le ciel mais, à présent, on n'en voyait plus aucune et l'air sentait la pluie.

— Nous levons le camp, nous devons nous éloigner de cette rivière et de ces arbres.

— Il va faire mauvais ?

Renard-du-Ciel regarda la rivière. Il ne répondit pas tout de suite, préférant écouter attentivement le vent dans les branches, en suivant sa direction. La brise avait été douce et tiède, un instant auparavant, mais elle avait changé de direction et à présent elle était glacée.

Il siffla doucement entre ses dents et Ceta s'approcha au petit trot dans la clairière. Il était bien dommage d'abandonner le feu, mais celui-ci ne leur servirait à rien quand la pluie viendrait. D'ailleurs, Lucie avait dû connaître beaucoup de tempêtes sur la prairie et devait se souvenir de leurs effets dévastateurs. Si seulement ils avaient disposé d'un tipi ! Alors, les vents hurlants se seraient contentés de tourner autour de la toile en rugissant, sans autre dommage. Mais de toute manière, il savait qu'il n'y avait pas pire abri que les arbres, dans une telle circonstance.

Lucie ramassa leurs affaires en hâte et Renard-du-Ciel

sella les chevaux. Quelques minutes plus tard, ils faisaient route vers l'ouest, perpendiculairement à l'axe de la tempête qui approchait. Le vent tourbillonnait déjà avec force, les obligeant à baisser la tête, et le tonnerre roulait au loin, pareil à des milliers de sabots de bisons pris par la panique. Le ciel éclatait sous les éclairs qui déchiraient les lourds nuages.

— Pied à terre, ordonna-t-il, plié en deux à présent, sous les rafales de vent.

Lucie ne discuta pas et obéit. Avant même qu'il le lui demande, elle avait dessellé son cheval et pris sa couverture. Renard-du-Ciel repéra rapidement un petit accident de terrain entre deux talus, qui ne risquerait pas de se remplir d'eau. Il entrava étroitement les chevaux, afin qu'ils ne puissent pas s'enfuir, puis entraîna Lucie à l'écart. Les chevaux terrifiés roulaient leurs grands yeux, mais ils ne pouvaient bouger et finirent donc par se coucher sur leurs jambes repliées en tremblant de tous leurs membres, ce qui confirma à Renard-du-Ciel qu'une terrible tempête arrivait.

Pourvu que les vents ne tournent pas au cyclone ! pria-t-il. Heureusement, c'était assez rare dans cette région. Lorsqu'ils furent assez éloignés des chevaux, ils s'arrêtèrent. Lucie s'agenouilla dans l'herbe comme n'importe quelle femme sioux l'aurait fait et attendit. Renard-du-Ciel vint s'installer auprès d'elle. Elle se pencha pour que ses paroles lui parviennent en dépit du vent qui forcissait encore.

— Ça va être une énorme tempête, lui dit-elle.

Il acquiesça et l'entoura de son bras. La peau de son cou et de son dos lui parut très froide.

— Vous voulez votre couverture ? demanda-t-il.

Elle secoua la tête en serrant ses affaires contre sa poitrine.

— Je vais essayer de la conserver au sec.

Mieux valait en effet préserver sa couverture afin de pouvoir se sécher après la tempête.

Renard-du-Ciel acquiesça et attira Lucie contre lui,

l'installant entre ses jambes après avoir enfilé un large cache-poussière. Aussitôt, la chaleur du corps de Lucie lui réchauffa le ventre et la poitrine. Il l'entoura de ses bras et la serra contre lui jusqu'à ce qu'elle cesse de trembler. Peu à peu, elle se détendit et se pelotonna davantage. Le vent tapait contre le dos de Renard-du-Ciel, rejetant ses cheveux sur son visage, et bientôt, la grêle s'abattit sur son cou et sur sa tête. Il posa son menton sur les cheveux ondulés de Lucie, ferma les yeux et attendit.

# Chapitre 8

Lucie ne sentit pas tomber les premières gouttes, mais l'averse ne tarda pas à se faire cinglante, puis à se transformer en trombes d'eau, comme si toutes les vannes du ciel s'ouvraient en même temps. Renard-du-Ciel paraissait ancré à la terre comme un rocher et c'était bien le seul abri dont elle disposait dans la tempête qui faisait rage autour d'elle et courbait les hautes herbes comme des vagues. Elle ne voyait même plus les chevaux, malgré les éclairs aveuglants qui illuminaient brièvement le paysage. Comme son père le lui avait appris quand elle était petite, elle compta mentalement pour mesurer le temps entre deux fracas.

« Un Mississippi, deux Mississippi, trois… »

Le tonnerre semblait vibrer dans sa poitrine. Le cœur de l'orage n'était plus qu'à un kilomètre, à présent. Renard-du-Ciel bougea alors et la fit s'étendre sur l'herbe mouillée. Puis il se coucha sur elle en ouvrant son cache-poussière comme une tente, son corps et son vêtement protégeant la tête de Lucie, son torse et son bassin. Elle était mouillée, certes, mais relativement au chaud.

Ils restèrent ainsi un moment tandis que les éclairs éclataient autour d'eux. Renard-du-Ciel ne tressaillit qu'une seule fois, non au plus proche coup de tonnerre, mais à un autre, dont le bruit était différent des autres, comme un coup de canon. Elle sentit vibrer sa poitrine et comprit qu'il parlait, mais le fracas de l'orage l'empêchait de comprendre le moindre mot.

Peu à peu, Lucie se remit à compter. Quand elle atteignit

le nombre de six Mississippi, Renard-du-Ciel roula de côté et se remit prestement sur ses pieds. La jeune femme se releva plus difficilement, alourdie par le poids de sa robe et de ses jupons détrempés. Il lui offrit sa main pour l'aider, puis il poussa un sifflement. Non pas celui, ordinaire, qu'utilisaient beaucoup de gens pour appeler un cheval, mais une parfaite imitation du cri d'un loriot. Puis, il attendit, l'oreille aux aguets. Lucie écouta également, mais ne perçut aucun bruit. Appelait-il vraiment son cheval de cette manière ?

Il dut entendre quelque chose, car il se mit en marche, et tout de suite, pressa le pas. Elle le suivit avec peine, en tenant ses jupes saturées d'eau dans sa main. Elle eût bien préféré ses vieilles robes en peau de cerf, naturellement résistantes à la pluie.

Il s'enfonçait maintenant dans la pénombre et elle se mit à courir pour le suivre. De temps en temps, elle apercevait sa silhouette illuminée par les éclairs. Finalement, elle vit le cheval. Il était couché sur le côté, et battait d'un sabot postérieur en l'air, l'autre étant resté coincé par l'entrave, entre les antérieurs. Quand Renard-du-Ciel eut rejoint l'animal, il posa sa main sur son encolure et le grand étalon s'apaisa immédiatement. Avec son couteau, Renard-du-Ciel sectionna l'entrave. Aussitôt, Ceta se releva d'une détente en secouant furieusement la tête et la crinière. Renard-du-Ciel éclata de rire et caressa la robe trempée du bel animal.

Bon, il avait retrouvé son cheval. Où était celui de Lucie, à présent ?

Sa jument n'avait pas pu aller bien loin. Et sans doute était-ce aussi l'opinion de Renard-du-Ciel, qui tordait sa tête dans tous les sens pour tenter de l'apercevoir.

— Où est-elle ? s'interrogea-t-il tout haut.

Renard-du-Ciel gravit la petite colline et poussa un lourd juron en lakota en la dévalant de l'autre côté. Quand elle le rejoignit, toujours alourdie par ses jupons trempés, elle le trouva agenouillé à côté du cadavre de la jument, dont la tête était tordue dans un angle inhabituel, comme si la malheureuse bête était morte dans une horrible contorsion d'agonie. Renard-du-Ciel pressa un instant son oreille contre le flanc de l'animal mais, tout de suite, il se redressa.

— Est-ce qu'elle… ?

La réponse lui vint de l'étalon, qui, les ayant rejoints à son tour, poussa un long hennissement de peur et s'éloigna au galop.

— Heureusement que la foudre n'a pas également frappé Ceta, dit Renard-du-Ciel dans un soupir. Peut-être s'était-il traîné un peu plus loin, quand c'est arrivé…

Il regarda Lucie.

— On dirait que les cieux tiennent particulièrement à ce que nous voyagions sur un seul cheval…

C'était une chose que de rester étendue, le visage dans la boue, écrasée par son poids, et une autre que de passer le reste du voyage contre lui, serrée entre ses bras. Lucie pensa à la nuit où il l'avait enlevée dans sa chambre et son estomac se mit à faire des bonds. Le souvenir d'un autre guerrier lui revint à la mémoire. Aigle-Danseur, lui aussi, la prenait parfois sur son cheval, mais seulement quand personne ne pouvait les voir, car il était indigne d'un chef et d'un guerrier de transporter une femme ainsi. Ses mains devaient être libres pour l'usage des armes et la défense de son peuple.

Pourtant il avait plus d'une fois bravé les traditions pour elle et Lucie se souvenait que son cheval filait comme le vent. C'était un contact très intime que de chevaucher ainsi, serrée contre un homme en sentant son souffle sur son cou et en entendant battre son cœur.

— Vous mangez de la viande de cheval ? lui demanda-t-il.

A une certaine époque, elle aurait mangé de n'importe quel animal. Il lui fallait alors profiter de toutes les occasions de se nourrir. Mieux, il fallait y prendre plaisir.

Elle acquiesça, se préparant à ce qui allait suivre. Elle s'avança et vit le trou noir dans le flanc de l'animal. On eût dit que quelque prédateur lui avait arraché un morceau, mais il n'y avait pas de sang, rien que de la viande noircie. Comme elle se penchait au-dessus du cadavre, elle sentit l'odeur de la chair brûlée.

— La foudre l'a frappée au sabot, expliqua Renard-du-Ciel. Regardez…

Lucie se pencha encore, mais ne vit rien d'anormal.

— Vous voyez, lui dit-il, en montrant le membre postérieur gauche, le fer a disparu. Le métal attire les éclairs.

— Pauvre bête…

Renard-du-Ciel tira son couteau de chasse de son étui et le leva vers le ciel, en remerciant le Grand Esprit pour la nourriture que cet accident allait leur procurer. Lucie baissa la tête et pria, elle aussi.

Elle retrouva sans peine les vieux mots d'autrefois, ceux qu'Aigle-Danseur lui avait appris et entendit Renard-du-Ciel les prononcer en écho ; il chantait en remerciant l'animal de les avoir d'abord portés, puis nourris, en un sacrifice final involontaire. Lucie ferma les yeux. Quand elle les rouvrit, Renard-du-Ciel était déjà au travail, le geste vif, rapide et efficace. Cet homme-là savait manier un couteau et connaissait l'anatomie. Il préleva le foie et une partie d'un cuissot, qu'il emballa dans de grandes feuilles de pétasite, qui poussait non loin de là, pour les placer dans ses fontes.

— Il vaut mieux s'éloigner d'ici avant que les loups ne découvrent la carcasse, dit-il. Ils doivent déjà sentir l'odeur du sang. Quand nous serons suffisamment éloignés, nous nous arrêterons pour nous changer…

Il harnacha Ceta et sauta en selle, tendant la main à Lucie pour l'aider à monter. Elle s'assit entre lui et le pommeau, en serrant, toute frissonnante, ses affaires contre elle. Ce ne fut pas bien agréable de chevaucher ainsi, dans des vêtements trempés et en claquant des dents. Cela dura jusqu'à ce que les étoiles réapparaissent dans le ciel. Malgré elle, elle se souvint du temps où elle avait bien plus froid encore, dans sa petite robe d'été déchirée…

« Quand tu seras ma femme, je te donnerai les meilleures peaux pour tes robes et les plus belles fourrures de loup pour te tenir chaud, l'hiver… »

Aigle-Danseur avait tenu toutes les promesses qu'il lui avait faites. Mais elle n'avait pas tenu les siennes. Elle avait toujours espéré s'enfuir, il le savait et la surveillait constamment. Et voilà qu'à présent elle volait vers lui, et de son plein gré, encore ! Qu'était-il donc arrivé ? Comment pouvait-elle à la fois s'inquiéter pour lui et pour sa sécurité, tout en redoutant terriblement de le revoir ? Redoutait-elle la confrontation à cause de la crainte qu'il lui inspirait, ou en raison du remords qu'elle ressentait de l'avoir abandonné, sachant qu'il l'aimait de tout son cœur ? C'était d'autant plus difficile à déterminer qu'Aigle-Danseur l'aimait d'une façon à la fois possessive, égoïste, généreuse et tendre. Lucie ne l'avait jamais très bien compris, mais, à dire vrai, elle ne se comprenait pas non plus elle-même. Les bras toujours serrés autour de son fardeau, elle se laissa ballotter sur les cahots du chemin et décida, simplement, d'attendre. Attendre la fin de cette chevauchée, la chaleur du soleil au matin. Attendre la réponse à des questions qu'elle ne parvenait pas elle-même à formuler, dans son propre esprit épuisé.

Ils finirent par tomber sur un bouquet d'arbres, qui se détachait, sombre, sur l'immensité de la prairie. Là, ils trouveraient du bois mort pour allumer un feu.

Ceta parut s'arrêter de lui-même et Renard-du-Ciel se laissa glisser de la selle, sans prendre la peine de garder les rênes en main. Puis, il aida Lucie à descendre, la maintenant par la taille tandis qu'elle s'accrochait à ses épaules. Elle parut flotter dans l'air un instant, comme de la fibre de coton arrachée par le vent. Puis ses pieds touchèrent terre.

Il ne la lâcha pas tout de suite. Elle leva les yeux vers lui et vit sur son visage une expression qu'elle connaissait bien. Elle l'avait vue bien souvent se refléter sur le visage d'Aigle-Danseur. La possession…

Sa première pensée fut de fuir. Etait-elle encore tombée entre les mains d'un homme qui ne voudrait pas la laisser partir ? Elle recula vivement et il la retint avec une telle fermeté qu'elle sentit ses doigts entrer dans sa chair.

— Renard-du-Ciel ?

Instinctivement, il avait voulu la retenir, mais l'expression de peur qui passa sur le visage de Lucie le frappa comme l'eût fait une gifle. Comme elle grelottait de froid, il s'était permis de l'entourer de ses bras tandis qu'ils chevauchaient à travers la prairie. Il avait profité de tous les avantages que lui offrait la situation ; respirer son parfum, la tenir contre lui, la réchauffer de son corps. Tout ceci avait contribué à faire naître en lui un désir qu'il n'avait pas su dissimuler lorsqu'il l'avait aidée à descendre de selle. Mais la façon dont elle le regardait à présent le ramena à la réalité.

Il devait la laisser partir. Il le savait et pourtant il la maintenait toujours. Il ne fallait pas que la bataille qu'il se livrait à lui-même soit visible. Il ne fallait pas qu'elle sache.

— Lâchez-moi, lui dit-elle.

Il n'obéit pas, alors elle essaya de le pousser de ses mains. Il détendit brusquement ses doigts et elle se glissa hors de son emprise, s'écartant de lui, comme elle l'avait fait tant de fois avec son mari.

— Je vais chercher du bois, lâcha-t-elle enfin en s'éloignant.

Quelques minutes plus tard, il pouvait entendre les craquements des branches mortes, dans le bosquet.

Renard-du-Ciel dessella Ceta et il l'emmena boire à la rivière. Là, il lui retira même sa bride, le laissant comme le Grand Esprit l'avait fait. Il ne craignait pas que son grand ami ne s'enfuie. Ceta restait avec lui parce qu'il le voulait bien. Personne ne l'y forçait. Il sonda du regard l'obscur bosquet dans lequel Lucie avait disparu. N'était-ce pas la base même des mariages heureux ? Chacun restait avec l'autre parce qu'il le voulait bien. Comment Aigle-Danseur, avec toute l'intelligence, la clairvoyance qu'on lui connaissait, ne l'avait-il pas compris ?

Renard-du-Ciel se dirigea vers les arbres et découvrit Lucie en train de ramasser du bois. Elle avait écorcé des branches et en avait dégagé de longues fibres pas plus épaisses que du papier, qui prendraient feu à la moindre étincelle.

— J'ai oublié d'emporter mon briquet, dit-elle en levant les yeux vers lui.

Elle voulait parler de l'outil de fer, primitif, dont les femmes sioux ne se séparaient jamais.

— Vous l'avez toujours ? lui demanda-t-il, étonné.

Elle hésita un instant, puis acquiesça.

Sans trop savoir pourquoi, il en fut heureux. Il n'en avait pas non plus, mais n'en avait pas besoin. Il l'aida à emporter quelques branches vers l'endroit où il avait décidé de camper. Là, il choisit une pierre aux arêtes vives, qu'il frotta de la lame de son couteau comme pour l'entailler. Quelques étincelles se mirent à crépiter et, en en approchant la fibre de bois, un point d'incandescence se forma, qu'il s'empressa d'aviver en soufflant dessus. Lorsque la fibre s'enflamma, il n'eut plus qu'à la placer sous la pyramide de brindilles que Lucie avait disposées, puis à nourrir le foyer de morceaux de bois plus épais et ainsi de suite. Lorsque le feu prit vraiment, ils échangèrent un sourire de satisfaction.

— C'est bien agréable, dit-elle avec un soupir de contentement.

Renard-du-Ciel acquiesça.

— Est-ce que vos vêtements de rechange ont pu rester à peu près secs ?

Elle ouvrit son baluchon et constata que c'était le cas.

— A peu près, dit-elle avant de s'éloigner pour se changer.

Renard-du-Ciel n'avait pas besoin de ce genre de précautions. Il se débarrassa rapidement de sa chemise et de ses mocassins, puis de son pantalon mouillé, qu'il poussa sur le côté. S'il avait été seul, il serait resté un moment nu près du feu pour se réchauffer avant de se rhabiller, mais il jugea plus décent d'aller chercher dans ses fontes de selle un plaid vert en laine écossaise de la Compagnie de la Baie d'Hudson, dont il entoura ses hanches. Puis il se rassit près du feu pour attendre le retour de Lucie. Il ne put s'empêcher de se l'imaginer en train de se déshabiller dans les buissons. Des images d'elle en sous-vêtements rendus transparents par la pluie lui passaient devant les yeux.

— Lucie, vous êtes là ?

— Oui, ne venez pas !

Il rit et regarda dans la direction d'où lui parvenait sa voix, pour la voir finalement émerger des fourrés entièrement vêtue d'une jupe sombre et d'un chemisier blanc, un châle sur ses épaules. Elle portait toujours ses mocassins sur ses pieds nus et ses longs cheveux tombaient dans son dos comme une cascade.

Elle s'arrêta net quand elle le vit.

— Dites-moi que vous avez un pantalon sur vous ! lui lança-t-elle.

— Je n'en ai pas de rechange…

Il montra son jean étalé sur un buisson, en train de dégoutter sur l'herbe déjà mouillée.

— … Mais j'ai un caleçon long dans mes fontes de selle et si vous avez trop froid, je peux vous passer cette couverture. Elle est quasiment sèche…

Il se leva d'une seule détente et fit mine de vouloir la retirer. Lucie se couvrit les yeux en hâte.

— Non ! Je vous remercie, ça va !

Elle retira ses mocassins qu'elle plaça près du feu, puis alla étendre son linge mouillé sur des branches. Elle revint en essayant de discipliner ses cheveux, qui montraient leur naturelle propension à boucler.

— Je vous rends nerveuse ? demanda-t-il tout à trac.

— Un peu, je dois l'avouer.

Il sourit.

— Vous êtes plus raide que le fût d'une flèche.

— Pardon ?

— Venez donc vous asseoir près du feu, Lucie, je ne vais pas vous manger !

Elle vint, mais s'assit aussi loin de lui qu'il était possible sans recevoir toute la fumée au visage.

— A propos de manger, vous avez faim ?

Elle secoua la tête.

— Non. Je suis fatiguée.

Il leva les yeux vers le ciel. La tempête s'était éloignée, mais c'était en lui désormais qu'elle grondait, chaque fois que cette femme était près de lui. Il observa les étoiles, qui brillaient à présent entre les nuages.

— La nuit sera froide, laissa-t-il tomber.

— Si vous vous figurez que je vais ramper jusqu'à vous et vous supplier de me tenir au chaud dans vos bras, vous vous trompez. Mes parents m'ont mieux élevée que cela !

— Et vous, si vous vous figurez que je vais vous laisser frissonner ainsi jusqu'au matin, vous vous trompez également. Les miens ont soigné mon éducation, eux aussi.

Il alla chercher ses fontes et enfila son caleçon sous la couverture. Il voyageait toujours léger et ne possédait pas de manteau en peau de bison, mais il avait son cache-poussière.

Il plia sa couverture pour en faire un tapis de sol, puis il fit signe à Lucie de le rejoindre. Elle resta toute tremblante là où elle était.

Il se rembrunit.

— Si vous ne venez pas, menaça-t-il, je viens vous chercher !

— Non, merci !

— Ce n'était pas vraiment une demande, Lucie.

Elle le regarda, le menton levé.

— Je ne veux pas qu'on me donne des ordres.

Comme à une esclave, compléta-t-il intérieurement. Bien sûr, elle avait raison de se méfier des hommes. Mieux valait essayer de la convaincre, si faire se pouvait.

— Vous avez froid…

— Vous en profitez…

— Pas du tout. Je préférerais me couper la main droite, plutôt que de vous offenser.

Elle le regarda, surprise.

— On m'a envoyé vous chercher, expliqua-t-il. Croyez-vous que je mettrais en danger l'amitié que me porte votre mari pour un moment avec une femme ?

Tandis qu'elle le regardait sans répondre, il remarqua que sa peau était dorée par la lueur du feu. Il avait dit vrai, bien sûr, mais d'où venait alors qu'il attendait sa réponse avec tant d'impatience ? Il n'était qu'un hypocrite, bien heureux, en fait, d'avoir cette occasion de la côtoyer quelques jours.

Lucie se leva comme à regret. Il lui montra le tapis de sol qu'il avait disposé et elle s'y étendit, toujours très raide. Il vint s'étendre auprès d'elle et roula sur eux la couverture avant d'étaler son cache-poussière par-dessus. Passant un bras autour de Lucie, il l'attira contre son torse nu. C'était comme étreindre une statue de glace. Elle tremblait de tous ses membres et claquait des dents si fort qu'on pouvait l'entendre distinctement. Il la serra contre lui. Malgré ses premières réticences, elle pressa son dos contre le ventre de Renard-du-Ciel en s'agrippant à ses bras. Peu à peu, elle se réchauffa à son contact et cessa de trembler. Insensiblement, elle entra dans le sommeil.

Renard-du-Ciel reposa son menton sur les cheveux de cuivre mouillé et ferma les yeux. Il avait presque l'impression d'être l'amant de cette femme magnifique, qu'il tenait dans ses bras sous les étoiles. Il n'aurait eu qu'un tout petit mouvement des hanches à faire, pour se coller complètement à elle, la caresser et se perdre dans sa chaleur.

Il ne bougea pas, pourtant. Mais quand Lucie roula sur le dos, il l'accompagna et la garda serrée contre son flanc en se disant qu'il ne voulait rien d'autre que la tenir au chaud. Renard-du-Ciel résista au sommeil aussi longtemps que possible, sachant qu'il n'aurait plus jamais une autre occasion de la tenir ainsi contre lui et se haïssant de trahir son ami dans le secret de son cœur. Mais il la désirait, il était bien forcé de l'admettre. Il voulait la femme de son ami. Il ferma les yeux et serra les dents, tant l'urgence de la prendre était grande. Il ne ferma pas l'œil avant l'aube, qu'annoncèrent les trilles des rossignols. Il tâcha de les ignorer. Quand elle se lèverait, aurait-il la force de la laisser partir ?

Il se dit qu'au fond, s'il avait pu rester un vrai Sioux, si les circonstances avaient été différentes, il aurait fait exactement comme son ami Aigle-Danseur : il l'aurait prise et gardée pour lui, avec ou sans son consentement. Cette brutale constatation lui fit soudainement horreur et le chassa de sa couche. Il se mit debout et s'écarta vivement, luttant contre l'envie de rester blotti contre elle. Comment avait-elle pu l'ensorceler à ce point et en si peu de temps ? Comment ? Il le savait, en fait. Par sa beauté et par sa franchise, par son courage et sa peur, par sa force et sa faiblesse. Tout en elle l'appelait. Mais une chose, une seule, prenait le pas sur le reste et lui confirmait qu'elle ne serait jamais à lui. Il ne pouvait tout simplement pas la retenir.

Lui, il y avait très longtemps qu'il avait accepté son destin.

Il était un réprouvé, un solitaire, un banni. Même si elle n'avait pas été l'épouse d'Aigle-Danseur ou si celui-ci lui avait donné son consentement, Renard-du-Ciel n'aurait pas pu en faire sa femme, car, alors, il savait que d'une façon ou d'une autre il l'aurait perdue, exactement comme il avait toujours perdu tout ce qui comptait pour lui. Bien sûr, il méritait son sort et n'avait qu'à s'en accommoder. Longtemps, il l'avait fait, d'ailleurs, faisant mine de n'y accorder aucune importance. Et puis, elle était entrée dans sa vie.

Il marcha jusqu'au bout de la clairière, à l'orée du bois, loin de Lucie et de sa douce chaleur.

— Où allez-vous ? demanda-t-elle.

Sa voix sensuelle, rendue un peu rauque par le sommeil, lui tordait le corps et le cœur comme s'il était une proie prise au piège et qu'il devait lutter pour respirer et recouvrer sa liberté.

— Chercher mon cheval, répondit-il.

En fait, il n'aurait eu qu'à siffler pour que le bel animal vienne à lui, mais elle ignorait ce détail.

Si elle l'appelait de nouveau, il savait qu'il ne pourrait se retenir de la rejoindre et la bêtise qu'il pourrait commettre alors suffit à le retenir. Etre sous le charme de ses yeux était une torture bien réelle, qui faisait si mal qu'il aurait pu en hurler de douleur. Pouvait-elle voir le désir qui le consumait ?

— Voulez-vous que nous déjeunions ? lui dit-elle. Je peux faire davantage de feu…

Elle avait déjà commencé à alimenter le foyer. Il évita de croiser son regard.

— Oui, faites donc ça.

Sur ces mots, il tourna les talons et s'éloigna à grands pas, feignant l'indifférence, alors qu'en fait il devait se retenir de ne pas prendre ses jambes à son cou, comme le couard qu'il était devenu. Il fallait qu'il se calme à tout prix, sous peine de perdre complètement tout respect de lui-même, de s'accabler de honte et de faiblesse.

Il parvint sur la berge du torrent, s'agenouilla, trempa une main dans l'eau glacée et s'aspergea le visage. C'est alors qu'il entendit crier Lucie.

Lucie s'était un peu éloignée du camp pour soulager un besoin naturel et elle revenait vers le feu quand des mouvements dans les buissons l'arrêtèrent net. Elle crut d'abord que c'était Renard-du-Ciel, qui essayait d'attraper Ceta, mais à sa grande surprise elle se retrouva bientôt devant trois guerriers sioux. Il était trop tard pour fuir. Alors, Lucie fit la seule chose qui lui vint à l'esprit. Elle ouvrit la bouche et se mit à hurler de toutes ses forces.

L'un des braves fit un bond en avant et l'attrapa par le bras avant de la bâillonner de sa large main.

Un autre s'approcha.

— Tu es fou, lui dit-il en lakota. Laisse-la tranquille et allons-nous-en !

Le troisième la regardait fixement.

— Vous avez vu son menton ? dit-il à ses acolytes. Pourquoi porte-t-elle la marque du clan des Sweetwater ?

Les Indiens n'avaient pas le droit de quitter la réserve. Pourtant, ces trois-là étaient bien en dehors de leur territoire. Lucie se débattit et envoya un coup au visage de celui qui la tenait. Surpris, il la lâcha.

— Comment les Wasichus disent-ils « tiens-toi tranquille » ? demanda-t-il à ses amis.

— Je ne sais pas.

Ils la regardèrent et elle recula. Tout cela n'avait pas de sens. La dernière fois qu'elle s'était trouvée face à face avec un guerrier lakota, il l'avait ficelée et bâillonnée en un battement de cils, et voilà que ces trois-là la regardaient comme si c'était d'elle, et non d'eux, que venait le danger. Elle tira son couteau à dépouiller et le tint devant elle, prête à se battre.

— Le petit chaton a une griffe, dirait-on, fit remarquer l'un d'eux.

— Laissons-la se sauver sans chercher à la retenir…

— Mais elle nous a vus, elle pourra parler !

Renard-du-Ciel parut alors à l'orée de la clairière, face aux trois guerriers. A la grande surprise de Lucie, il n'avait pas même tiré son revolver, comme s'il était tout à fait hors de question qu'il puisse s'en servir. Au contraire, il tenait ses mains bien en vue, ouvertes, devant lui.

Les trois guerriers mirent la main sur le manche de leur couteau, ce qui n'incita pas davantage Renard-du-Ciel à tirer son arme. Mieux, il leur parla dans leur langue.

— Qu'est-ce qui vous amène ici mes frères ?

Les trois se regardèrent, interloqués.

— Nous ne sommes pas tes frères, protesta l'un d'eux, en écartant toutefois sa main de son couteau à scalper.

— Je suis Renard-du-Ciel, du clan des Bitterroot.

Le troisième s'avança.

— Nous sommes du Dernier-Village.

— Cette femme est sous ma protection. Elle est l'épouse d'Aigle-Danseur.

Les trois poussèrent ensemble une exclamation de surprise. Il n'était plus question, visiblement, de faire parler les armes. Celui qui paraissait le chef s'avança.

— J'ai combattu aux côtés d'Aigle-Danseur. Va en paix avec elle.

Renard-du-Ciel la tira par le bras, la faisant prestement passer derrière lui, mais il ne l'entraîna pas vers son cheval, comme elle l'avait espéré.

— Avez-vous mangé, frères ? Un de mes chevaux a été tué par la foudre hier et j'ai pris son foie, j'ai aussi un morceau de son flanc.

Lucie aurait voulu lui donner des coups de poing dans le dos ou lui tirer les cheveux. Quelle mouche le piquait donc ?

Les trois braves échangèrent de rapides coups d'œil et le plus âgé d'entre eux répondit :

— Nous serons honorés de partager ton repas et celui de l'épouse d'Aigle-Danseur.

Du geste, Renard-du-Ciel les invita à s'installer. Il se tourna alors vers elle et Lucie s'accrocha désespérément à lui, l'étreignant de ses deux bras et posant sa tête contre sa poitrine. Elle savait qu'elle entravait ses mouvements et l'embarrassait, mais elle ne pouvait s'empêcher de se blottir contre lui comme une enfant effrayée.

Il lui parla à l'oreille, pour n'être entendu que d'elle seule.

— Vous êtes en sécurité avec moi, Lucie, n'ayez pas peur.

Elle tremblait violemment, à présent.

— C'est comme la première fois, quand ils m'ont capturée.

— Ce temps-là est fini. Il n'y a plus de guerre, plus de raids, plus d'enlèvements.

— Et cet homme qui travaillait pour l'école, qu'en faites-vous ?

Il hésita une seconde.

— Ceux-là n'y sont pour rien, à mon avis…

— Vous risquez nos deux vies sur une impression ?

Elle risqua un coup d'œil vers les trois Sioux, silencieux comme des loups en traque.

— Ils ne portent aucune arme de guerre, ce ne sont que des chasseurs…

Elle secoua la tête.

— Des chasseurs ? Ils n'en ont plus le droit. Le gouvernement doit subvenir à leurs besoins.

— Vous avez déjà vu, de vos yeux, les rations qu'ils reçoivent ?

Lucie garda le silence.

— Je pense que non, sinon vous sauriez pourquoi ils quittent discrètement la réserve pour trouver un peu de gibier…

— Mais c'est dangereux ! Ils pourraient être arrêtés… tués, même…

— Oui, mais c'est soit ça, soit rester sur la réserve et voir leurs femmes mourir de faim.

Elle s'écarta un peu pour le regarder, surprise.

— Ce n'est tout de même pas aussi grave ?

Il garda le silence, ce qui plongea davantage encore Lucie dans la perplexité. S'il ne cherchait pas plus que cela à argumenter ses dires, c'était sans doute qu'ils étaient vrais…

— Demandez-leur, dit-il enfin. Pourquoi ne leur parlez-vous pas ?

Parce qu'elle était terrifiée. C'était à peine si elle pouvait respirer. Alors parler…

— Cela m'a rappelé… je… j'ai crié.

Elle jouait nerveusement avec une boucle de ses cheveux, en entourant son doigt jusqu'à ce que la phalange devienne toute blanche. Elle cessa alors que les trois braves s'approchaient.

— Des chasseurs, murmura-t-elle comme pour s'en convaincre, oui…

Et elle se sentit un peu mieux.

Etendant sa deuxième couverture sur le sol, Renard-du-Ciel offrit à ses invités d'y prendre place. Lucie n'eut pas le courage de l'aider à préparer le foie. Elle s'assit sur un rocher, immobile, essayant de se faire toute petite. Elle pressa ses mains sur ses yeux, pour tenter d'effacer les images qui y affluaient.

Le jour de son enlèvement, tout s'était déroulé de la même façon. Les guerriers indiens avaient d'abord demandé de la nourriture puis, comme le chef de la caravane n'avait pas voulu leur donner ce qu'ils demandaient, ils étaient passés de la prière aux vociférations. Finalement, l'un d'eux avait dégainé son arc et une flèche avait cloué le chef de la caravane à la caisse de son chariot. Alors le massacre avait commencé…

Lucie rouvrit les yeux et se força à rester vigilante.

— Lucie ?

Elle se tourna vers Renard-du-Ciel, qui lui tendait un morceau de foie. Chez les Sioux, les femmes mangeaient à part, après les guerriers, mais il ne paraissait pas se soucier de cette coutume. De toute façon, elle ne pouvait rien avaler et secoua la tête en signe de refus. Elle regarda les hommes couper leur viande avec leur couteau et la dévorer avidement. Pas de doute, Renard-du-Ciel avait raison, ils avaient faim. Elle osa les regarder plus attentivement et les trouva différents des braves qu'elle avait connus : d'abord, ils étaient extrêmement maigres, mais ce n'était pas le plus étonnant. Ce qui l'était davantage, c'était leur contenance ; ils ne se conduisaient pas comme des guerriers, ne montraient rien de l'assurance qu'elle était habituée à rencontrer chez des hommes de cette sorte, mais bien plutôt une sorte de lassitude, une prudence presque apeurée. Ils semblaient avoir perdu leur place dans l'ordre naturel des choses. Lucie se dit qu'ils devaient être les pères de ses élèves, mais aussi les fils des guerriers qui avaient attaqué son convoi.

— Comment vous appelle-t-on, frères ? demanda Renard-du-Ciel.

Il paraissait plus détendu avec eux qu'avec elle, ce qui causait à la jeune femme une étrange — et désagréable – impression.

— Mon nom est Corne-Noire, dit le plus vieux, voici mon beau-frère, Œil-comme-une-lance et son fils aîné Petit-Epervier. Merci pour ta viande, mon frère, elle est bien meilleure que le bœuf des rations.

— Vous chassez ? demanda Renard-du-Ciel.

Il acquiesça.

— Œil a deux filles, des fillettes. Il a refusé de les envoyer à l'école des Blancs, alors on les a tous privés de nourriture.

Lucie se raidit et lança un bref regard en direction de Renard-du-Ciel.

— J'imagine que vous avez… partagé la vôtre ?

— Oui, mais ce n'est pas assez. Nos femmes n'ont déjà plus que la peau sur les os. Quand je prends la mienne dans mes bras, j'ai l'impression d'étreindre une branche morte. Il n'y a pas assez de gras, ni sur elle ni sur moi, pour lui tenir chaud.

Il sourit courageusement de sa propre plaisanterie, qui serra le cœur de Lucie. Corne-Noire lui lança un bref regard et se tourna vers Renard-du-Ciel.

— C'est vraiment la femme d'Aigle-Danseur ? lui demanda-t-il.

— Oui, elle travaillait à l'école des Blancs.

— L'école ? intervint Œil-comme-une-lance. Connaît-elle une petite fille du nom de Petit-Lapin ? Elle est la fille de la sœur de ma femme. Elle n'a connu que six hivers, seulement.

Renard-du-Ciel se tourna vers elle, l'air interrogateur, et elle comprit qu'il attendait d'elle qu'elle admette qu'elle comprenait chaque mot de leur conversation et qu'elle réponde.

Elle se leva et leur fit face.

— Ils leur donnent des noms américains, dès qu'elles arrivent. Je ne connais pas leurs véritables prénoms.

Ils la regardèrent avec surprise pendant un moment, puis Œil se tourna vers son fils.

— Tu vois, lui dit-il, je t'avais dit qu'ils avaient pris leurs noms avec leurs cheveux.

Si seulement ils ne leur prenaient que cela, songea Lucie.

— Est-ce qu'on leur donne suffisamment à manger ? demanda Œil-comme-une-lance, inquiet.

Lucie songea aux pastilles de savon qu'elle avait dû ingurgiter, mais répondit, rassurante :

— Oui, il y a du pain frais tous les jours et du bœuf pour dîner.

— Toujours le bœuf, s'amusa Œil. Et les enfants apprennent bien les mots-bâtons ?

Les lettres de l'alphabet. La moitié du temps, seulement, songea la jeune femme. Le reste de la journée étant consacré à l'« éducation ménagère », beau prétexte pour employer les élèves à faire toutes les corvées nécessaires à la vie de l'école : la cuisine, la lessive, le ménage et la couture, comme si aucun d'entre eux, et surtout les filles, ne pouvait espérer mieux qu'une existence de domestique. Renard-du-Ciel doutait fermement que les faire marcher au pas les préparait à devenir des fermiers. Et s'il avait raison ? Si tout cela n'était qu'une suite de la guerre contre les Sioux, par d'autres moyens ?

Son cœur se serra à cette idée et la honte lui monta au visage.

— Oui, répondit-elle. Ils apprennent tous très vite et très bien, vous pouvez être fiers d'eux…

— Leurs mères se demandent qui les réconforte quand ils pleurent et qui les baigne, quand ils sont malades…

Lucie regarda les visages ouverts et attentifs des trois hommes. C'était la première fois qu'elle réfléchissait au traumatisme subi par les parents à qui on avait arraché leurs enfants. Elle avait pris sur ses épaules le fardeau de s'occuper de ces fillettes, sans songer qu'elles avaient toutes des mères qui ne demandaient pas mieux et qui en avaient été privées. Ce n'était pas parce qu'elle n'avait pas d'enfants elle-même qu'elle devait s'arroger le droit de voler ceux des autres. Sa voix se fêla un peu, tandis qu'elle répondait :

— Il y a un docteur pour les soigner et des femmes pour s'occuper d'eux. Je suis l'une d'elles. Enfin… je l'étais.

— Et tu es revenue pour voir ton mari ?

— Oui.

— C'est bien pour lui, mais c'est dommage pour nos enfants, dit Corne-Noire.

Renard-du-Ciel observa Lucie durant tout son discours. Au début, elle essayait encore de défendre l'école contre vents et marées, mais à un moment elle renonça. Il le sut à sa manière d'affaisser les épaules, comme si un énorme fardeau lui était tombé dessus.

Elle se tourna vers Œil-comme-une-lance.

— Je pense, lui dit-elle, que la fille de ta sœur serait plus heureuse et plus en sécurité dans sa famille, même si elle a moins à manger. Parmi vous, vos enfants n'auraient pas à avoir honte d'être ce qu'ils sont.

L'homme la regarda fixement un long moment, puis il hocha la tête.

— Merci d'avoir parlé du fond de ton cœur.

Ensuite, Renard-du-Ciel offrit de les resservir et ils finirent par accepter, un peu gênés. Lorsqu'ils eurent terminé, Corne-Noire passa à un autre sujet de conversation.

— Avez-vous entendu parler de cet homme blanc qui a été tué ?

— Oui, dit Renard-du-Ciel. Savez-vous qui a fait ça ?

Corne-Noire secoua la tête.

— Ce n'est pas quelqu'un de notre clan, répondit-il. Pourtant, les soldats ont arrêté notre chef, Ours-de-Fer, et l'ont emmené au fort.

Renard-du-Ciel songea à la mort de Carr. Elle ne l'émouvait guère en elle-même ; l'homme était une ordure qui avait mérité son sort. Mais qui avait pu le tuer ? Certainement pas des guerriers expérimentés comme ces hommes, car cela avait été fait maladroitement. Et si les meurtriers étaient bien des Indiens, pourquoi n'avaient-ils pas tranché son sexe ? C'était l'insulte suprême à un ennemi que de l'envoyer chez le Grand Esprit sans sa virilité intacte. Renard-du-Ciel avait vu le cadavre. Rien de tel n'avait été pratiqué sur lui. On eût dit que les tueurs étaient inexpérimentés ou, peut-être, qu'ils avaient voulu se faire passer pour des guerriers sioux. Et qui, parmi ceux-ci, aurait pu commettre un tel acte, sachant les ennuis qu'un meurtre dont on soupçonnerait les Indiens ne manquerait pas de faire retomber sur toute leur communauté ?

Soudain, il s'immobilisa, une idée se faisant jour dans son esprit. Une idée qui expliquait tout : la boucherie maladroite, la rencontre de Carr avec ses tueurs au milieu des plaines, ce qui paraissait peu probable, et aussi le peu de réflexion de ceux-ci sur les conséquences de leur acte.

Etait-il possible que Sans-Mocassins, accompagné d'autres garçons de son âge ou un peu plus âgés, ait commis ce meurtre ?

# Chapitre 9

Renard-du-Ciel se mit à peser et soupeser son idée tandis que Lucie faisait la conversation à leurs visiteurs. Ceux-ci n'avaient pas remarqué qu'il s'était momentanément plongé dans ses pensées.

Au bout de quelques minutes, il revint à la réalité du moment. Lucie paraissait beaucoup plus à l'aise à présent.

— Nous avons beaucoup de viande, disait-elle à Corne-Noire, je t'en prie, prends-la.

— Vous avez déjà été bien assez généreux, lui répondit le guerrier.

Lucie insista.

— C'est un cadeau pour ta femme et tes enfants, de la part de l'épouse d'Aigle-Danseur. S'il te plaît, accepte. J'en serai honorée.

Corne-Noire hocha la tête.

Renard-du-Ciel observait cet échange avec un inexplicable sentiment de fierté. Lucie était en train de se métamorphoser en une véritable femme de chef. Elle se conduisait avec une dignité et une compassion qui forçaient le respect. Il n'avait pas souvent l'occasion, dans sa vie solitaire, d'assister à un spectacle aussi réconfortant.

Il emballa le reste de leurs provisions sans se soucier d'en garder pour Lucie et pour lui. Il avait un fusil, un cheval et chassait depuis l'enfance, elle ne courait aucun risque de mourir de faim. Les Sioux, eux, allaient à pied et on leur interdisait de posséder la moindre arme à feu, à cause de la couleur de bronze de leur peau. Renard-du-Ciel secoua la tête tristement en songeant à l'implacable vengeance des « pères blancs » sur leurs « frères » rouges.

Au moins, Lucie et lui pouvaient agrémenter un peu leur ordinaire…

— Il reste beaucoup de viande sur notre cheval, qui a été frappé par les dieux du tonnerre, expliqua-t-il. Et c'était un bon cheval, fort et gras…

Il leur expliqua où trouver la carcasse et les trois hommes prirent congé, le laissant seul avec Lucie auprès du feu.

— Bien joué…, dit-il en souriant.

— Quoi donc ?

— Ils ne pouvaient accepter notre viande, jusqu'à ce que vous lui disiez que c'était d'abord pour ses enfants. Vous avez transformé un geste de pitié en un cadeau. Je crois que vous commencez à comprendre.

Le sourire de Lucie s'estompa.

— Vous vouliez me mettre à l'épreuve, c'est ça ?

Renard-du-Ciel prit conscience, un peu tard, que le compliment qu'il croyait lui faire était ressenti comme une insulte.

— Je voulais seulement dire que je vois à présent pourquoi Aigle-Danseur vous a élevée au rang d'épouse, tenta-t-il de se rattraper. Il aurait été fier de vous, aujourd'hui.

Les yeux de Lucie s'étrécirent et ses joues s'enflammèrent. Visiblement, elle était sur le point d'exploser de colère. Il allait s'éloigner pour la laisser se calmer, mais à peine eut-il esquissé un mouvement qu'elle brandit sur lui un doigt vengeur.

— Laissez-moi vous raconter un peu en quoi a consisté cette élévation en question. Juste avant mon mariage, ma belle-mère m'a battue avec un bâton gros comme son poignet et elle m'a fait ça…

Elle montra le tatouage, sur son menton.

— J'ai supplié Aigle-Danseur de me libérer, mais mon

mari avait d'autres projets et il m'a élevée, comme vous dites, au rang d'épouse, moi, une enfant de treize ans ! Il m'a prise le mois même où je suis devenue une femme.

Renard-du-Ciel fronça les sourcils, se demandant pourquoi Aigle-Danseur n'avait pas protégé celle qu'il disait tant aimer.

— Ne croyez pas que ma vie auprès du clan des Sweetwater avait quoi que ce soit à voir avec la vôtre, vous qui étiez le fils bien-aimé d'un chef, et libre. Moi, j'étais une esclave et si j'ai fait ce que j'ai fait, c'était pour survivre.

Renard-du-Ciel affronta son regard furieux, mais aussi chargé de chagrin. Il ne pouvait la quitter des yeux.

— Vous haïssez les Sioux, Lucie ? lui demanda-t-il. C'est pour cela que vous avez voulu travailler à l'école ? Pour vous venger ?

— Vous êtes fou ? Ce sont des enfants, voyons ! Je voulais qu'ils s'intègrent. Je voulais leur épargner la terreur qui m'habitait, moi, chaque jour de ma captivité. Et dire que je n'y ai pas réussi ! Je n'ai pas pu les protéger, je n'ai pas pu sauver une seule de ces fillettes. Je n'ai fait qu'aggraver leurs tourments, en les faisant punir et…

Soudain, elle éclata en pleurs, à la grande stupéfaction de Renard-du-Ciel. Comment avait-elle pu passer si rapidement de la colère aux larmes ? Etait-elle vraiment triste ou bien était-ce seulement la fureur qui lui vrillait les nerfs ?

En temps normal, il aurait tourné les talons face à une telle scène. Mais là, sans se l'expliquer, il ne pouvait se résoudre à la quitter. Etait-ce son air fragile, les tremblements qui agitaient son corps ?

Il hésita un instant, ne sachant quoi faire. Comment pouvait-il apporter un peu de réconfort à cette femme ? Ce n'était pas un domaine dans lequel il avait beaucoup d'expérience… Alors il se souvint de la façon dont sa mère adoptive, Nombreuses-Fleurs, le consolait quand il était tout petit, le prenant sur ses genoux et lui caressant la tête et le dos jusqu'à ce qu'il se sente mieux. Ce tendre souvenir, ajouté au chagrin de Lucie, lui noua la gorge. Allait-il finalement fuir pour que Lucie ne voie pas ses larmes ?

Elle pleurait toujours, ses épaules tressautant à chaque sanglot. Il s'avança et la prit dans ses bras tandis qu'elle levait des yeux remplis de larmes vers lui. Elle se raidit d'abord, puis elle parut se fondre contre lui et posa sa joue sur son torse. Rassuré, il se mit à la bercer doucement. Peu à peu, elle s'enhardit à passer elle aussi ses bras autour du corps de Renard-du-Ciel, ses mains au creux de ses reins. Il caressa délicatement ses cheveux, jusqu'au milieu du dos de Lucie, tout en regrettant que leur position ne lui permette pas de voir le visage de la jeune femme. Avait-elle les yeux clos ? Savait-elle que, s'il la réconfortait, elle en faisait tout autant pour lui ?

Combien de nuits n'avait-il pas passées à se retourner sur sa couche, avec le besoin lancinant d'une femme qui le tiendrait simplement ainsi, en lui disant qu'il n'était plus seul ?

Pour ce qui était de ses besoins sexuels, il avait toujours trouvé une façon de les satisfaire, avec le genre de femmes que l'on rencontrait dans chaque petite ville ou dans les camps de mineurs. Mais aucune d'entre elles ne le comprenait comme Lucie. Il enfouit son visage dans ses cheveux, savourant le parfum de printemps qui s'en dégageait. Une femme comme elle était rare, et il comptait bien profiter de cet instant privilégié. Le chagrin avait poussé Lucie à baisser sa garde et il en avait profité pour s'approcher d'elle. Jamais il n'oublierait ce moment à la fois si simple et si précieux.

La joue humide de la jeune femme réchauffait son torse et son parfum l'enivrait.

Les yeux fermés, il la tenait toujours dans ses bras tandis qu'elle sanglotait. Il aurait voulu qu'ils restent ainsi pour l'éternité. Mais déjà, les tremblements de Lucie s'apaisaient et sa respiration se faisait moins haletante, les sanglots moins saccadés.

— Vous aviez raison de bout en bout. C'est toujours la guerre, une guerre contre des enfants, lâcha-t-elle finalement, rompant définitivement le charme.

Lucie enfonça son visage dans son épaule, comme pour cacher sa honte d'avoir participé à cette cruauté.

Il était évident qu'elle avait changé. Elle avait écouté ce que Renard-du-Ciel avait dit et elle avait vu de ses propres yeux la vérité. Elle ne pouvait plus défendre les théories de l'école, avec leurs relents d'extermination culturelle. « Tuez l'Indien pour sauver l'homme », y proclamait-on, comme si l'un ne pouvait aller avec l'autre.

Finalement, lorsqu'elle fut totalement apaisée, elle s'écarta de lui. Renard-du-Ciel ne tenta pas de la retenir. Avec son expérience, Lucie détestait se sentir prisonnière, où que ce soit. Il se força à garder un visage impassible, pour qu'elle ne puisse voir le besoin qu'il avait d'elle et le manque, qui le crucifiait. Le laisserait-elle jamais la tenir de nouveau dans ses bras ?

— Ma mère aussi avait raison, soupira Lucie. C'était une erreur, encore une.

Il lui parla d'une voix douce et lente, comme Nombreuses-Fleurs le faisait souvent avec lui. Une voix aussi apaisante que le bruit de l'eau sur la roche. Mais au lieu de mots creux, il lui livra un peu de son âme.

— Ce n'est pas une erreur que de chercher à voir et à découvrir les choses par soi-même.

— Je regrette tant d'avoir accepté ce poste !

— Je connais bien les regrets. Ce sont d'amers compagnons.

Elle leva la tête et le regarda avec curiosité.

— Des regrets ? Vous en avez eu, en quittant « le Peuple » ?

Elle le regardait comme si elle s'attendait à ce qu'il lui délivre un peu de sa vérité. Renard-du-Ciel l'observa en silence, pesant les risques qu'il prenait en se confiant à elle. Jamais il n'avait parlé de cela à personne. Ses regrets étaient bien trop gros, bien trop lourds. Il avait toujours craint que, en les exprimant, il les fasse rejaillir à la surface. Ces regrets pourraient alors l'envahir et déborder, ravageant tout autour d'eux comme une maladie contagieuse. Et en même temps, il voulait lui ouvrir son cœur. Lucie pouvait-elle comprendre ses hésitations ?

Soudain, il eut l'intuition qu'en fait elle n'avait pas vraiment envie de savoir, elle croyait le vouloir seulement. Il pouvait le deviner à la façon dont elle s'était écartée de lui. Avait-elle senti quelque chose ? Le lien qui les avait unis un instant plus tôt se rompit brusquement pour disparaître presque tout à fait.

— Les mormons m'ont appris la pénitence, ou du moins à lui donner un nom. Et aussi le péché, le repentir, et la damnation, toutes ces choses que j'ignorais avant de vivre parmi les Wasichus. Lorsque j'ai passé mon dix-septième hiver, j'ai quitté ce mormon et son épouse osseuse et je suis parti pour le Texas. J'étais bon cavalier et convoyer le bétail, c'était un travail ennuyeux mais facile. J'ai essayé de me faire des amis parmi les autres cow-boys, mais ils ont ri de mon accent et de mon mauvais anglais. Ils m'appelaient « le Peau-Rouge ».

Quelques larmes coulaient encore sur les joues de Lucie.

— C'était des imbéciles.

— Bah, ils étaient surtout très jeunes, comme moi. Un jour, nous avons été attaqués par des voleurs de bétail. Ils nous ont pris sous leur feu et j'ai été le seul à ne pas faire usage de mes armes.

Elle se pencha pour mieux le voir et le regarda avec curiosité.

— Parce que les autres étaient cruels avec vous ?

— Non, parce que ce jour-là j'ai compris que je me tuerais moi-même plutôt que de donner la mort de nouveau. Je savais déjà avant de quitter les Sioux que je ne serais jamais un grand chef de guerre, comme j'en rêvais pourtant étant enfant. C'était tout ce que je voulais… Mais après avoir quitté « le Peuple », j'aurais plutôt voulu mourir…

Oui, la mort paraissait plus facile que de continuer à vivre avec son fardeau.

Lucie lui lança un œil critique, comme si elle le jugeait coupable. Mais de quoi ?

— Au début de ma captivité, une des filles qui avaient été enlevées avec moi disait toujours qu'elle mourrait plutôt que de laisser un guerrier la prendre. Envisager de se tuer était peut-être la seule façon de sauver son honneur, mais c'est aussi un péché mortel. Elle s'est bel et bien donné la mort, et moi…

Elle n'acheva pas et Renard-du-Ciel se demanda si elle luttait, elle aussi, pour se libérer de quelque chose qu'elle avait dans le cœur. Elle poussa un lourd soupir et reprit :

— C'est sans doute ce que l'on attendait de moi aussi, mais je suppose que j'étais trop lâche pour cela.

— Mourir n'est pas si difficile.

Elle eut un sourire amer.

— Peut-être pas. Peut-être était-ce aussi le seul moyen de s'échapper. Mais il y avait la menace de la damnation…

Renard-du-Ciel n'avait jamais cru à la vie éternelle comme la concevaient les Wasichus. La damnation, le salut, les cadavres de nouveaux vivants et munis pour l'éternité d'une auréole et d'une paire d'ailes…

Il croisa son regard et sentit le lien qui courait entre eux réapparaître, sans même qu'il eût besoin de la toucher. C'était comme si elle partageait avec lui une part secrète d'elle-même et le seul fait de vouloir maintenir ce lien le poussait à en faire autant.

— Ce n'est que lorsque j'ai commencé à capturer des chevaux que j'ai trouvé la paix, expliqua-t-il.

Elle acquiesça.

— J'avais espéré qu'enseigner me ferait cet effet-là moi

aussi. Et peut-être est-ce parfois le cas, en effet. Mais pas à l'école indienne de Sage River.

Elle serra les dents. Une manifestation inconsciente de la volonté qui l'avait probablement soutenue durant tous ces mois, comme l'énergie d'un torrent dans la montagne. Puis son regard se perdit dans le vague. Quelles images du passé pouvaient bien hanter Lucie à ce point ?

— J'aimerais bien vous voir travailler avec les chevaux sauvages, lui dit-elle, d'une voix rêveuse.

Il faillit tout d'abord lui dire que c'était impossible. Il n'avait jamais accepté que quelqu'un assiste à cela, depuis le début. Mais il entrevoyait à présent une nouvelle possibilité, qui inclurait la présence de Lucie à son côté. Il l'imaginait avec plaisir, dans la prairie, près de lui, tandis qu'il approcherait une harde de mustangs. Il y avait de la sauvagerie en elle, il pouvait le sentir aussi sûrement que l'arrivée de la pluie, dans l'air.

Quelque chose bougea dans les fourrés. Ceta... Renard-du-Ciel sourit et émit un sifflement modulé. Le cheval répondit par un hennissement bref. Renard-du-Ciel posa alors ses yeux sur Lucie et la phrase qu'il redoutait tant de prononcer lui échappa des lèvres :

— Vous savez, Lucie, vous n'êtes pas la seule à avoir eu le cœur brisé. Le mien s'est éteint le jour où je me suis enfui de la tribu.

Lucie plongea son regard dans celui de Renard-du-Ciel tandis que des questions se mettaient à tourbillonner dans son esprit. Elle savait déjà qu'il n'avait été ni relâché par les Indiens, ni échangé, ni libéré par la cavalerie. On lui avait dit qu'il s'était enfui, en effet et elle n'y avait rien compris. Pourquoi un jeune garçon s'enfuirait-il d'une famille qu'il aimait et qui le traitait bien ? Elle garda le silence, sentant qu'il luttait pour lui révéler quelque chose d'important et devinant que, si elle le pressait, il allait se refermer de nouveau.

— Connaissiez-vous le fils de Chat-Sauvage ?

Lucie savait que les Sioux redoutaient de nommer les morts. Nuage-Sacré n'était-il donc plus de ce monde ?

— C'était l'un des garçons avec qui on vous voyait toujours, n'est-ce pas ? Le fils du chef ?

Elle aussi évitait avec tact de le nommer, mais elle se souvenait parfaitement de lui.

— Oui, je ne vous parlais pas, de peur de ce que lui et d'autres auraient pu dire. C'était bête et cruel, je vous en fais toutes mes excuses.

— Vous essayiez tout simplement de leur faire oublier que vous étiez blanc.

— Seulement je suis allé trop loin…

Son visage était livide et elle sut, soudain, que quelque chose de terrible s'était passé.

Elle saisit sa main.

— Renard-du-Ciel ?

Il prit une profonde inspiration avant de se lancer :

— Nous chassions le cerf dans un bosquet assez épais. J'y étais entré par un côté et mon ami par un autre. Nous devions pousser l'animal hors de son refuge… je… j'ai cru le voir bouger derrière un buisson…

Il baissa les yeux, incapable de soutenir son regard et, quand il reprit son récit, sa voix était comme éteinte…

— J'ai tiré une flèche et quelque chose est tombé à terre. Mais ce n'était pas le cerf, c'était mon ami. Je lui avais planté une flèche en pleine poitrine, le tuant net, tout simplement parce que je voulais être le plus grand chasseur de la bande…

Ce fut au tour de Lucie de le prendre dans ses bras. Il garda la tête baissée.

— Oh ! mon Dieu, Renard-du-Ciel, murmura-t-elle. C'est horrible !

— Je suis mort moi aussi dans ce bosquet, ce jour-là. Avant même de le rejoindre, j'étais déjà mort.

Il resta silencieux un long moment, puis une larme coula sur sa joue. Il s'écarta de Lucie et la regarda, les yeux hantés par ce terrible souvenir.

— Aigle-Danseur m'a entendu crier et pleurer, il est venu tout de suite. Il m'a dit que, dans sa douleur, Chat-Sauvage n'allait peut-être pas se souvenir que j'étais devenu indien, quand il verrait ce que j'avais fait. Alors il m'a emmené près du fort et il m'y a laissé. Il m'a probablement sauvé la vie, mais il a fait de moi un couard. Je n'ai jamais fait face aux parents de mon ami ni affronté mon châtiment. Et vous voyez, je suis toujours un couard, car depuis ce jour-là je n'ai pas été capable de tuer quiconque ; ni les voleurs de bétail ni même Carr, lorsqu'il voulait abuser de ce garçon.

Le souvenir du récit de Renard-du-Ciel revint à Lucie, ainsi que d'autres détails auxquels elle n'avait d'abord pas prêté attention. Mme Fetterer n'aimait pas l'homme chargé de retrouver les élèves en fuite. Savait-elle quelque chose ? Etait-ce de cela qu'elle avait parlé au père Dumax ? Lucie essaya de se rappeler les mots que sa collègue avait employés. Le directeur de l'école n'avait pas voulu donner suite, apparemment, et lors de la disparition de Carr, Lucie avait été frappée par la remarque de Mme Fetterer : « Il n'aurait pas dû oublier que le garçon avait une famille, des parents », avait-elle dit. Lucie comprenait le sens de cette phrase, à présent. Il était clair que la digne matrone savait ou soupçonnait quelque chose. Il était évident également qu'elle en avait averti la direction de l'école… qui n'avait rien fait. Le cœur de Lucie se souleva d'indignation et de dégoût. Comment aurait-elle réagi, elle, si Carr s'était attaqué à l'un de ses petits frères ? Elle ne pouvait blâmer les Sioux de l'avoir transformé en pelote de flèches.

Renard-du-Ciel continua sa douloureuse confession.

— Je n'ai pas même tiré mon arme, lorsque vous avez crié tout à l'heure.

— Cela ne fait pas de vous un couard.

Renard-du-Ciel bondit sur ses pieds, comme si on l'avait frappé.

— Qu'est-ce que cela fait de moi, alors ? demanda-t-il avec une grande amertume.

Lucie réfléchit quelques instants et répondit :

— Peut-être… ce que les Indiens appellent un « saint homme ».

Stupéfait, il la regarda et répéta :

— Un saint homme ?

— Oui, vous savez bien. Il y en avait quelques-uns chez les Sioux, qui refusaient de faire la guerre par respect de la vie humaine. C'est votre cas. Et en plus, vous venez au secours des chevaux. C'est l'un des « chemins » de ce qu'ils appellent la route rouge. Celui de la « sainteté ». C'est ce que votre peuple dirait, je pense.

Il revint vers elle et s'agenouilla à son côté.

— Vous croyez ? demanda-t-il d'une voix mal assurée.

Lucie aurait voulu prendre sa main, mais n'en fit rien et se contenta de lui sourire. Le visage de Renard-du-Ciel demeura grave tandis qu'il la fixait.

— Renard-du-Ciel, lui dit-elle, son sourire s'estompant à son tour, je suis sincèrement désolée de ce qui est arrivé à votre ami, mais c'était un accident.

— Non, j'ai bandé mon arc, j'ai visé et j'ai tiré.

— Mais vous ne vouliez pas lui faire de mal.

— N'empêche qu'il est mort.

— Oui, bien sûr…

Ses mots ne lui apportaient que bien peu de réconfort et elle en était navrée. Ils se regardèrent en silence.

Elle aurait voulu pouvoir lui dire qu'elle le comprenait, mais n'y parvenait pas. Elle ne pouvait pas davantage imaginer sa souffrance et mesurer la perte qu'il avait subie, qu'il ne pouvait la comprendre, elle. Pourtant elle le voulait, de tout son cœur.

— Merci de m'avoir dit tout cela, murmura-t-elle finalement. Je devine que c'est un poids très lourd à porter…

Il la regarda avec attention et son expression parut passer du chagrin à l'étonnement. S'attendait-il à ce qu'elle minimise l'affaire et lui dise que tout cela n'était qu'une vieille histoire ? Elle aurait eu elle-même bien du mal à le lui faire croire : qui oublierait le meurtre, même accidentel, d'un ami ? Mais il se contenta de hocher la tête.

— Très lourd, oui.

Renard-du-Ciel boucla rapidement ses sacoches et les bascula sur les hanches de son cheval, attachant leurs liens aux anneaux prévus à cet effet derrière le troussequin. Puis, il se hissa en selle et offrit sa main à Lucie, pour l'aider à monter à son tour.

Lucie posa le pied sur le bord de l'étrier où Renard-du-Ciel avait déjà placé le sien et accepta son aide. Elle trouva tout de suite sa place derrière lui, sur la large selle, pressée entre le dosseret de cuir et le corps de son compagnon. Renard-du-Ciel poussa doucement son cheval en avant et Ceta se mit en marche. Ils s'éloignèrent des rives boisées de la rivière et s'engagèrent de nouveau dans la grande prairie. Lucie sentait bien qu'elle avait acquis une proximité nouvelle avec son compagnon, une sorte de complicité. Elle savait à présent pourquoi il évitait la compagnie de ses semblables et aussi d'où lui venait cette expression douloureuse lorsqu'il était perdu dans ses pensées et qu'il croyait ne pas être observé. Tout devenait parfaitement logique. Comment avait-elle pu ne pas voir que cet homme avait perdu tout goût à la vie ? Il était un peu comme son reflet…

Ils chevauchèrent toute la matinée sans interruption. Lucie songeait à ce que Renard-du-Ciel lui avait dit, notamment à la façon dont il s'était enfui de chez le mormon qui le battait. Elle, elle avait été sauvée de sa captivité et avait pu retourner dans sa famille. Lui avait perdu la sienne, au contraire, et était retourné parmi un peuple qu'il ne connaissait pas et comprenait encore moins. Quelle ironie ! Elle, les Blancs ne l'avaient jamais vraiment acceptée parmi eux, et lui ne voulait pas devenir l'un des leurs. Depuis tout ce temps, il portait le deuil de ce garçon qu'il avait tué accidentellement et se punissait pour cela.

La voix de Renard-du-Ciel la ramena à l'instant présent.

— Je... je voudrais savoir, à propos... de votre enlèvement...

Comme c'était étrange... Il pensait à elle au moment précis où elle pensait à lui et il s'interrogeait sur la grande affaire de sa vie, dont elle parlait très peu et seulement avec sa famille. Elle avait compris très tôt que certains voulaient exploiter les détails de son enlèvement, de sa captivité et elle n'avait jamais voulu que sa souffrance soit utilisée pour distraire ou amuser les gens. Elle refusait donc systématiquement de répondre à tous ceux qui lui proposaient d'écrire le récit de sa vie d'esclave chez les Indiens. Mais Renard-du-Ciel était différent des autres. Il était passé par où elle était passée, sinon tout à fait de la même manière, du moins d'une façon assez similaire. Elle tenta de trouver en elle assez de force pour évoquer cette terrible journée, mais Renard-du-Ciel lui en épargna la peine en posant abruptement la question.

— Comment vos parents ont-ils fait pour vous récupérer ?

Lucie se renfrogna. Etait-ce donc son sauvetage qu'il appelait son enlèvement ? Après tout ce qu'elle lui avait raconté, voyait-il toujours ce drame comme un raid glorieusement couronné de succès contre des ennemis ? Elle en était si profondément retournée qu'il lui fallut un moment pour rassembler les souvenirs de ce fameux jour où ses parents étaient venus à sa rescousse.

— Eh bien, ils avaient d'abord essayé de négocier mon

retour et n'y étaient pas parvenus. Mais la mère d'Aigle-Danseur me haïssait tant qu'elle a aidé la mienne…

— Je ne l'ai jamais rencontrée. Aigle-Danseur a fait allusion à sa trahison devant moi, mais je n'avais pas compris ce qu'il voulait dire.

— La dernière fois que je l'ai vu, il m'a ordonné de rester dans son tipi et il a posté deux guerriers à l'entrée. Ces gardes ont vu deux femmes entrer et deux ressortir. Ils ne se sont pas aperçus que ma mère avait pris ma place. Quand je suis partie du village, les deux gardes ont relâché leur attention et Oiseau-Jaune a aidé ma mère à s'enfuir à son tour. Mais elle ne lui a pas donné de cheval et maman a failli mourir de froid dans le blizzard. Mon père, lui, ne savait pas ce que ma mère avait fait. Il ne l'a compris que lorsqu'il m'a vue revenir. J'ignorais tout également : elle ne m'avait pas dit un mot en prenant ma place.

Lucie était soulagée que Renard-du-Ciel ne puisse voir les larmes couler de nouveau sur ses joues. Raconter tout cela ravivait ses émotions, restées intactes.

— Mon père est parti à la recherche de ma mère, en plein blizzard. Cette tempête de neige a failli nous tuer toutes les deux, mais elle a aussi empêché qu'Aigle-Danseur puisse nous reprendre.

— Votre mère avait le cœur d'un guerrier, comme sa fille.

Que voulait-il dire par là ? Lucie n'était rien auprès de Sarah West. Sa mère était une combattante, alors que Lucie ne faisait que survivre en obéissant, sans se révolter jamais. Comment Renard-du-Ciel pouvait-il la trouver brave alors que tout ce qu'elle avait fait pour l'instant, c'était s'enfuir, du tipi de son mari, d'abord, de chez ses parents ensuite, et maintenant de l'école ? Il s'accusait lui-même d'avoir manqué de courage en quittant les Sioux et la trouvait courageuse pour exactement la même raison. Jamais elle n'avait fait face, jamais elle ne s'était battue. Encore aujourd'hui, elle lui obéissait sans discuter, évitant l'affrontement avec lui, comme une lâche…

— Vous étiez heureuse de vous enfuir ?

— J'étais heureuse de retrouver ma mère. Je ne savais pas, alors, que tant de gens allaient me haïr pour ce qui m'était arrivé. Ma mère, elle, le savait et elle m'a protégée de la seule façon possible, en me gardant si longtemps enfermée à la maison que j'ai fini par m'y sentir emprisonnée. Bien sûr, cela ne se fit pas en un jour et je ne savais pas, au départ, que ma vie ne serait plus jamais la même.

— C'est en cela que nos expériences se rejoignent. Rien ne sera plus jamais pareil, pour nous. Qu'avez-vous fait, une fois retournée chez vos parents ?

— Je suis allée à l'école et les autres élèves ne se sont pas montrés très tendres avec moi. Les garçons surtout… Des réflexions déplaisantes, des sobriquets…

Elle eut un frisson involontaire, à ce souvenir.

— Mais je me disais toujours que tout cela n'était rien à côté de ce que j'avais vécu lorsque j'étais esclave, avant qu'Aigle-Danseur ne me prenne sous sa protection.

— Pourtant, cela n'a pas dû être facile ?

— Non.

— Vous ne l'avez jamais aimé ?

Elle ne fit pas semblant de ne pas comprendre et répondit d'un ton ferme et assuré, afin qu'il n'ait pas le moindre doute.

— Non, jamais.

— Pourtant, vous êtes ici avec moi et vous volez à son secours ?

Elle crut percevoir, dans la voix de Renard-du-Ciel, une note de ressentiment et elle se souvint de ce regard possessif qu'il avait posé sur elle, la veille au soir. Combattait-il son désir pour elle, comme elle luttait elle-même contre l'attirance qu'elle ressentait pour lui ? Cette pensée fit battre son cœur un peu plus vite.

— Il s'agit d'une obligation, d'une dette dont je dois m'acquitter. Ensuite, je prononcerai devant témoins les mots du divorce. Peut-être alors…

Elle prit une profonde inspiration et acheva :

— Peut-être alors pourrai-je penser à lui sans regrets et sans rancune.

Que se serait-il passé si, la veille, elle avait embrassé Renard-du-Ciel lorsqu'il la tenait dans ses bras ? Elle se souvint de son regard sur elle, plein d'un désir inavoué. Mais tout ceci aurait été une folie ! Ce n'était guère le moment de se laisser aller à ce genre de faiblesse, et puis Renard-du-Ciel n'était pas fait pour elle. C'était un solitaire, qui vivait en retrait de la société et ne serait jamais heureux qu'en vivant seul et libre. Ne lui avait-il pas dit lui-même qu'il préférait sa propre compagnie à celle des autres ? Sans doute, mais voilà où ils en étaient l'un et l'autre, à combattre chacun de leur côté une attirance secrète. Il ne pouvait l'embrasser sans trahir un homme respecté. Aussi essayait-il peut-être d'établir entre eux une intimité… différente.

Elle entoura de ses bras le torse de Renard-du-Ciel et appuya sa tête sur son dos musclé. Il se crispa aussitôt, mais elle ne changea pas de position pour autant, fermant les yeux pour mieux savourer ce contact entre eux. Peu à peu, elle sentit ses muscles se détendre.

— Avez-vous déjà été marié ? lui demanda-t-elle soudain.

Il émit un son bref qui pouvait passer pour un rire.

— Non, je fais peur aux femmes.

— Pas à moi !

— Ça n'a pas toujours été le cas, je pense. La nuit où je suis passé par votre fenêtre, par exemple… Et puis vous avez fui les deux fois où j'ai essayé de vous parler.

C'était vrai.

— Vous vous exprimiez en lakota. Je n'avais pas confiance…

Il tira sa gourde en peau, qui pendait au pommeau de

sa selle et la lui tendit. Leurs doigts se touchèrent et Lucie sentit un frisson d'excitation la parcourir. De nouveau, elle se serra contre lui.

— Les opinions que l'on se fait sur les autres sont susceptibles de changer…

Il se tendit de nouveau. Etait-ce les mots qu'elle avait prononcés ou sa façon de se serrer contre lui qui provoquaient cette réaction ? Il était délicieux de sentir en lui la même chaleur qui l'envahissait lorsqu'elle le touchait. Lucie se mordit la lèvre, mourant d'envie de passer sa main sur sa peau. Que ferait-il si elle s'enhardissait jusque-là ? Elle secoua la tête. Une telle audace ne lui ressemblait pas.

Le silence s'étira entre eux. Elle voulut le meubler en tâchant d'en apprendre un peu plus sur lui.

— Et quand vous étiez chez les Sioux ? Vous aviez une petite amie ?

— A cette époque, je ne m'intéressais pas aux filles et à présent, je ne peux pas vivre dans la réserve parce que je suis blanc.

Il parlait comme s'il ne pouvait avoir de relations qu'avec une Indienne. Peut-être était-ce ce qu'il pensait… Cette supposition fut comme une flèche que Lucie sentit se planter dans son cœur. Il devait lire dans ses pensées, car il se tourna légèrement vers elle et reprit :

— Je n'ai jamais recherché le mariage. Ma vie n'est pas de celles que l'on partage.

Lucie faillit le contredire, mais c'était prendre le risque de lui dévoiler son jeu. En même temps, s'il ressentait la même attirance pour elle, est-ce que cela n'en valait pas la peine ?

— Toutefois, Aigle-Danseur m'a conseillé de me marier, reprit-il, le regard de nouveau fixé devant lui.

— Ah oui ?

— Il pense que mon cœur pourrait guérir si j'épousais une femme des Bitterroot.

Lucie s'accrocha à la première objection qui lui traversa l'esprit.

— Mais vous êtes vous-même un Bitterroot.

Il acquiesça. Bien sûr, chez les Sioux, un homme devait normalement quitter son clan d'origine pour se marier. Mais Renard-du-Ciel appartenait-il toujours à un clan ?

— Il pense que, comme je ne suis pas vraiment de leur sang, la chose serait possible. Il y a beaucoup de veuves, depuis la bataille des Grasses-Pâtures.

— Mais vous disiez que vous ne vouliez pas vous marier…

Il n'avait rien dit de tel, en fait, il se redressa sur la selle et elle sentit que la remarque l'embarrassait. Elle mordit de nouveau sa lèvre en essayant de lutter contre l'étrange accès de jalousie qui s'emparait d'elle.

— C'est quelqu'un que vous connaissez ? demanda-t-elle encore.

Il hocha la tête. Elle détestait ses silences. Pourquoi fallait-il toujours lui arracher la moindre information ?

— Vous l'aimez ?

Il eut un rire sans joie, presque une toux embarrassée.

— Je les ai vues quand elles étaient des fillettes, lorsqu'elles écoutaient les histoires que racontaient les grands-mères autour du feu. Je ne les connais pas plus que cela.

— Je ne comprends pas, pourquoi devez-vous vous marier ? Qu'est-ce que cela peut bien vous apporter ?

Elle ne réalisa qu'à cet instant précis qu'il avait utilisé le pluriel et qu'il serait donc bigame.

— Combien ? demanda-t-elle d'une voix un peu rauque.

Il leva deux doigts, comme s'il n'osait pas le dire tout haut.

La tradition sioux permettait d'avoir deux épouses, mais ce n'était pas si courant ; elle-même n'avait vu le cas se produire que deux fois. Pour la première, l'épouse la plus ancienne était gravement malade et la seconde la soignait, c'était presque un arrangement domestique qui s'était terminé tôt, d'ailleurs, par le décès de la première. La deuxième fois, c'était un brave qui avait épousé sa belle-sœur à la requête de sa femme, car la cadette avait perdu son mari à la guerre et il était d'usage qu'un homme agisse ainsi pour protéger les siens.

Les yeux de Lucie s'écarquillèrent.

— Qui sont ces veuves ?

Renard-du-Ciel soupira. Elle vit son torse se soulever et il répondit :

— Aigle-Danseur m'a suggéré d'épouser les deux filles de Chat-Sauvage.

Lucie se raidit. Les deux veuves en question étaient donc les sœurs de son ami Nuage-Sacré. Elle commençait à y voir plus clair. Renard-du-Ciel se faisait un devoir de veiller sur la famille de son ami mort. Elle pinça ses lèvres. Pourquoi donc s'en souciait-elle, après tout ? Renard-du-Ciel ne lui devait rien. Il s'était montré si tendre qu'elle en avait oublié un instant qu'elle était laide ! Mais alors, pourquoi la regardait-il ainsi ? Au fond d'elle-même, une petite voix cynique lui en fournit la réponse : son regard d'hier soir était celui d'un homme qui attendait une petite gratification physique. Et celui d'aujourd'hui ? Il essayait simplement de se montrer gentil envers l'épouse d'Aigle-Danseur.

Lucie serra les dents. Elle avait survécu à beaucoup de déceptions et survivrait à celle-ci. Pourtant, elle avait l'impression que son cœur se fêlait à chaque mot que prononçait Renard-du-Ciel. Si le cheval ne l'avait pas portée, il n'était pas bien certain que ses genoux ne se seraient pas dérobés sous elle. Quand donc apprendrait-elle la leçon une bonne fois pour toutes ?

— Aigle-Danseur m'a proposé de parler pour moi à Chat-Sauvage afin de voir s'il pourrait m'accepter comme gendre.

Lucie sentit un peu d'espoir se raviver en elle, comme un feu qu'allumerait une braise pas tout à fait morte. Chat-Sauvage pouvait toujours refuser.

— Est-ce qu'il ne vous hait pas ? demanda-t-elle.

— Je n'en sais trop rien… Il est certain qu'il aurait quelques raisons pour cela…

Il serra les rênes entre ses mains, inquiété par des chiens de prairie qui aboyaient bruyamment à l'orée de leurs terriers. Mais les animaux disparurent prestement dans les galeries, à leur passage.

— Aigle-Danseur dit que, s'il accepte, je pourrai les prendre avec moi et que nous aurons tous trois une vie meilleure…

Lucie sentait des nuages menaçants s'amonceler au-dessus de sa tête.

— Oui, mais va-t-il accepter ?

— Je ne sais pas. A sa place, je ne le ferais pas.

Elle enlaça de nouveau la taille de son compagnon, dans une caresse qu'elle espérait tendre et chaleureuse, plutôt que celle d'une femme qui s'accrochait désespérément à sa dernière chance…

Est-ce qu'épouser les deux sœurs guérirait le cœur souffrant de Renard-du-Ciel ? Non, certainement pas, songea Lucie.

La joue pressée contre la laine de la chemise de Renard-du-Ciel, elle murmura, d'une voix blanche.

— Vous avez de bien mauvaises raisons de vouloir vous marier !

# *Chapitre 10*

Ils traversèrent à gué la James River, sans même se mouiller les pieds. Une fois sur l'autre rive, Renard-du-Ciel posa pied à terre et retira la bride et le mors de Ceta. L'étalon poussa un profond hennissement de soulagement et encensa de la tête pour montrer son contentement. Renard-du-Ciel lui tapota le flanc et se dirigea vers le torrent, tandis que l'animal le suivait docilement. Lucie leur emboîta le pas.

— On pourrait camper là-bas, dit-il en montrant un bosquet, un peu plus loin.

Lucie approuva silencieusement son choix.

— Voulez-vous m'aider ? la pria-t-il.

Le visage de Lucie s'éclaira. Elle était heureuse de participer, d'agir en partenaire et de ne plus se laisser simplement transporter, comme un inutile fardeau. Immédiatement, elle prit les fontes de son compagnon ainsi que son propre baluchon et se dirigea vers l'emplacement choisi. Renard-du-Ciel chargea sa lourde selle sur son épaule et la déposa sur un tronc d'arbre. Ceci fait, il cueillit une branche de saule qui formait une fourche et en tailla les bouts en pointes, pour en faire une sorte de foène. Quand il eut en main un harpon bien affûté, il s'avança vers la rivière.

Intriguée malgré elle, Lucie l'observa à la dérobée tandis qu'il retirait son blue-jean et le posait sur la rive. On ne pouvait nier qu'il avait un corps magnifique. Il entra dans l'eau et demeura parfaitement immobile, le harpon brandi juste au-dessus de la surface. Troublée, elle se surprit à espérer qu'il se tournerait vers elle afin qu'elle puisse contempler son torse musclé. C'était là une pulsion de curiosité qu'elle n'avait encore jamais ressentie, auparavant.

Bien sûr, Aigle-Danseur l'avait prise. Elle se souvenait encore de sa terreur douloureuse, la première fois : cela lui avait fait moins mal que l'aiguille du tatouage, mais davantage que les coups de branche de bouleau sur les cuisses, que lui administrait la mère de son mari.

Bien sûr, Lucie savait que ses parents appréciaient de partager leur lit. On le devinait aisément au nombre de leurs enfants, mais plus encore aux petits bruits qui s'échappaient de leur chambre aux heures tardives de la nuit ainsi qu'au petit matin, avant le chant du rossignol. Cela l'avait toujours mise mal à l'aise, lui faisant songer à tout ce qu'elle n'aurait jamais : un mari, des enfants, un foyer à elle. Depuis qu'elle avait quitté le tipi d'Aigle-Danseur, Lucie n'avait jamais ressenti la moindre envie d'un homme. Jusqu'à aujourd'hui…

Renard-du-Ciel l'excitait et lui donnait de l'audace. Elle ne pouvait s'empêcher d'imaginer l'effet qu'auraient sur elle ses caresses, lui qui, quand il la touchait par mégarde, la faisait déjà frissonner de désir. Comment serait-ce de se donner à l'homme de son choix, maintenant qu'elle était vraiment devenue femme ? Et pas n'importe quel homme, mais un guerrier impressionnant de virilité, dont la présence auprès d'elle lui donnait des fourmis dans les doigts et au creux de l'estomac.

Et porter un enfant de lui ?

Les papillons qui semblaient avoir élu domicile dans son ventre s'envolèrent tous à la fois, tandis qu'une vague d'excitation déferlait en elle. Elle avait la chair de poule. Etait-ce dû au désir, au besoin d'être mère avant qu'il ne soit trop tard ? Ou bien les deux à la fois ?

Elle pensa aux autres hommes qu'elle avait rencontrés dans sa vie. Aucun ne lui avait jamais fait cet effet-là. Mais il y avait mieux : Renard-du-Ciel la regardait comme s'il désirait la même chose qu'elle. Ce n'était pas fréquent. Elle tenait là sa chance de goûter ces plaisirs physiques que ses parents appréciaient tant.

Lorsqu'ils auraient rejoint le fort, ils ne seraient plus seuls et cette opportunité s'évanouirait. Lucie n'était pas assez stupide pour croire que Renard-du-Ciel resterait, ensuite, avec elle. Même s'il n'avait pas été l'ami d'Aigle-Danseur, même si ces deux veuves ne l'avaient pas attendu, Renard-du-Ciel n'aurait pas voulu d'elle… personne ne voulait d'elle.

En revanche, elle pouvait caresser l'espoir déraisonnable de le convaincre de la prendre, une seule fois. Avec un peu de chance, cela suffirait pour qu'elle tombe enceinte de lui.

Elle ne l'avait pas quitté du regard tandis que ces pensées tourbillonnaient dans son esprit. Immobile comme un serpent à l'affût, le bras prêt à frapper dans une détente mortelle, il attendait patiemment qu'une proie se présente.

Soudain, son harpon frappa l'eau à une vitesse incroyable. Lorsqu'il leva de nouveau le bâton, elle comprit qu'il avait réussi. Dans un tourbillon d'eau, un gros poisson surgit au bout de la fourche, frétillant désespérément pour essayer de s'échapper. Renard-du-Ciel le saisit prestement par les ouïes, mettant fin à ses souffrances d'une rapide torsion. Puis il baissa la tête et Lucie sut qu'il remerciait rituellement le poisson d'avoir donné sa vie pour les nourrir. Elle baissa la sienne et l'imita.

Une fois sa prière terminée, elle se mit à ramasser du bois pour le feu. Elle se servit de son couteau à dépouiller et d'une pierre ramassée sur le sol pour envoyer une pluie d'étincelles sur le petit bois récolté. Les feuilles sèches qu'elle avait découpées en fins morceaux prirent feu et un mince filet de fumée monta bientôt vers le ciel. Elle s'agenouilla pour souffler prudemment et produire une flamme. Satisfaite, elle se rassit en souriant de plaisir et commença d'alimenter le foyer en petites branchettes, puis en plus grosses. La petite flamme qu'elle avait pu produire se mit à grandir, mais il s'en faudrait encore de quelques efforts si elle voulait disposer de suffisamment de braise pour cuire leur poisson.

Quand Renard-du-Ciel remonta de la berge, elle tisonnait une bonne épaisseur de brandons rougeoyants. Lucie le regarda du coin de l'œil, avec plaisir, glisser ses longues jambes musclées dans son blue-jean. Il souleva les pans de sa chemise pour fermer le rivet de cuivre et elle aperçut un instant les muscles de son ventre, à la lueur des flammes.

Il s'avança vers elle, sans prendre le temps de boutonner sa chemise. S'il restait ainsi, elle aurait bien du mal à se concentrer sur ses prises : quatre belles perches-soleil et un énorme poisson-chat. Il n'était décidément pas homme à se laisser mourir de faim dans la nature.

Renard-du-Ciel se mit en devoir de vider et d'écailler les poissons, sauf le poisson-chat, bien sûr, qui n'avait pas d'écailles. Ce faisant, il attira l'attention de deux loutres, l'une d'elles s'enhardissant à s'approcher suffisamment pour réclamer des bouts de poisson, comme si elle était un petit chien.

Renard-du-Ciel rit et lui lança les têtes, ce qui encouragea la deuxième loutre à tenter sa chance elle aussi.

Il observait ce spectacle quand il eut l'impression qu'on l'observait. Il se tourna pour surprendre Lucie en train de le regarder. Son sourire s'effaça vite, tandis qu'une embarrassante chaleur l'envahissait.

— Oui ?

— Je ne vous avais jamais entendu rire, auparavant, remarqua-t-elle.

— Mais si !

— Non, pas comme ça. Jusque-là, on ne vous tirait qu'un bref ricanement de dérision, tout au plus. Mais pas là.

Elle montra les deux loutres qui, à présent, jouaient dans le courant.

— C'est un son très joyeux. Vous devriez rire plus souvent.

Pour le moment, il s'autorisa un sourire.

— Il faut croire que je n'en ai pas souvent eu l'occasion.

— C'est bien dommage. Je crois que je vais demander à ces deux loutres de faire un bout de chemin avec nous.

Il laissa échapper un rire, de nouveau, et cette fois, elle rit avec lui. Leurs regards se croisèrent un instant, intenses et brûlants.

Troublé par cet échange silencieux, Renard-du-Ciel baissa vivement les yeux et décida de se concentrer sur les filets de poisson. Il les posa sur des branchettes bien vertes qu'il installa sur le lit de braises préparé par Lucie. Puis il se laissa absorber dans la contemplation du feu tandis que la viande cuisait.

Durant tout le repas, Renard-du-Ciel sentit le regard de Lucie fixé sur lui. Gêné, il ferma sa chemise et termina son dîner.

Lorsque Lucie s'éloigna pour aller se laver les mains et le visage à la rivière, il préféra attendre qu'elle ait fini pour s'y rendre à son tour. Pourtant, il le savait, ceci ne faisait que repousser l'inévitable. Il faudrait bien qu'ils se couchent à un moment ou à un autre, il ne pouvait l'éviter indéfiniment. Il leva les yeux vers le ciel qui s'assombrissait, sachant que le plus grand défi de toute sa vie approchait. Au moins ce soir, il n'y aurait pas de pluie et il pourrait s'étendre à quelque distance d'elle, sans endurer la torture de la tenir dans ses bras.

A la rivière, il prit tout son temps mais, lorsqu'il se résolut à retourner auprès du feu, il trouva Lucie assise, illuminée par la lueur des flammes, plus belle que jamais. Derrière elle, elle avait étendu leurs deux litières, l'une près de l'autre, sans qu'ils se touchent toutefois. Renard-du-Ciel ne put s'empêcher de fixer l'étroit espace entre son sac de couchage et les couvertures de Lucie. Avait-elle choisi une telle proximité avec lui pour se sentir davantage en sécurité ou bien…

— Vous évitez les routes principales, on dirait ?

Tiré de ses pensées, il leva les yeux vers elle. Ses jolis yeux bleus semblaient lire en lui comme dans un livre. Il était difficile de rester de marbre sous ce regard, comme tout à l'heure lorsque, son harpon improvisé à la main, il se forçait à l'immobilité alors qu'il savait qu'elle l'observait. Connaissait-elle seulement le pouvoir de ses yeux sur lui ?

— Cela me semble plus sage.

— Et vous cherchez à m'éviter, moi aussi.

Il allait le nier, mais il se ravisa. Elle le fixait de ses yeux perçants, intenses. On ne mentait pas à une femme comme Lucie. Il sentit son estomac se nouer, son sang bouillir de désir et d'excitation. Il avait soudainement l'impression d'être face à un prédateur…

— Vous pensez de moi ce que vous pensez des Blancs en général ? demanda-t-elle.

— Vous n'êtes pas vraiment l'une des leurs.

— Et pas non plus une Indienne, tout comme vous.

— Vous flottez entre deux mondes, comme une fleur sur la surface de l'eau…

Elle rit.

— Comme une grenouille, plutôt.

Il croisa de nouveau son regard et, cette fois, il ne chercha pas à l'éviter. Il prit alors la parole, en espérant qu'elle comprendrait que chaque mot qu'il prononçait était le reflet de la vérité.

— Vous êtes la plus belle femme que j'ai jamais vue. Et le temps n'a fait qu'accroître encore votre beauté.

Instantanément, le visage de Lucie se durcit.

— Ne vous moquez pas de moi, s'il vous plaît, lui dit-elle. Il m'arrive de me regarder dans un miroir.

— Peut-être, mais je ne crois pas que vous vous y voyiez telle que vous êtes.

Elle détourna les yeux et dit très simplement :

— Si je suis si belle que cela, pourquoi ne cherchez-vous pas à m'embrasser ?

Et son regard revint se fixer sur lui, comme un défi.

Croyait-elle vraiment qu'il n'en avait pas envie ?

— J'essaie de vous traiter avec le respect que mérite la femme de chef que vous êtes.

— Je ne le resterai pas longtemps. Dès qu'Aigle-Danseur sera en sécurité, je romprai ce mariage qui m'a été imposé…

Un pli amer au coin de la bouche, elle ajouta :

— Quelle excuse trouverez-vous, alors ?

Ainsi, elle croyait qu'elle ne lui plaisait pas ? Quelle absurdité !

— Je suis sûre que, dès que je serai libre, vous vous trouverez une occupation urgente, à l'autre bout du continent.

— Lucie, pourquoi dites-vous des choses pareilles ?

Elle bondit sur ses pieds avec une rapidité qui le stupéfia. Les poings serrés, elle le fixait, pâle de rage, les lèvres pincées en une ligne dure, toute tremblante d'une colère qu'elle ne pouvait visiblement pas davantage contenir. Que se passait-il donc ?

— Parce que je sais de quoi j'ai l'air ! J'avais fini par m'y habituer et puis vous êtes venu, avec vos belles paroles, vos flatteries. Croyez-vous donc que je sois une idiote pour qu'on puisse me faire avaler de telles sornettes ?

Ne sachant trop ce qu'il pouvait ou non répondre, Renard-du-Ciel opta pour le silence.

— Perdue, déshonorée à vie, voilà ce que je suis, lâcha-t-elle avec colère. Seule, sans espoir de me marier ou de faire des enfants, parce que je n'ai pu cacher ce qui m'était arrivé, que j'ai eu la malchance d'être capturée et que je ne courais pas assez vite pour m'échapper.

Renard-du-Ciel était si surpris, si choqué qu'il garda le

silence. C'était inimaginable. Et puis, il pensa à ses propres souvenirs, aux garçons qui se moquaient de son phrasé « indien », aux hommes qui avaient coupé ses cheveux et l'avaient fait s'habiller comme un Blanc. Ces Blancs qui n'avaient guère d'indulgence pour ce qui ne leur ressemblait pas. Ces gens ne connaissaient pas la tolérance. Il regarda brièvement le tatouage de Lucie sur son menton, avant de fixer son attention sur ses yeux.

— Croyez-vous, lui dit-elle, que je n'ai pas essayé de faire disparaître cela de ma peau ? C'est impossible. En dépit de tous mes efforts, je n'y suis pas arrivée. Et vous avez le front de me mentir ? De prétendre que c'est Aigle-Danseur qui vous éloigne de moi alors que nous savons pertinemment, l'un et l'autre, que c'est votre choix ?

Elle avait au moins raison sur un point : Aigle-Danseur était une excuse bien pratique pour éviter d'écouter son désir. Il essaya une autre tactique.

— Je ne veux pas de femme.

— On vient pourtant de vous en proposer deux.

Elle planta son regard dans le sien, comme pour le mettre au défi de le nier.

Il était étrange de constater que tout, dans la vie de Renard-du-Ciel, le ramenait au jour où il avait commis l'irréparable. Au fond, s'il avait accepté cette proposition de mariage, c'était uniquement pour prendre soin de la famille de Nuage-Sacré. D'une certaine manière, c'était une façon d'expier enfin sa mort.

Il baissa la tête.

— Je le fais par devoir, non par amour.

Elle eut un ricanement bref. Clairement, il allait lui falloir trouver une autre excuse pour expliquer son comportement.

Renard-du-Ciel avait le choix : il pouvait rester de marbre et lui laisser croire qu'elle avait raison, ou lui montrer qu'elle était, pour lui, la plus captivante et la plus belle des femmes. Tout son être se glaça.

Lucie se tenait immobile, face à lui, les yeux brillant de colère, les poings serrés. Elle était magnifique. Puis elle détourna le regard et poussa un soupir lourd de mépris avant de tourner les talons.

Il s'élança alors et la saisit par les épaules pour la forcer à se retourner.

— Aigle-Danseur est mon ami, lui dit-il. Je ne peux pas le trahir…

Elle se libéra d'un geste vif.

— Epargnez-moi vos excuses lamentables ! Il ne s'agit pas de lui, il ne s'agit pas d'honneur ou de devoir, c'est entre vous et moi.

— Pourquoi tenez-vous à ce que je vous embrasse ?

Les lignes amères autour de la bouche de Lucie s'effacèrent.

— Pour savoir la vérité. Si vraiment vous ne vous arrêtez pas à mon visage ou si vous êtes un menteur, comme les autres.

— Et un baiser vous le dirait ?

Elle acquiesça.

Il aurait dû s'abstenir, mais il s'approcha, car il ressentait le besoin impérieux qu'elle sache ce qu'il avait dans le cœur. Il plaça sa main sur sa nuque et l'attira à lui. Un sentiment de culpabilité le tiraillait et il espérait que Lucie mettrait fin à ce jeu stupide avant qu'il ne l'embrasse. Mais au contraire, elle lui souriait avec un air de défi, attendant visiblement qu'il s'exécute. Croyait-elle donc qu'il allait pouvoir se contenter d'un simple baiser ?

Il la prit dans ses bras, sans bien comprendre ce qu'il faisait, et passa délicatement le pouce sur son menton tandis qu'elle le regardait avec un sourire doux-amer.

*
* *

Lucie se laissa attirer contre Renard-du-Ciel. Il était incroyablement agréable de se laisser prendre dans ses bras, de goûter son étreinte possessive. Quelques hommes avaient voulu abuser d'elle. L'un d'entre eux l'avait réduite en esclavage. Mais aucun ne l'avait aimée. Elle n'attendait pas de Renard-du-Ciel qu'il soit « vraiment » amoureux d'elle, mais la façon dont il la regardait lui laissait espérer qu'il pourrait lui faire fougueusement l'amour. Ce n'était peut-être pas vraiment suffisant pour remplir une existence solitaire, mais c'était toujours ça à prendre.

Elle désirait bien plus qu'un baiser, elle désirait d'ailleurs bien plus que ce qu'aucun homme ne pourrait lui donner. Elle voulait un amant qui saurait voir en elle à la fois l'enfant qu'elle avait été et la femme qu'elle aurait pu devenir, si les circonstances avaient été différentes : une femme normale, jolie, sans aucune blessure intime.

En regardant Renard-du-Ciel au fond des yeux, elle se souvint qu'il lui avait dit être le seul homme à pouvoir la comprendre. Mais entre la compréhension et l'acceptation, il y avait un monde…

Lorsqu'il passa le pouce sur son menton, le cœur de Lucie se mit à battre follement. Un si violent espoir l'avait envahie qu'elle crut étouffer : Renard-du-Ciel donnait l'impression de ne pas remarquer son horrible tatouage.

Encouragée, elle se coula contre lui, en espérant qu'il ne se moquerait pas de son inexpérience. L'étreinte de ses bras était étonnamment forte et tendre à la fois. Sans se presser, il prenait complètement possession d'elle, caressant ses cheveux et pressant son corps contre le sien. Il lui laissa tout loisir de mettre fin à ce jeu, de s'écarter. Mais elle n'en fit rien. Au contraire, elle s'abandonna et ferma les yeux.

Quand ses lèvres effleurèrent légèrement les siennes, elle sentit un frisson d'excitation parcourir sa peau. Lentement, elle fit glisser ses mains des hanches de Renard-du-Ciel à ses épaules musclées. Il la serra alors contre lui, pressant ses seins contre son torse, le souffle court. Enfin, il trouva sa bouche de nouveau mais, cette fois, la pression de ses lèvres était beaucoup plus ferme. Lucie ouvrit la bouche et leurs langues se mêlèrent en une valse envoûtante. Lucie avait l'impression que son corps devenait fluide, sa chaleur se mêlant à celle de Renard-du-Ciel. Pourtant, elle ne se sentait pas assez près de lui encore. Sa soif était inextinguible. Elle s'accrochait à lui, passant ses mains sous sa chemise, savourant le plaisir de toucher sa peau nue, ses muscles contractés sous ses doigts. Ce n'était pas encore assez. Il lui fallait davantage que ce baiser. Bien davantage !

Lucie savait ce qu'elle voulait…

Alors elle s'écarta et commença à défaire les boutons de nacre de son chemisier. Elle les défit un à un, jusqu'à ce que le léger vêtement tombe de ses épaules. Il ne la toucha pas durant cette opération, mais ses yeux ne la quittèrent pas une seconde, et c'était comme s'il la caressait. A la fin, il caressa doucement le tracé de sa clavicule, du bout de l'index, puis le creux de sa gorge, de son pouce. Enfin, il posa ses lèvres sur l'angle de sa mâchoire et remonta capturer le lobe de son oreille entre ses lèvres.

Lucie poussa un long gémissement de plaisir, comme torturée, et murmura le prénom de Renard-du-Ciel entre ses lèvres. S'il pouvait l'embrasser encore dans le cou quelques instants, cela éviterait qu'il n'accorde trop d'attention à ses autres tatouages, qui encerclaient ses poignets comme de hideux bracelets d'encre. Sans son chemisier, elle se sentait exposée comme jamais. Depuis son départ de chez les Sioux, personne, pas même sa famille, ne l'avait jamais vue les bras nus. C'était pour elle la partie la plus intime de son corps. Elle aurait préféré exposer ses seins dénudés à la vue de tous, que de relever ses manches. Mais pour lui, elle en prenait le risque, en priant pour qu'il s'en montre digne. Ce fut beaucoup moins difficile, ensuite, de retirer sa jupe et ses jupons, qui glissèrent à terre.

A présent, seul un diaphane voile de coton couvrait sa poitrine. Les mains de Renard-du-Ciel étaient autour de sa taille, qu'elles caressaient, remontant vers ses seins dressés. Il n'avait toujours pas vu les tatouages, car sa bouche dévorait avidement le cou gracile de Lucie, son souffle chaud et humide sur sa peau.

Elle défit le ruban qui fermait sa combinaison, ouvrit quelques boutons de plus et laissa tomber le dernier voile qui la couvrait encore. Il fallait qu'il la voie entièrement nue, à présent et qu'il l'accepte avec toutes ses cicatrices. Si la chose était possible, même pour une seule nuit, alors un autre homme, plus tard, pourrait peut-être faire de même. Cela lui redonnerait espoir.

Elle s'écarta doucement. Renard-du-Ciel donna l'impression qu'il allait la retenir, mais au dernier moment ses bras se détendirent pour lui laisser le champ libre.

S'il acceptait, s'il l'aimait, même une seule nuit, c'était déjà bon à prendre. Lucie tremblait d'excitation à cette seule idée. Elle pourrait même avoir un enfant, un petit à elle, qu'elle aimerait et qu'elle élèverait seule. Jusque-là, elle s'était contentée de jouer à la maman, avec ses poupées quand elle était petite, en faisant semblant d'être celle de ses frères et sœurs ensuite. Et sans doute avait-elle voulu se consacrer à l'enseignement pour la même raison, pour combler ce manque qu'elle ne pouvait plus ignorer. Si Renard-du-Ciel acceptait de fermer les yeux sur ses imperfections, elle pourrait peut-être connaître cette grande joie.

Alors elle attendit, immobile, qu'il veuille bien la regarder et l'accepter comme elle était.

# Chapitre 11

Renard-du-Ciel frissonna de désir devant le spectacle qui s'offrait à lui. Lucie était quasiment nue à la lueur du feu, immobile… Comment en étaient-ils arrivés là ? Il avait seulement voulu l'embrasser, mais à présent il se rendait compte qu'il ne pourrait se satisfaire d'un baiser. Une vie entière à embrasser cette femme ne lui suffirait pas. Et à voir l'assurance avec laquelle elle s'était dévêtue, elle devait bien savoir l'effet qu'elle lui faisait.

Mais pourquoi s'était-elle interrompue alors ?

L'envie qu'il avait d'elle bouillonnait en lui, se manifestant de la façon la plus physiquement évidente. Il fit un pas en avant et elle ne recula pas. Elle baissa simplement les yeux sur son bras. Il remarqua alors un autre tatouage rituel, jusque-là invisible sous ses manches : des cercles autour de ses poignets si fins. Mais son regard fut bien vite attiré par les courbes affolantes de sa poitrine. Si pleines, si parfaites et puis l'odeur de sa peau, si douce, si enivrante !

Il la prit alors par les bras et leva les yeux vers son visage. Elle se mordit la lèvre, le regard empli de doute. Cette expression lui rappelait quelque chose, mais il ne savait pas quoi exactement. Ce n'était pas de la peur, mais pas vraiment du désir non plus.

Il se laissa guider par elle, ne sachant trop quel jeu elle jouait, mais sachant en revanche qu'il était sur le point de perdre tout contrôle de lui-même. Jamais il n'avait connu une telle tentation. Il pria en silence pour que ce ne soit pas quelque stratagème, un piège pour tester son honneur, sans quoi il serait perdu.

— Lucie…

— Me désirez-vous toujours, oui ou non ?

Croyait-elle donc qu'après avoir vu la perfection de ses formes, la beauté de son visage, avoir été témoin de son courage, il ne la désirerait plus ? Il secoua la tête. Il était décidément bien difficile de comprendre les femmes…

A l'expression de souffrance qu'arborait le visage de Lucie, il comprit qu'il avait dû lui envoyer sans le vouloir un signal de rejet. C'était parfaitement idiot, si idiot qu'il eut envie d'en rire.

— Attendez, Lucie… Bien sûr que j'ai envie de vous. Depuis le début. C'est pour cela que je pouvais à peine vous parler à l'école… Vous me coupez littéralement le souffle.

Elle ferma les yeux et prit une profonde inspiration, comme si elle se préparait à plonger dans une eau très profonde.

— Prouvez-le !

Il l'attira contre lui, pressa sa poitrine nue contre son torse, fermant les yeux comme s'il remerciait le Grand Esprit d'avoir placé Lucie sur cette terre. Il posa ses lèvres sur le lobe de son oreille puis descendit, le long de sa gorge et sur son épaule, dans le creux de la clavicule.

Elle soupira et gémit doucement lorsqu'il baisa les globes de ses seins. La tête renversée, elle les pressa plus étroitement contre sa bouche tandis qu'il la maintenait par la taille de ses mains viriles. Elle tremblait, frissonnait, mais ne recula pas. La langue de Renard-du-Ciel vint bientôt se poser sur la pointe rose d'un téton et elle fut secouée par un exquis frémissement de plaisir quand il le prit dans sa bouche et le suça. Elle cria son prénom, s'agrippa sauvagement à lui tandis qu'il léchait la chair si sensible. Il laissa errer sa main sur ses fesses et ses cuisses. Ses caresses étaient si expertes qu'elle se laissa soulever de terre, totalement conquise.

Il l'emmena vers leurs couchages où il la déposa délicatement. Là, il s'agenouilla auprès d'elle et la contempla en silence. Hanté par le désir qui l'habitait, ses yeux bleus semblaient presque noirs. Il passa deux doigts, avec ferveur, sur ses lèvres, son menton, sa gorge, empauma le galbe d'un sein, puis de l'autre, avant de continuer sur son ventre.

Son visage se crispa un instant puis il enfouit sa tête dans le cuivre satiné de ses cheveux.

Ses doigts se perdirent vers les boucles de feu serrées à la jointure de ses cuisses. Elle ouvrit les jambes, en une invite muette. Mais elle ne s'arrêta pas là. Elle posa sa main sur lui, d'abord juste au-dessus de sa ceinture, puis au-dessous, caressa de sa paume son sexe tendu sous le tissu de son pantalon. Se redressant à demi, elle entreprit ensuite de le dévêtir, écartant le tissu du jean pour libérer son sexe. Lorsque ses doigts se refermèrent sur son érection, il ferma les yeux, les muscles bandés. Elle le caressa un peu, puis fit glisser le pantalon sur ses hanches.

Lorsqu'il fut totalement nu, Lucie se plaça au-dessus de lui, son corps tout contre le sien, le fixant d'un air très sérieux. D'abord elle caressa ses épaules, puis y enfonça ses ongles, en une brûlure aussi excitante qu'elle était douloureuse. Il la saisit alors par les épaules et enfouit son visage dans son cou, dévorant sa gorge de baisers. Elle respirait plus vite, à présent, et ne pouvait s'empêcher de bouger ses hanches vers lui. Elle appelait à elle ce sexe dressé, pressé entre leurs deux ventres. Il glissa un doigt en elle et elle se laissa emporter par un tourbillon d'émotions incontrôlables.

Il la retourna et vint se placer sur elle, prenant sa bouche tandis qu'il la pénétrait, leurs langues se mêlant, avides de se prendre, de se posséder. Lucie noua ses jambes agiles autour des reins de Renard-du-Ciel, lui permettant d'entrer plus profondément en elle. Il accéléra alors ses coups de reins et le plaisir se mit à déferler sur eux comme les vagues sur les

Grands Lacs. Soudain, Lucie rejeta la tête en arrière et cria le nom lakota de son amant. Le corps agité, elle s'abandonna à la tornade qui s'était emparée d'elle.

Renard-du-Ciel observa Lucie se perdre dans cet orgasme intense. Il était heureux de lui donner du plaisir même s'il devait s'empêcher de prendre le sien. Il ne pouvait prendre le risque de lui faire un enfant. Son cœur se brisa à cette pensée. C'était pourtant exactement ce qu'il aurait aimé : que Lucie porte un enfant de lui. Elle lui aurait donné les filles et les garçons qui font qu'un homme n'est plus un animal solitaire. Lui, qui s'était par avance résigné à vivre et à mourir seul, voilà qu'il trouvait une femme prête à tout lui donner, tout. Sauf l'absolution de son crime.

L'image de Nuage-Sacré mourant dans ses bras passa derrière ses paupières closes. Son ami, lui, n'aurait jamais de femme, il ne connaîtrait jamais un tel plaisir. La culpabilité s'empara de lui, comme un poison. Comment osait-il profiter de tout cela alors qu'il en avait privé Nuage-Sacré ?

Il n'était pas digne de Lucie. Elle méritait un homme d'honneur. Meilleur que lui.

Il se retira et répandit sa semence sur la couverture avant de s'étendre à côté de Lucie. Aussitôt, elle lui martela le torse de ses poings serrés. Il la regarda, effaré.

— Qu'est-ce que vous avez fait ?

Elle pleurait. Il leva les mains pour se protéger de la pluie de coups.

— Lucie, voyons, arrêtez !

Elle cacha son visage dans ses mains, se recroquevilla et sanglota de plus belle.

— Je suis désolé, balbutia Renard-du-Ciel, je ne voulais pas…

Elle baissa ses mains.

— Vous ne vouliez pas quoi ? M'aimer ?

Elle se leva en ramassant rageusement sa couverture.

— Vous êtes comme tous les hommes, siffla-t-elle. Et même pire ! Me faire croire que j'étais différente ! Je vous hais ! Et je le hais de vous avoir envoyé me chercher !

Renard-du-Ciel se sentit accablé.

— Vous pourrez le lui dire demain, soupira-t-il, les dents serrées.

Elle le considéra avec méfiance.

C'était à peine s'il pouvait croiser son regard, tant il se sentait honteux. La honte s'insinuait en lui, comme un poison.

— Je ne veux plus jamais vous revoir !

Ces mots le déchirèrent, comme des griffes. Il acquiesça.

— Votre vœu sera exaucé dès demain, lorsque nous atteindrons le fort.

Lucie ne revit pas Renard-du-Ciel de tout le reste de la nuit, bien qu'elle sentît sa présence. Les étoiles brillaient encore dans le ciel quand elle s'aperçut qu'il était debout et qu'il sellait son cheval. Elle se leva à son tour, plia ses couvertures et le rejoignit. Sans un mot, il lui tendit la main pour l'aider à se mettre en selle. Ce ne fut que lorsqu'elle fut installée que, levant les yeux vers elle, il lui dit :

— Je suis désolé, Lucie, pour ce qui s'est passé cette nuit.

— Bien sûr que vous l'êtes !

L'humiliation lui brûlait les joues et sa voix se fêla.

Il regrettait. Ses regrets faisaient voler en éclats le dernier petit brin d'espoir qu'elle entretenait encore.

— Je n'ai pas voulu vous faire du mal…

Il fallut à Lucie tout son courage, toute sa résolution pour ne pas éclater en sanglots de nouveau. Elle ne put qu'acquiescer en silence.

Il monta à son tour souplement en selle devant elle et prit les rênes. Le ciel se levait à peine à l'horizon que, déjà, Renard-du-Ciel poussait son cheval à travers les hautes herbes, comme s'il était impatient de se débarrasser de celle qu'il escortait.

Lucie se sentait stupide et flouée. Il l'avait prise, ça oui.

Elle s'était déshabillée devant lui et s'était offerte comme une fille de peu. A quoi d'autre s'attendait-elle donc ? Elle était devenue exactement ce que certains hommes l'accusaient d'avoir été, chez les Indiens.

Et elle avait eu ce qu'elle recherchait. Elle avait eu, pour la première fois, un homme qui l'excitait. Elle l'avait reçu en elle. Mais au lieu du merveilleux accomplissement que cette étreinte aurait pu être, elle ne lui avait laissé, par la faute de Renard-du-Ciel, que des regrets. Son bel amant avait un tel mépris pour elle qu'il s'était retiré pour ne pas jouir en elle. Elle ferma les yeux, incapable de supporter cette humiliation. Après son départ de chez les Sioux, elle avait cru qu'elle ne pourrait jamais ressentir une plus grande honte. Comme elle se trompait !

Avait-elle vraiment cru qu'il partagerait son désir d'avoir un enfant de lui ? Au cours de la nuit sans sommeil qui s'était ensuivie, elle avait un moment caressé l'espoir qu'il avait seulement voulu lui éviter d'être enceinte, mais elle ne pouvait se bercer d'illusions plus longtemps. Peut-être avaient-ils raison, tous. Peut-être qu'il lui était impossible d'être mère tant elle était avilie, dévastée par son passé.

Autour d'eux, les rayons du soleil rendaient à la prairie toutes ses couleurs du jour. Lucie fixa l'horizon, impatiente de voir apparaître le fort. Plus tôt ils se sépareraient, mieux cela vaudrait. Elle ne pouvait même plus regarder Renard-du-Ciel sans se sentir de nouveau envahie par l'humiliation et la colère.

Ils avaient levé le camp un peu avant l'aube, mais n'arrivèrent à destination qu'en milieu de journée. Fort Scully se dressait sur la rive gauche du fleuve Missouri. Contrairement à fort Laramie, aucune palissade ne l'entourait. Vu de quelque distance, ce n'était qu'un alignement de bâtiments en dur autour d'une place d'armes, le long de la rivière, sur sa berge la plus plate, la rive opposée étant surmontée d'une falaise.

Ils se présentèrent au poste de garde et furent escortés jusqu'à l'état-major, à côté du quartier des officiers célibataires, un grand bâtiment d'un étage, à quelque distance des cantonnements de la troupe. L'apparition de Lucie causa un peu d'agitation parmi les soldats.

Renard-du-Ciel mit pied à terre et, tenant Ceta par la bride, emmena sa compagne à travers le terrain de manœuvres. Elle portait toujours sa chevelure séparée en deux tresses, son couteau à dépouiller autour du cou et ses mocassins étaient clairement visibles sur les étriers. Sa jupe était remontée assez haut sur ses jambes, mais elle ne fit rien pour la rabattre. Ce n'était d'ailleurs pas la vue de ses mollets qui intriguait les soldats mais, comme toujours, le tatouage sur son menton.

Renard-du-Ciel foudroya un groupe de soldats du regard. Il était choqué de voir les hommes chuchoter derrière leur main, comme des fillettes. Certains montraient même Lucie du doigt, un geste horriblement offensant. Son humeur déjà sombre vira carrément au noir.

Il se tourna vers Lucie pour s'assurer qu'elle allait bien. Elle se tenait droite en selle, le menton haut et le regard fixé devant elle. Quel courage ! Elle avait vraiment le cœur d'un guerrier, songea Renard-du-Ciel avec admiration. Arrivé devant le quartier général de la garnison, il attacha Ceta au balcon du porche.

Le commandant de la place les accueillit devant la porte, ayant vraisemblablement été prévenu par un planton.

— Bienvenue au fort Scully, leur dit-il, je suis le major William Reilly.

L'officier tendit la main à Renard-du-Ciel, qui ne la conserva dans la sienne que le temps strictement nécessaire.

— Vous êtes… ?

— Renard-du-Ciel.

— Enchanté, et puis-je savoir qui est la personne qui vous accompagne ?

Lucie descendit de cheval sans aide et s'approcha de l'officier avec souplesse.

— Je suis Lucie West.

— West, ah mais bien sûr, vous êtes la sœur de David, n'est-ce pas ? Mais nous ne vous attendions pas…

Elle confirma d'un signe de tête.

— Il ne nous a rien dit !

— Il n'est pas au courant de ma venue. Je suis ici pour voir mon mari.

Les sourcils de l'officier se haussèrent de surprise. Son regard fit rapidement le tour des soldats qui commençaient à s'attrouper, tout en essayant de ne pas se faire remarquer de leur chef.

— Est-il parmi mes hommes ?

Lucie releva la tête et ses deux tresses retombèrent dans son dos.

— Non, dit-elle d'une voix forte et claire. Il est dans votre prison.

Le commandant du fort se mit à rire et agita la main en signe de protestation.

— Madame, je puis vous assurer que nos locaux disciplinaires n'accueillent que quelques Indiens sioux et je ne pense pas que…

Il s'arrêta net, découvrant enfin le tatouage facial.

— Euh… votre mari, disiez-vous ?

Il leva un sourcil interloqué.

— Aigle-Danseur. Vous le retenez prisonnier, je pense ?

— Euh… oui. Il… il est votre mari ?

Il fit nerveusement signe à un soldat.

— Caporal, allez me chercher le capitaine West. Au pas de course !

L'homme prit ses jambes à son cou.

— Quel crime a-t-il commis ? insista Lucie.

Le visage du major se mit à briller.

— Il y a eu un meurtre…, commença-t-il.

— Un employé de l'école indienne de Sage River, le coupa Lucie. Je sais, j'y étais enseignante. Aigle-Danseur est accusé du crime ?

— Nous envisageons toutes les…

— Donc, vous retenez des innocents en otages ?

— En détention, simplement.

Reilly ne pouvait déjà plus affronter le regard bleu perçant de Lucie. Il baissa les yeux. Lucie avait remporté la première manche.

— Je voudrais le voir.

L'officier se tortilla, mal à l'aise.

— Je ne pense pas que cela soit possible…

— Je vois. Vous avez le télégraphe au fort, je suppose ?

Les yeux du major s'étrécirent.

— En quoi cela vous regarde-t-il ?

— Parce que j'ai quelques contacts dans la presse. Des gens qui ont écrit sur mon passé de captive et seraient ravis de faire une large publicité à cette affaire. Des romanciers, aussi. Je puis aussi télégraphier à mon père, qui a eu l'honneur de recevoir le président Haynes à dîner dans notre maison, durant sa campagne électorale. Cela pourrait intéresser le Président, et pas seulement parce que mon père a travaillé à son élection.

Le visage de l'officier était rouge de fureur à présent.

— Je suis parfaitement au courant des relations qu'entretient votre famille au gouvernement, dit-il, les dents serrées. Elles ont puissamment aidé votre frère, je pense, à obtenir sa commission d'officier. Mais je me demande si vous vous rendez bien compte du jeu dangereux que vous jouez.

Lucie le regarda d'un air très hautain.

— Vous êtes bien aux ordres du président des Etats-Unis, je suppose ?

Le major fronça ses sourcils broussailleux.

— Vous êtes en train de me menacer, madame, moi, un officier de l'armée fédérale…

— Avez-vous jamais vu un feu de prairie, major ? La façon dont il se propage en un clin d'œil, ravageant tout sur son passage ? Eh bien, je puis vous dire que ce n'est rien, en comparaison du déluge de fer et de feu que je pourrais faire déverser sur vous et sur ce fort.

Les paroles de Lucie furent suivies d'un long silence, à l'exception de l'écho lointain du marteau de la forge de la garnison.

Les deux adversaires se faisaient face et Renard-du-Ciel observait Lucie, fasciné. Comment pouvait-elle se prétendre lâche ? Elle était magnifique lorsqu'elle était en colère. Mieux valait ne pas l'avoir comme ennemie…

Il pensa, le cœur lourd, à ce qui s'était passé la nuit précédente. Il lui avait fait du mal, ce qui n'avait jamais été son intention.

Reilly se tourna vers un sous-officier et aboya :

— Emmenez madame auprès de son mari.

Il lança un coup d'œil en direction de Renard-du-Ciel.

— Et elle seule ! Appelez-moi quand on aura trouvé son frère. Peut-être voudra-t-il se charger d'elle.

Il tourna rageusement les talons et rentra dans son bureau. Quelqu'un d'autre que Renard-du-Ciel avait-il vu les épaules de Lucie s'affaisser de soulagement ?

— Vous m'attendez ? lui demanda-t-elle.

Il lui sourit et acquiesça. Lucie prit une profonde inspiration avant de se redresser pour suivre le sous-officier.

Son maintien ne faiblit pas, jusqu'à ce qu'elle entre dans le quartier disciplinaire et approche de la cellule.

Elle avança vers la lourde porte à barreaux d'acier dans laquelle on avait pratiqué un guichet de la taille d'une bible. Elle avait espéré que Renard-du-Ciel serait près d'elle au moment où elle reverrait Aigle-Danseur. Elle n'avait pas encore compris à quel point elle avait besoin de sa discrète protection et en ressentait d'autant plus douloureusement le manque, à présent qu'elle l'avait perdue.

— Il est là, m'dame, avec deux autres chefs : Ours-de-Fer et Chat-Sauvage.

Chat-Sauvage ? Le chef du clan des Bitterroot, celui dont Renard-du-Ciel avait accidentellement tué le fils ?

— Faut parler là-dedans, dit le sous-officier en montrant l'étroite lucarne du guichet.

— C'est sombre !

— Il n'y a pas de fenêtre, il n'y a que celle-ci.

Le cœur de Lucie se serra. Depuis combien de temps les trois hommes étaient-ils enterrés vivants dans cette crypte ? Elle regarda d'un air de reproche les soldats de son escorte. Embarrassés, ils baissèrent les yeux, mais pas le canon de leurs fusils.

— Eh bien, leur dit-elle. Ouvrez !

Heureusement, sa voix ne tremblait pas, en dépit de la peur qui lui nouait l'estomac. Elle était pleine de doutes et d'incertitudes Maintenant qu'elle était sur le point de revoir le responsable de tous ses malheurs. Prenant sur elle, elle se raidit, déterminée à faire bonne figure contre vents et marées.

Un homme s'avança avec les clés, mais le sous-officier l'arrêta d'un geste.

— Nous n'avons pas le droit de vous laisser entrer, m'dame. Vous devez parler à travers le guichet.

Elle le fusilla du regard, mais s'approcha de la porte et s'accrocha aux barreaux, les mains tremblantes.

De quoi avait-elle peur ? Aigle-Danseur ne pouvait rien lui faire, il était enfermé. Pourtant, elle ne pouvait s'empêcher de trembler. Elle ne l'avait pas revu depuis ce fameux jour où il l'avait consignée dans son tipi en lui donnant l'ordre de n'en pas sortir.

« Il n'a aucun pouvoir sur toi », se rassura-t-elle.

Le visage contre les barreaux, elle regarda à l'intérieur. Peu à peu, ses yeux s'habituèrent à l'obscurité et elle distingua deux hommes qui la regardaient. Elle se souvenait d'Ours-de-Fer, le chef du clan du Dernier-Village et le reconnaissait tout à fait, bien qu'il ait à présent les cheveux gris. L'autre homme devait être Chat-Sauvage. D'ailleurs, il avait le visage marqué et l'expression tragiquement fatiguée de ceux qui ont traversé beaucoup d'épreuves. Ils s'étaient levés tous deux à son approche, les yeux ronds d'étonnement. La troisième silhouette restait accroupie dans un coin, roulée dans une couverture.

Quelque chose n'allait pas dans ce tableau.

Son appréhension fit place à l'inquiétude. Elle parla en lakota et en empruntant une tournure traditionnelle.

— Mon mari, je suis venue.

La silhouette recroquevillée bougea et un visage sortit de l'ombre. Sur le moment, Lucie ne le reconnut pas. Aigle-Danseur avait les traits tirés, le teint pâle, les cheveux mouillés de sueur. Mais, dès qu'il la vit, un sourire illumina son visage et le transforma instantanément. Lucie parvint à retrouver, dans l'apparence de cet étranger, quelque chose de l'homme qui avait été son époux. Les années et les chagrins ne l'avaient pas épargné. Quelles qu'aient pu être les souffrances qu'elle avait elle-même traversées, elle savait que celles d'Aigle-Danseur avaient été bien pires, et pourtant il lui souriait.

Une quinte de toux le tordit en deux. Son visage devint très rouge et il mit un bout de foulard crasseux devant sa bouche. Lucie vit le tissu se teinter de sang. Quant aux sons de la quinte, il sembla à la jeune femme que c'était ceux d'un homme qui avait de l'eau dans ses poumons. Elle se tourna vers le sous-officier.

— Depuis combien de temps est-il dans cet état ?

— Je ne sais pas, m'dame.

— Il y a bien un médecin, au fort ? Allez le chercher.

Il ne bougea pas.

— Eh bien, dépêchez-vous !

Le sous-officier faillit obéir, puis se ravisa.

— Je ne peux pas vous laisser sans surveillance, m'dame. Il faut que je demande au lieutenant.

— Eh bien, allez-y !

L'homme tourna les talons. Depuis qu'elle était au fort, Lucie avait conscience de se conduire exactement comme l'aurait fait sa mère, tout en autorité et en coups de bluff. Mais apparemment, cela marchait.

Aigle-Danseur avait fini de tousser, pour le moment. Il tituba jusqu'à la porte et s'accrocha à un barreau d'une main, l'autre restant sur la couverture, pour la maintenir fermée sur sa gorge.

— Rayon-de-Soleil…, murmura-t-il.

Il couvrit la main de Lucie de la sienne. A la chaleur de sa paume, Lucie sentit qu'il était très fiévreux. Emergeant de l'obscurité comme un loup de sa tanière, ses yeux étaient rendus vitreux par la maladie, mais son sourire était joyeux.

— Mes prières ont été exaucées. J'ai pu te revoir encore une fois.

Elle n'aimait pas le ton de sa voix. C'était celui d'un homme prêt à quitter ce monde.

Elle essaya de s'endurcir.

— Je ne suis pas venue de si loin pour t'enterrer. J'ai fait appeler le docteur.

— C'est la toux des Blancs…

La tuberculose. Beaucoup des élèves de l'école l'avaient.

La maladie se répandait rapidement parmi les Sioux et affaiblissait leurs poumons.

Il serra les mains de Lucie dans les siennes, sur les barreaux.

— Renard-du-Ciel t'a trouvée ?

Elle acquiesça, envahie de honte à la façon dont Renard-du-Ciel l'avait rejetée. Mais elle refoula cette émotion, pour un jour plus tranquille. Ce qui s'était passé entre eux n'avait rien à voir avec Aigle-Danseur. Elle allait faire tout son possible pour maintenir son mari en vie, afin de payer sa dette envers lui. Puis, elle assurerait son indépendance et lui dirait adieu, pour toujours.

— Oui, il m'a raconté tes ennuis.

— Je suis bien heureux de ces soucis-là, puisqu'ils te ramènent auprès de moi.

— Repose-toi à présent. Le docteur va venir.

Il vint, en effet. Il avait l'air d'un jeune homme compétent, et honnête. Il eut le droit, lui, d'entrer dans la cellule, mais pas Lucie. Restée derrière les barreaux, elle le regarda écouter le cœur d'Aigle-Danseur et prendre son pouls. Il examina le foulard taché de sang et confirma ce que la jeune femme savait déjà.

— En plus de la consomption, j'ai bien peur qu'il ait également contracté une pneumonie, vint-il lui dire à voix basse, et avec ses poumons en mauvais état, le pronostic n'est pas bon...

— Pouvez-vous faire quelque chose ?

— Je recommanderai qu'il soit transféré à l'hôpital.

— Non, il faut lui permettre de rentrer se soigner chez lui.

— J'ai bien peur qu'il lui faille un véritable traitement, pas seulement de la fumée et des plumes d'aigle.

Lucie ne répondit pas au jeune médecin. Il était inutile de lui apprendre que les guérisseurs indiens disposaient de toute une pharmacopée inconnue des Blancs et qui avait fait ses preuves. Elle s'écarta de la porte pour le laisser sortir.

— Je pourrai lui administrer tout traitement que vous jugerez utile, dit-elle finalement.

— Avez-vous reçu une formation d'infirmière ?

Lucie le regarda droit dans les yeux et mentit délibérément. C'était un talent naturel, qu'elle avait perfectionné durant sa captivité et qu'elle pouvait mettre en application aussi naturellement qu'un oiseau prenait son envol.

— Oui, docteur.

Dès que le sous-officier de garde eut refermé la porte, Aigle-Danseur revint contempler Lucie par le petit guichet. Elle en ressentit une profonde pitié.

Le médecin referma sa trousse.

— Je parlerai au commandant, promit-il.

— J'irai avec vous.

Aigle-Danseur posa sa main sur le poignet de Lucie. Elle regarda ses doigts qui emprisonnaient les siens et en eut la chair de poule.

— Il faut me laisser partir, maintenant.

— Non, plus jamais.

Son ton et son visage étaient presque menaçants.

Elle les reconnaissait, ces signes. Ils étaient apparus chaque fois qu'elle l'avait supplié de la laisser rentrer chez elle, de l'emmener au fort ou de la livrer aux soldats. Il avait toujours refusé obstinément de l'aider. Rien n'avait changé. Toute la sympathie qu'elle ressentait pour lui s'évapora instantanément. Elle baissa la tête.

Quand elle releva les yeux, ils étaient pleins de détermination et elle lui retira sa main. Puis elle tourna les talons et suivit le médecin le long du couloir, vers l'entrée du bâtiment. Elle trouva Renard-du-Ciel dans la cour. Il faisait les cent pas et s'interrompit dès qu'il la vit. Il ne prononça pas un mot mais posa sur elle un regard interrogateur. Elle secoua la tête.

— Il est très malade et sa cellule est froide et humide, lui dit-elle.

Il l'accompagna tandis qu'elle retournait à l'état-major. Le médecin était en entretien avec le major Reilly. Ils durent attendre qu'il ait fini.

Lucie était à peine assise que la porte d'entrée claqua violemment contre le mur. Le jeune caporal secrétaire bondit sur ses pieds pour se mettre au garde-à-vous tandis que Renard-du-Ciel, avec une rapidité qui la stupéfia, la faisait passer derrière lui pour la protéger, la main sur son revolver.

Elle passa sa tête derrière l'épaule de son compagnon pour voir qui venait d'entrer de façon aussi spectaculaire et elle ne reconnut pas, tout d'abord, le jeune lieutenant aux rouflaquettes particulièrement fournies et au visage sévère. Ce ne fut que lorsqu'elle croisa son regard qu'elle sut qui il était. Les bras ouverts, elle se précipita pour accueillir son frère.

— David !

Il ne fit aucun pas dans sa direction, aucun geste. Il se tourna légèrement vers le caporal et lui dit d'un ton sec :

— Sortez !

L'homme ne se le fit pas dire deux fois et referma la porte derrière lui.

— David…

Lucie sentit une froide appréhension lui glacer le ventre.

Elle avait l'habitude de ce regard mi-hautain, mi-ironique que les gens posaient toujours sur elle. Mais elle ne l'avait encore jamais rencontré chez un membre de sa famille. Sa désapprobation, en tout cas, était très claire.

— Qui est cet homme ? demanda David en montrant d'un coup de menton Renard-du-Ciel, qui avait retiré la main de la crosse de son revolver.

— C'est Renard-du-Ciel, il m'a escortée depuis le Minnesota jusqu'ici.

Les sourcils du jeune officier restèrent froncés.

— Voulez-vous nous excuser, monsieur Renard-du-Ciel ?

Il avait prononcé ces mots presque violemment, les dents serrées. Lucie ne l'avait jamais vu autant en colère.

Renard-du-Ciel l'interrogea du regard et elle hocha la tête en réponse. Il marcha alors vers la porte, forçant David à reculer pour lui céder le passage. C'était la première fois que Lucie le voyait témoigner autant d'agressivité. Arrivé à la porte, il se tourna vers elle.

— Appelez, si vous avez besoin de moi.

De nouveau, elle acquiesça et, quand la porte se referma, elle se tourna vers David.

— Tu n'avais pas besoin de te montrer aussi désagréable.

— Désagréable ?

Il eut un rire bref et sans joie.

— Tu viens ici, dans ma garnison, et tu annonces à mon supérieur que tu es mariée avec la brute qui t'a retenue prisonnière. A quel jeu joues-tu donc ?

— Tu ne peux pas comprendre.

— Ah non ?

Il retira son chapeau et passa sa main dans son épaisse chevelure rousse.

— C'est plutôt toi qui ne comprends pas. Sinon tu ne ferais pas de moi la risée de mes hommes. Comment veux-tu que je leur donne des ordres, alors qu'ils ricanent de moi derrière mon dos ? Tu crois que je ne suis pas suffisamment fatigué de devoir toujours défendre ta réputation ?

Lucie baissa la tête. Elle était face à ce qu'elle avait toujours redouté : en essayant d'aider Aigle-Danseur, elle faisait du mal aux siens.

— Je te demande donc, reprit-il, ce qui a bien pu te passer par la tête, pour raconter un tel mensonge.

— Mais c'est la pure vérité !

Le teint de David prit la couleur du saumon cuit.

— Comment ?

— Je l'ai épousé. J'y ai été obligée.

— N'en dis pas plus ! Déjà, quand il est arrivé, il s'en est fallu de peu que je lui tire une balle entre les deux yeux pour ce qu'il avait fait. Mais maintenant… Je veux le voir pendu et je ne le remplirai de plomb qu'ensuite.

— Non, tu vas plutôt m'aider à le faire sortir d'ici !

— Jamais !

Il marcha sur elle.

— Pourquoi tu ne m'en as pas parlé avant ?

Lucie sentit son calme se fendiller quelque peu. L'indignation de son frère finissait par la mettre hors d'elle.

— En quoi est-ce que cela te regarde, après tout ? répliqua-t-elle en haussant le ton. C'est mon histoire et non la tienne.

— Tu te donnes en spectacle !

— Oui, partout où je vais et bien malgré moi. Je ne pensais pas que mon propre frère me le reprocherait.

— Tu m'as mis dans l'embarras et tu as gravement compromis mon avancement.

Lucie sentit la gorge lui brûler et sut que les larmes n'étaient pas loin. Sa voix, quand elle parla enfin, n'était plus qu'un murmure rauque.

— David, je suis désolée. Mais, sans Aigle-Danseur, je serais morte. Il m'a gardée en vie. J'ai une dette envers lui.

— Il t'a privée de tout espoir d'épouser un jour un honnête homme. C'est pour cela que tu es toujours célibataire. Bon Dieu, Lucie, il t'a violée !

Elle baissa le front. Elle savait ce qu'il en était mieux que lui.

— Il m'a épousée avec mon consentement.

La mâchoire de David retomba, littéralement. Dût-elle vivre cent ans, jamais Lucie n'oublierait l'expression horrifiée de son frère. Il se reprit et ses traits se durcirent.

— Je le tuerai.

Il se dirigeait déjà vers la porte quand Lucie l'agrippa par le bras. Il tourna toute sa fureur contre elle.

— Comment oses-tu ?

— Il faut m'aider, David, je t'en prie !

— Si tu veux que je te fasse escorter jusqu'à la maison, j'y compte bien. Je ferai aussi tout ce qui est en mon pouvoir pour qu'Aigle-Danseur soit traduit devant la justice, comme il le mérite.

Jamais, de toute sa vie, Lucie ne s'était sentie aussi seule. Dans le passé, même aux heures les plus sombres, elle avait toujours pu compter sur l'amour et le soutien de sa famille. Ce n'était plus le cas et son frère était comme tous les autres Blancs. Allaient-ils tous avoir honte de ce qu'elle avait décidé de faire ? Elle savait pourtant qu'elle était dans son bon droit, mais se demandait combien cette décision lui coûterait.

La porte du bureau du major s'ouvrit alors sur le jeune médecin.

— Le major Reilly va vous recevoir tout de suite, madame West.

Lucie acquiesça, en essayant de surmonter son trouble et son chagrin, mais David saisit son bras avec brusquerie. Elle le fusilla du regard. Ce petit garçon, dont elle avait mouché le nez, se permettait de la rudoyer ?

— Ma sœur a fait une erreur, docteur. Mais elle a changé d'avis. Je vais m'occuper d'elle.

— Très bien, capitaine.

Il s'inclina devant Lucie.

— Madame West…

Lucie le regarda traverser l'antichambre. David allait l'obliger à choisir entre sa famille et son devoir. Elle libéra sèchement son bras.

— Un instant, docteur ! David se trompe ; je n'ai pas du tout changé d'avis.

Le jeune médecin se retourna, l'air interrogateur. Lucie regarda son frère.

— Lucie, ne fais pas ça. Je te préviens !

— David, je n'ai pas d'ordres à recevoir de toi. Je suis

désolée que tu me désapprouves, mais ne t'avise plus jamais de parler en mon nom.

Furieux, David tourna les talons sans un mot et quitta la pièce en trombe.

Lucie le regarda s'éloigner en sentant son cœur se briser.

Puis elle se tourna vers le médecin du fort et le suivit dans le bureau du commandant de la garnison. Là, elle négocia la libération des trois chefs, afin qu'ils puissent s'occuper des leurs et enquêter sur le meurtre. Le jeune docteur enfonça diplomatiquement le clou en faisant remarquer qu'en leur absence les ranches à whisky clandestins, installés juste aux limites des réserves, prospéraient. Les jeunes hommes, démoralisés et malades d'ennui, allaient jusqu'à échanger leurs rations de nourriture contre du mauvais alcool.

— Je suis bien certaine, major, appuya Lucie, qu'avoir des Indiens soûls dans les réserves représente une menace bien plus certaine que d'avoir ces trois hommes en liberté.

— Ces maudits ranches à whisky ! grogna le major Reilly. Nous avons à peine le temps d'en faire fermer un, qu'il s'en ouvre un autre ! Et on a toutes les peines du monde à faire expulser ces trafiquants du territoire, car, souvent, ils sont mariés à une squaw ou deux, ce qui leur a permis, en sus, de toucher une prime à l'installation.

Lucie sentit son cœur se glacer. Etait-ce pour cela que Renard-du-Ciel voulait épouser les filles de Chat-Sauvage ? On lui avait parlé de la prime offerte à chaque Indien, homme ou femme, qui accepterait de cultiver la terre. Mais il semblait que les Blancs avaient trouvé le moyen de détourner cette offre-là, a priori généreuse.

Le major Reilly fronça les sourcils.

— Je continue à penser que garder ces trois hommes dans notre cellule est le meilleur moyen de trouver tôt ou tard le meurtrier. Ne vous y trompez pas, toubib, ils savent parfaitement qui a tué ce Carr. Attendez un peu que nous trouvions les flèches et vous verrez !

Lucie vit sa chance s'éloigner. Il lui fallait reprendre la main, et vite.

— Que se passera-t-il, major, demanda-t-elle, l'air de ne pas y toucher, si l'un des chefs meurt dans votre fort ?

Le major Reilly tortilla pensivement le bout de sa moustache jusqu'à en faire une queue de rat, avant de céder.

— Très bien… Mais je viendrai vérifier les progrès de la convalescence d'Aigle-Danseur et de son enquête. Je veux qu'il n'y ait plus aucun Blanc attaqué et tué dans ma zone de responsabilité. C'est bien compris ?

Lucie passa l'heure suivante avec le médecin, à préparer diverses potions et pilules.

— Je pourrais vous donner du laudanum, c'est excellent pour faire cesser la toux, soupira le jeune praticien. Mais c'est impossible. C'est un produit très rare et je ne puis m'en démunir au seul profit des Indiens.

Renard-du-Ciel retira ses fontes de selle de son épaule et alla chercher une petite bourse de peau qu'il lança au médecin. Celui-ci la manqua et de gros dollars d'argent se répandirent sur le sol, comme sortis d'une fontaine de Jouvence.

— Vous pouvez peut-être m'en vendre, à moi, dit-il calmement.

Lucie comprit qu'il jouait sur une certaine ambiguïté. Le docteur devait le prendre pour un Blanc, mais lui, elle le savait bien, ne se sentait pas l'un d'eux.

Le jeune médecin hésita un instant, puis il ramassa les pièces et la bourse.

— Je prends seulement ce que cela coûte pour le remplacer, vous comprenez ? s'excusa-t-il.

Renard-du-Ciel acquiesça. Le docteur ne prit que trois pièces d'argent et remit le reste dans la bourse.

— Je vais préparer un sirop pour la toux, leur dit-il.

Lucie lui sourit, heureuse que le jeune médecin soit plus soucieux de la santé des Indiens qu'il n'y paraissait. Ce n'était pas lui, bien sûr, qui fixait les règles qu'on le forçait à appliquer.

Pendant ce temps, Renard-du-Ciel partit louer un chariot pour Aigle-Danseur. Ils prendraient un bateau qui remontait le Missouri. Ils en descendraient à proximité de Cheyenne River, la plus méridionale des grandes réserves indiennes, et de là, ils continueraient vers le nord, vers la réserve de Standing Rock, d'où venait Aigle-Danseur.

Le temps d'harnacher les mules, le soir tombait déjà. Aigle-Danseur sortit de sa cellule en s'appuyant sur Ours-de-Fer et sur Chat-Sauvage. Ce n'est que lorsque Renard-du-Ciel installa Aigle-Danseur dans la caisse du chariot et l'enveloppa dans une peau de bison que le chef bitterroot reconnut Renard-du-Ciel.

— Toi ! gronda-t-il en lakota.

Renard-du-Ciel se figea, regardant fixement le vieux chef. Lucie sentait la tension entre eux, presque palpable. On lisait la fureur et le meurtre dans les yeux de Chat-Sauvage, et elle se prépara à se jeter à la tête du chef s'il faisait un seul pas en direction de son ennemi. Mais Aigle-Danseur la retint de la main et intervint à sa place.

— Frère, dit-il à Chat-Sauvage, je t'ai parlé de lui. Tu te souviens ? Il est prêt à épouser tes filles.

L'autre chef répondit en phrases hachées, lourdes de colère.

— D'abord, il tue mon fils. Et maintenant, il veut mes filles, en plus ?

Lucie lança un regard de côté en direction de Renard-du-Ciel. Il se tenait immobile, pâle comme un condamné à mort.

# Chapitre 12

Aigle-Danseur s'agrippa au bras de Chat-Sauvage sans lâcher la main de Lucie. Renard-du-Ciel n'osait pas même croiser son regard. Il avait l'impression que son chagrin et son remords s'écoulaient de lui comme le sang d'une blessure. Toute sa vie d'adulte, il avait attendu et redouté ce moment.

Il se préparait à faire face à la colère de Chat-Sauvage et attendait le châtiment qu'il méritait. Aigle-Danseur lui avait déjà sauvé la mise une fois, mais il n'avait pu l'empêcher de traîner sa culpabilité comme un boulet. Elle l'avait rongé tandis qu'il luttait de toutes ses forces pour racheter par ses actions cette vie qu'il avait fauchée en pleine fleur. Il acceptait par avance tout ce que le chef ordonnerait, car Renard-du-Ciel savait bien qu'il n'y avait pas de prix assez fort pour se payer de la vie d'un fils.

Les yeux de Chat-Sauvage étaient chargés de chagrin.

— Je veux savoir ce qu'il a à dire pour sa défense, lui qui s'est enfui pour ne pas être puni, lança-t-il.

— Ce n'était alors qu'un adolescent, plaida Aigle-Danseur. Il ne comptait que quinze hivers.

Renard-du-Ciel leva la main pour l'interrompre. Il ne voulait plus de la protection de son ami. Maintes fois, il avait cherché à imaginer ce qui se serait passé s'il était resté chez les Sioux, s'il avait assumé ses actes au lieu de fuir comme un lâche.

Chat-Sauvage se mit à souffler comme un bison en colère.

— Il était assez vieux pour tuer mon enfant et fuir comme un lièvre !

Un filet de sueur coulait sur le visage d'Aigle-Danseur. C'est alors que Renard-du-Ciel s'aperçut que la discussion coûtait de grands efforts à son mentor.

— Tu étais fou de douleur, mon frère, soupira le chef. Quelle justice Renard-du-Ciel aurait-il trouvé dans ton cœur blessé ?

Chat-Sauvage pinça les lèvres et ne répondit rien. Aigle-Danseur avait raison : le père de Nuage-Sacré aurait certainement voulu tirer vengeance de la mort de son fils. Eh bien, il en avait l'occasion à présent… Qu'il le fasse !

— Je le porte en moi, dans mon cœur, chaque jour de ma vie. Chaque jour, je pense à la vie que je lui ai prise. Je me demande s'il serait devenu un grand chef, comme son père, s'il aurait aujourd'hui une femme et des enfants. Je ne me suis jamais marié et j'ai fait tout mon possible pour vivre en honorant sa mémoire.

Le regard de Chat-Sauvage se fit lointain. Il détourna les yeux.

— Je donnerais ma vie, avec plaisir, reprit Renard-du-Ciel, si cela pouvait le ramener parmi nous. J'accepte d'avance le châtiment que tu voudras m'infliger, car je sais qu'il n'y en a aucun qui soit à la mesure du crime que j'ai commis.

Un peu de la colère de Chat-Sauvage semblait s'être estompée. Il regardait maintenant Renard-du-Ciel avec étonnement.

Alors, Ours-de-Fer parla. Sa voix, grave et profonde, résonnait, donnant encore plus de poids à ses paroles.

— Il est heureux que la grande boucle de la vie se soit refermée et qu'elle vous ait remis sur le chemin l'un de l'autre, déclara-t-il sur le ton poétique typique des Lakotas. Nous allons en discuter et juger de ce qui doit être fait.

Chat-Sauvage hocha la tête, très raide, puis il alla s'installer sur le siège avant du chariot. Renard-du-Ciel attacha Ceta à la caisse avant d'aider Lucie à y grimper. Elle le regarda comme si elle allait lui dire quelque chose, mais Aigle-Danseur l'appela d'une voix faible. Elle alla s'installer à côté de lui et

Renard-du-Ciel sentit son cœur se serrer. Les grands yeux de Lucie revinrent se poser sur lui. Avait-elle toujours peur d'Aigle-Danseur ? Redoutait-elle de retourner chez les Sioux ? Peut-être pensait-elle que leur chef avait toujours le pouvoir de la garder auprès de lui contre sa volonté. Elle n'avait pas vu, bien sûr, la façon dont il vivait à présent. Lorsqu'elle les avait quittés, les Sioux étaient au zénith de leur nombre et de leur force. Mais la guerre avait fauché beaucoup d'entre eux, la maladie et la famine avaient fait le reste. A présent, la réserve de Standing Rock ne comptait plus qu'un peu moins de deux cents familles et celle de Cheyenne River encore moins que cela, d'après un officier à qui il avait parlé au fort.

Renard-du-Ciel contourna le chariot pour aller s'asseoir lui aussi sur le siège avant. Il remarqua qu'Aigle-Danseur le regardait d'une étrange façon. Ours-de-Fer s'était sagement assis entre lui et Chat-Sauvage. En s'installant, Renard-du-Ciel lança un dernier coup d'œil à Lucie. Une main sur le front de son mari, elle arborait une expression inquiète. Il prit les guides et desserra le frein.

Durant le trajet jusqu'à la rivière, Ours-de-Fer fit une exception à son habitude et le bombarda de questions sur les années qu'il avait passées loin du « Peuple ». Renard-du-Ciel parla du temps où il était dans une famille mormone, de l'école qu'il fréquentait et raconta comment il avait été battu parce qu'il croyait au Grand Esprit. Comment les mormons croyaient que leur religion était la seule bonne et que toutes les autres étaient diaboliques, et à quel point leur foi était incompatible avec celle des Lakotas. Il expliqua aussi comment son cheval Ceta lui avait sauvé la vie, en piétinant de ses sabots un serpent à sonnette qui allait le mordre, ce qui lui avait donné l'idée de capturer des chevaux sauvages afin de les sauver de la remonte des tuniques bleues et de ces passagers du « cheval de fer » qui jugeaient sportif de les tuer en tirant dessus depuis les plates-formes et les vitres du train en marche.

Quand il n'eut plus rien à raconter, Ours-de-Fer hocha la tête et remarqua :

— Il est bon que tu sois revenu parmi ceux qui te comprennent. Tu n'as que peu en commun avec les Wasichus. Comme nous, tu trouves leurs mœurs et leurs croyances étranges.

— C'est vrai, je suis aussi différent d'eux que l'oiseau l'est du renard.

— C'est pourquoi j'ai envoyé mon fils dans leur école, afin qu'il apprenne à les comprendre, dit Ours-de-Fer.

Renard-du-Ciel eut une hésitation. Le chef s'en aperçut et se pencha vers lui.

— Qu'allais-tu dire, frère, parle, je t'en prie !

— Prends garde qu'en apprenant leurs coutumes, il n'oublie pas les tiennes.

— Tu connais cette école ?

Renard-du-Ciel acquiesça silencieusement, puis il regarda Ours-de-Fer droit dans les yeux.

— Ramène-le auprès de toi, si tu le peux.

Ours-de-Fer tira sa couverture sur ses épaules et n'ajouta plus rien. Ils atteignirent la rive du Missouri et embarquèrent à bord d'un bateau à vapeur. Renard-du-Ciel paya leur passage et ils installèrent Aigle-Danseur du mieux qu'ils le purent. Bientôt, un panache de fumée noire s'éleva de la double cheminée et les roues à aube se mirent en branle, faisant vibrer le pont du bateau. Ils commencèrent à remonter le fleuve. Au premier arrêt, un comptoir de vente et débit de whisky à l'entrée de la réserve de Cheyenne River, Chat-Sauvage prit congé.

Comme ils voyageaient avec des Indiens, il n'était pas question qu'ils puissent accéder aux cabines. Alors Lucie enveloppa Aigle-Danseur dans des couvertures et lui administra les médicaments qu'elle avait fait préparer au fort. Le laudanum l'aida à s'endormir.

Dès que s'allumèrent les premières étoiles, Ours-de-Fer alla s'accouder au bastingage, un peu plus loin, laissant Renard-du-Ciel et Lucie seuls pour la première fois depuis qu'ils avaient quitté le fort.

— Je suis désolé que votre frère ne soit pas venu vous dire au revoir, murmura Renard-du-Ciel.

Lucie hocha la tête.

— Il est très en colère contre moi.

— C'est un enfant. Un homme aurait dépassé ses sentiments pour prendre en considération les vôtres.

Elle l'observa un moment en silence. Le haïssait-elle toujours pour ce qu'il avait fait ?

— Que croyez-vous que Chat-Sauvage va décider ? demanda-t-elle.

— Il a le droit de demander que je sois banni du « Peuple ». A dire vrai, je le suis déjà.

— Mais vous êtes un Blanc ! Il n'a pas le pouvoir de vous punir.

— Non, je n'en suis pas un, répondit-il plus sèchement qu'il ne l'aurait voulu, en haussant le ton.

Il baissa immédiatement les yeux pour voir s'il n'avait pas réveillé Aigle-Danseur, mais son vieil ami ne frémit même pas. Ours-de-Fer avait-il raison quand il disait que la boucle était en train de se boucler ? Renard-du-Ciel était fatigué de cette vie sans joie, sans bonheur véritable. Il releva les yeux et vit le regard inquiet de Lucie posé sur lui.

Troublée, il alla, lui aussi, s'accouder au bastingage et elle le suivit. De là, on pouvait voir les eaux noires du fleuve Missouri et les lumières dorées du bateau se réfléchissant sur ses vaguelettes.

De nouveau, il contempla le beau visage de Lucie. Les mormons avaient-ils raison ? Etait-il damné pour l'éternité pour ce qu'il avait fait ? Ses doigts se crispèrent sur le bastingage et il resta ainsi, les yeux dans le vague, à écouter vaguement la rumeur du bateau, les conversations des passagers par-dessus les bruits de la machine et le clapotis de l'eau sur la coque.

— Renard-du-Ciel ?

Il leva les yeux.

— Que vouliez-vous dire avec cette histoire de ne pas avoir d'enfants ?

Il la regarda attentivement et comprit qu'elle n'avait pas oublié leur nuit ensemble, ni comment elle s'était terminée.

— J'ai décidé, il y a déjà longtemps, que je ne chercherais pas à obtenir ce que mon ami n'a pas pu avoir, par ma faute.

Les lèvres de Lucie se pincèrent.

— Pourtant, vous voulez épouser ses sœurs.

— Si Chat-Sauvage le veut bien, oui.

— A la mémoire de votre ami ou pour toucher la prime à la terre ?

Il fut si éberlué de ce qu'il entendait qu'il ne fit aucun effort pour se défendre.

— C'est vraiment ce que vous pensez ?

— Je pense que vous avez trouvé une façon commode d'apaiser votre conscience, tout en continuant tout de même de vous flageller et en gagnant au passage un ranch pour y élever des chevaux.

Sur ces mots, elle tourna les talons et s'éloigna. Il la suivit des yeux, tout en regrettant de ne pouvoir la poursuivre pour prétendre à ce bonheur, qu'il ne méritait pas.

La remontée de la rivière dura presque toute la nuit. Aigle-Danseur dormait toujours profondément et ne se réveilla que très brièvement, quand on l'installa de nouveau dans la caisse du chariot. Ils débarquèrent et firent un premier arrêt à la résidence de l'agent du Bureau des affaires indiennes.

Renard-du-Ciel lui présenta la lettre du major Reilly, qui l'autorisait à séjourner sur la réserve. L'agent fédéral, un certain Livingston, paraissait prendre sa tâche à cœur.

— Je dois vérifier que votre chariot ne contient pas de whisky, leur dit-il. Il y a un nouveau débit clandestin de l'autre côté de la rivière. Dès que nous en faisons fermer un, un autre ouvre ailleurs. C'est un gouffre sans fin…

Renard-du-Ciel lui amena le chariot et il en inspecta la caisse, où il ne trouva que Lucie et Aigle-Danseur. Renard-du-Ciel l'entendit parler à la jeune femme.

— Mademoiselle ?… Vous… vous êtes blanche ?

— Oui, monsieur.

— Que faites-vous ici, alors ?

Renard-du-Ciel voulut lui présenter de nouveau la lettre du commandant du fort, mais Lucie préféra répondre.

— J'en ai reçu l'autorisation, moi aussi. Je suis Lucie West, l'épouse d'Aigle-Danseur.

Livingston, qui était en train de regarder sous l'essieu, se releva et la dévisagea, l'œil rond.

— Mariée ? demanda-t-il, abasourdi.

Elle acquiesça.

— Ça alors, c'est la première fois que je vois ça. Il y a beaucoup d'hommes qui épousent des squaws, à cause de la prime à la terre. Mais dans l'autre sens, ça ne s'est jamais vu !

Lucie lança un regard accusateur en direction de Renard-du-Ciel.

— Et vous pensez rester ici ? ajouta l'officier.

Un lourd silence s'installa, si bien que Livingston dut répéter :

— M'dame, vous comptez rester ici longtemps ?

Le silence s'éternisa, pesant.

— M'dame ?

— Je suis venu soigner mon mari. Il a une pneumonie.

— Très bien. Je vous autorise pour une période de quelques jours. Je verrai s'il faut la renouveler. Vous comprenez, ici, normalement, il ne doit y avoir que des Indiens… Je ne sais pas si vous pourrez rester longtemps…

Il jeta un coup d'œil furtif vers Renard-du-Ciel et les deux chefs.

— Vous êtes bien sûre que personne ne vous force, n'est-ce pas ?

Lucie ne répondit pas. Livingston, depuis une minute, regardait fixement son tatouage. Renard-du-Ciel s'en aperçut et grogna :

— Elle a déjà répondu à cette question !

— Ce n'est pas à vous que je parle.

L'agent fédéral se tourna vers Lucie, sa voix passant de l'irritation à un doux murmure.

— Madame ?

— Non, personne ne me force.

— Je viendrai vous voir…

Il s'écarta et leur fit signe qu'ils pouvaient passer. Renard-du-Ciel fit claquer ses rênes et le chariot s'ébranla.

Aigle-Danseur avait dormi tranquillement jusque-là, mais au moment où ils atteignirent sa petite maison une nouvelle quinte de toux le plia en deux tandis qu'il crachait de nouveau du sang.

— Tu as vu ? dit-il à Lucie une fois la quinte passée. J'ai une belle maison d'homme blanc, à présent. Tu n'auras plus à tanner des peaux ou à déplacer le tipi. C'est comme la maison de tes parents, n'est-ce pas ?

Renard-du-Ciel remarqua que Lucie détournait les yeux. Son père était un homme puissant et riche d'après ce qu'il avait appris à l'école. C'était M. Bloom qui le lui avait dit, lui-même le tenant de Mme Fetterer. Elle avait d'ailleurs mentionné que le président des Etats-Unis lui-même connaissait son père devant Renard-du-Ciel. Si tout cela était vrai, la maison d'Aigle-Danseur n'était probablement qu'une bicoque à côté de la sienne. Il attendit sa réponse avec curiosité.

— C'est très joli, dit-elle.

Aigle-Danseur se tourna vers Ours-de-Fer.

— Appelle mon neveu et dis-lui qu'il peut venir, il n'a rien à craindre.

Ours-de-Fer marcha vers la porte, l'ouvrit et poussa un sifflement perçant. Quelques minutes plus tard, l'adolescent apparaissait.

Renard-du-Ciel le vit inspecter la pièce du regard, noter avec surprise la présence d'Ours-de-Fer, puis sourire quand il s'aperçut que Lucie aidait son oncle à se mettre au lit. Puis le regard de l'adolescent tomba sur lui et son sourire disparut instantanément. Instinctivement, il lança un coup d'œil en direction de son oncle, comme pour demander sa protection de nouveau, puis ses yeux revinrent se poser sur Renard-du-Ciel. Il était visiblement nerveux. Etait-ce parce qu'il y avait eu un témoin de son humiliation par le dénommé Carr ou bien parce que Sans-Mocassins l'avait tué ?

Renard-du-Ciel devinait de la honte dans les yeux du jeune garçon, un sentiment que lui-même connaissait bien. Qu'avait fait Sans-Mocassins depuis la dernière fois qu'il l'avait vu ?

— Ton oncle est rentré, lui dit Ours-de-Fer. Préviens les anciens et va chercher Taureau-Blanc. Dis-lui qu'Aigle-Danseur a la fièvre.

Sans-Mocassins sortit sans piper mot et avec une rapidité stupéfiante, sans même prendre la peine de saluer son oncle.

Renard-du-Ciel et Ours-de-Fer aidèrent Lucie à installer Aigle-Danseur sur une paillasse, près du feu, et elle lui redonna le médicament contre la toux. Son visage était luisant de fièvre et son regard presque vitreux.

— Tu vois cette maison que j'ai construite pour toi ? répéta-t-il.

— Oui, elle est très belle. Repose-toi.

Ses paupières retombèrent presque aussitôt et il sombra dans le sommeil.

Quelques minutes plus tard, Taureau-Blanc, l'homme-médecine, arriva avec une tisane qui fit baisser la fièvre d'Aigle-Danseur. Après cela, il put respirer mieux. Peu à peu, son teint redevint normal. Ce n'est qu'alors que Lucie quitta son chevet, pour un rapide inventaire de ce que recelait la maison. Renard-du-Ciel ne put s'empêcher de ressentir un pincement de jalousie. Comme il aurait aimé qu'elle s'occupe de lui ainsi !

Mais ce bonheur lui était interdit.

Lucie poussa un soupir dépité en découvrant, horrifiée, qu'il n'y avait pratiquement pas de nourriture dans la maison.

— On ne lui a livré aucune ration durant tout le temps où il a été dans le fort des hommes blancs, expliqua l'homme-médecine. Son neveu a vécu comme une veuve, d'un peu de charité, de bas morceaux grappillés ici ou là…

Taureau-Blanc donna ensuite à Lucie des instructions pour qu'elle puisse refaire seule la tisane calmante et promit de revenir le lendemain avec un onguent pour la poitrine d'Aigle-Danseur. Ours-de-Fer les quitta également, en promettant lui aussi de revenir le lendemain.

Lucie et Renard-du-Ciel raccompagnèrent le chef jusqu'à la porte et le regardèrent s'éloigner, côte à côte. Au moment de rentrer, la jeune femme eut comme une hésitation et Renard-du-Ciel crut qu'elle allait lui dire quelque chose. Mais à ce moment précis, Aigle-Danseur toussa un peu. Le temps que Lucie retourne voir comment il allait, il dormait de nouveau profondément.

Renard-du-Ciel descendit les marches du perron, dans la lumière du crépuscule. Il se retourna et regarda Lucie dans la maison, pour essayer de bien fixer ses traits dans son souvenir.

— Où allez-vous ?

— Au Mexique…

Elle descendit les marches dans sa direction.

— Vous ne pouvez pas faire ça. Pas maintenant !

— Pourquoi ? Je vous ai ramenée à votre mari, comme je le lui avais promis. Ma mission est terminée.

Lucie se figea, alors que tout en elle était en révolte. Même si elle était toujours furieuse contre lui, elle ne voulait pas le perdre tout à fait.

— Et que faites-vous de la réponse de Chat-Sauvage ? Vous ne l'attendez pas ?

— Je m'arrêterai à Cheyenne River au passage. S'il le veut, j'emmènerai les sœurs avec moi.

La jalousie se répandit en elle comme une traînée de poudre.

— Renard-du-Ciel, je vous en prie, ne faites pas ça…

— Vous disiez que je devais partir, lui fit-il remarquer d'une voix douce.

— C'était ma colère qui parlait.

Il hocha la tête.

— A présent, c'est votre peur. Je n'ai pas besoin de vous, Lucie, mais lui si.

Du geste il montra Aigle-Danseur, dans la maison.

— Il avait besoin de moi et je suis là. Mais ce n'est pas vraiment pour lui que je suis venue et vous le savez. De toute façon, la question n'est pas là. La question, c'est ce sacrifice que vous voulez vous imposer. Croyez-vous vraiment que Nuage-Sacré serait heureux que vous épousiez ses sœurs, pour lesquelles vous n'avez aucun sentiment, tout cela pour apaiser votre conscience ?

— Ne prononcez pas son nom !

— Il ne le voudrait pas. Personne ne voudrait cela.

— Il ne voulait pas mourir, non plus.

— C'est bien pratique, n'est-ce pas, ce bouclier du devoir derrière lequel vous vous abritez. Cela vous évite d'avoir à faire face à ce qui s'est passé entre nous.

Renard-du-Ciel resta silencieux, observant une dernière fois le regard furieux de Lucie. Il allait tourner les talons pour partir lorsque Aigle-Danseur l'appela d'une voix faible.

Renard-du-Ciel reprit soudain ses esprits. Il ne pouvait partir ainsi, en ne pensant qu'à lui, il ne pouvait abandonner son vieil ami alors qu'il était aux portes de la mort…

Toute la semaine suivante, Lucie fut très occupée et Renard-du-Ciel, pour sa part, évita le plus possible la maison d'Aigle-Danseur.

Un matin, lors de l'une de ses rares visites, Lucie l'observa tandis qu'il coupait du bois pour le chauffage. Il ne lui prêtait pas attention, mais au moins il était là. Sa simple présence apaisait Lucie, car elle savait qu'il était toujours prêt à la protéger.

Elle avait toujours l'intention de prononcer les mots qui la libéreraient de son mariage aussitôt que possible. Mais les choses n'avançaient pas aussi vite qu'elle l'aurait voulu. Lorsque Aigle-Danseur irait vraiment mieux, elle lui dirait la vérité et lui ferait ses adieux. Ce jour-là, à n'en pas douter, Renard-du-Ciel estimerait qu'elle n'avait plus besoin de lui et la quitterait pour toujours. Lucie ne se faisait aucune illusion à ce sujet…

Détournant les yeux de ce spectacle troublant, elle se mit à la recherche de Sans-Mocassins. Le neveu d'Aigle-Danseur était comme un fantôme, évitant la maison autant que Renard-du-Ciel. Un soir, elle l'avait pourtant trouvé devant le poêle, dévorant avidement un reste de pain de maïs.

Elle avait pu constater par elle-même à quel point les rations de nourriture étaient insuffisantes pour deux et plus encore, évidemment, pour quatre. Une livre et demie de bœuf de la plus piètre qualité, une demie d'un mauvais maïs vert et une demie de farine grumeleuse par jour, voilà qui faisait la base d'un menu bien monotone.

Renard-du-Ciel avait acheté, en plus, du bon bœuf, du

bacon, du café et des haricots, mais la plupart des Sioux ne pouvaient faire autrement que de vivre sur les pauvres denrées allouées par le gouvernement.

Aujourd'hui, Taureau-Blanc était venu visiter Aigle-Danseur, s'assurer de sa convalescence et lui apporter des nouvelles de son peuple. Quand il eut quitté la maison, Aigle-Danseur demanda à Lucie d'appeler Renard-du-Ciel, car il avait à lui parler. Celui-ci passait en effet le plus clair de son temps au-dehors et ne revenait qu'au moment des repas. Le plus souvent, il dormait même à l'extérieur de la maison. Mais bien sûr, dès que Lucie l'eut prévenu, il se rendit immédiatement au chevet de son ami.

Aigle-Danseur attendit qu'il soit assis à côté de lui sur la peau de bison avant de parler. Un peu plus loin, Lucie égouttait sans bruit le maïs et le mélangeait aux haricots et à un reste de bœuf, dans un ragoût.

— Aujourd'hui, dit le chef, Taureau-Blanc m'a annoncé que Chat-Sauvage avait accepté ton offre de mariage.

Lucie se figea en entendant ces mots.

— Il amènera ses filles ici pour que tu les rencontres. Si elles t'acceptent pour mari, alors il donnera son consentement.

— Quelle dot veut-il ?

— Comme il ne peut plus posséder de chevaux, il demande des vivres : une vache, cinq livres de café et deux de sucre. C'est beaucoup, mais il te demande de te souvenir que tu es en dette envers lui et que tu y gagneras deux épouses.

Lucie se mit en marche comme un automate. Sans même s'en apercevoir, elle se trouva devant eux. Renard-du-Ciel leva les yeux vers elle tout en répondant à Aigle-Danseur :

— Je serai heureux de les rencontrer.

Son ami sourit et leva lui aussi les yeux vers Lucie.

— Sans-Mocassins me dit qu'ils sont en route et arriveront aujourd'hui. Tu as du café et du sucre à leur offrir ?

Sans répondre, elle fixa Renard-du-Ciel. Il n'allait tout de même pas épouser des femmes qu'il connaissait à peine !

— Rayon-de-Soleil ?

Elle sursauta et se tourna vers son époux, l'air un peu hagard, comme s'il la tirait d'un mauvais rêve. Surpris, le chef regarda successivement son ami et son épouse, qui tourna les talons et retourna vers le coin cuisine.

— Oui, j'ai du café et du sucre brun.

Leurs visiteurs arrivèrent peu après. Les femmes portaient des chemisiers de couleur, l'une pêche, l'autre bleu ciel. Leurs jupes longues dissimulaient leurs silhouettes amaigries par les privations, ce qui ne diminuait toutefois pas leur charme. Elles étaient toutes deux plus jeunes que Renard-du-Ciel, mais ne le paraissaient pas, le malheur les ayant probablement fait mûrir avant l'âge. Lucie les détesta dès qu'elle les vit. Il lui fallut toute sa force d'âme pour ne pas leur lancer sa cafetière à la tête ou les chasser hors de chez elle.

Seulement, elle n'était pas chez elle. Elle, elle n'aurait jamais de chez-elle d'ailleurs. Et rien n'empêcherait jamais non plus Renard-du-Ciel de faire ce qu'il avait promis. Il allait les épouser toutes les deux, imitant en cela de nombreux blancs, mariés à des squaws pour pouvoir profiter, abusivement, de la prime à la terre accordée aux Indiens qui acceptaient de devenir agriculteurs.

Elle l'observa tandis qu'il s'entretenait poliment avec les deux femmes. Il paraissait fort raide et ne parlait que très peu. Lucie se sentait nauséeuse. Son café avait un goût de cendres et elle posa la tasse de côté.

Après ce qui lui parut une éternité, Renard-du-Ciel les raccompagna au bateau, leur ayant proposé de payer leur passage afin qu'ils n'aient pas à faire le long voyage de retour à cheval. Chat-Sauvage ne lui avait pas parlé directement de tout l'après-midi, mais il accepta de s'asseoir à côté de lui sur le siège avant du chariot.

Ils partirent tous après le dîner. Plus tard, Lucie alla discrètement vérifier si Renard-du-Ciel occupait son couchage habituel. Vide… Et à minuit, il n'était toujours pas rentré.

Lucie savait qu'Aigle-Danseur voulait profiter de l'absence de son ami pour passer un peu de temps seul avec elle et elle le redoutait. Elle ignorait ce qu'il voulait exactement, mais avait bien l'intention de lui dire qu'elle ne resterait pas chez lui. Toutefois, fatigué par la maladie et assommé par les médicaments, il s'endormit tout de suite après le souper. Demain, se promit-elle. Elle dirait tout à Aigle-Danseur le lendemain.

A son réveil, Renard-du-Ciel était revenu et il arborait un large sourire, ce qui ne présageait rien de bon pour elle. Sans-Mocassins apparut aussi vite que si elle avait agité une cloche pour l'appeler à manger et elle prépara le petit déjeuner, en prenant soin de faire trop cuire les petits pains qu'elle servirait à Renard-du-Ciel.

Elle les déposa devant lui en le défiant du regard de faire la moindre remarque. Mais il en prit une large bouchée, sans la quitter des yeux. Les lèvres pincées, Lucie s'éloigna, furieuse de le voir repousser la perche qu'elle lui tendait. Qu'il aille au diable ! Il n'avait qu'à gâcher sa vie s'il le voulait, c'était son affaire…

Lucie était assez honnête avec elle-même pour admettre que Renard-du-Ciel comptait beaucoup pour elle, mais pas assez folle pour s'accrocher à un homme qui ne voulait pas d'elle… A moins qu'elle ne puisse le contrôler…

Le sol parut se dérober sous ses pieds tandis qu'elle prenait conscience que la raison n'avait rien à voir dans tout cela.

Renard-du-Ciel ne comptait pas pour elle comme un ami... elle était amoureuse de lui.

Instinctivement, elle porta sa main devant sa bouche pour qu'il ne voie pas son expression d'effarement. Elle l'aimait. Elle aimait cet homme solitaire et écorché.

Lucie était si abasourdie par cette découverte qu'elle n'entendit pas les sabots des chevaux au-dehors. Mais Sans-Mocassins, lui, était plus attentif. Immédiatement, il se rua vers l'arrière de la maison et se glissa au-dehors.

Il fallut aider Aigle-Danseur à se lever, mais il tint à marcher vers la porte sans assistance. Il y avait là, encore en selle devant le perron, le major Reilly et un détachement de soldats, ainsi que M. Livingston, l'agent des Affaires indiennes. David, sur son cheval bai, se tenait à côté de son supérieur et il regardait Lucie avec une telle fureur qu'elle s'en sentit glacée. Elle mit néanmoins un point d'honneur à se tenir à côté d'Aigle-Danseur.

— Madame, lui dit le major Reilly, voudriez-vous être assez aimable pour traduire ? Notre interprète habituel n'était... pas disponible.

— Vous voulez dire qu'il est soûl ? intervint Renard-du-Ciel d'une voix calme et tranquille. De toute manière, c'est à peine s'il sait trois mots de lakota. J'ai pu m'en apercevoir...

— Raison de plus pour que madame traduise, répondit le major.

Il se tenait face à Aigle-Danseur, mais ne semblait pas disposé à mettre pied à terre. Lucie avait un mauvais pressentiment. Ces militaires étaient-ils venus arrêter de nouveau le chef du clan des Sweetwater ?

— Nous n'avons fait aucun progrès dans cette histoire de meurtre, commenta l'officier. Aigle-Danseur n'a pas trouvé le coupable, il ne nous l'a pas livré, comme il l'avait promis.

— Il est toujours très malade, expliqua Lucie pour le défendre.

— Veuillez traduire, s'il vous plaît.

Elle s'exécuta.

— En conséquence, nous allons cesser de distribuer des vivres aux membres du clan des Sweetwater et de celui des Bitterroot, dans les deux réserves, jusqu'à ce que le meurtrier nous soit livré.

Lucie eut un sursaut horrifié et Renard-du-Ciel serra les poings. Elle répéta le message.

Aigle-Danseur demeura impavide en l'écoutant, mais elle remarqua qu'un muscle tressautait au-dessus de sa mâchoire.

— Nous ne savons pas qui a fait ça, répondit-il.

Lucie traduisit.

— Si vous voulez vos rations, dites-nous lequel de vos braves est le meurtrier.

— Cette nourriture nous a été promise par le grand-père de Washington.

Lucie traduisit encore ses paroles.

— Et vous, vous avez promis d'observer nos lois. Un meurtre a été commis et justice doit être faite…

Le major s'interrompit pour laisser à Lucie le temps de traduire avant de conclure :

— Plus de rations à partir de demain matin. La chasse reste interdite en dehors, comme dans la réserve. Si vous voulez éviter les privations, c'est simple : nous reviendrons demain matin chercher le coupable et la distribution de vivres reprendra comme par le passé.

— Vous allez tuer nos femmes et nos vieillards !

Lucie traduisit mais le major ne l'écouta même pas et donna à ses hommes l'ordre de tourner bride. Ils s'éloignèrent, laissant derrière eux un fin nuage de poussière.

# Chapitre 13

Une fois le major et ses hommes partis, Renard-du-Ciel suivit la trace de Sans-Mocassins jusqu'à sa cachette près de la rivière.

Lorsqu'il trouva le jeune garçon, il s'installa près de lui. Il allait lui parler sans détour de ses soupçons quand le garçon le surprit en lui faisant part des siens.

— Pourquoi est-ce que tu cours après la femme de mon oncle ?

Renard-du-Ciel se figea et sentit autour de lui comme un courant d'air glacé. Si c'était si évident pour un adolescent, ne l'était-ce pas a fortiori pour un homme adulte, intelligent et sage, comme Aigle-Danseur ? Il ne voulait pas lui faire de peine et n'avait pas l'intention…

— Je ne cours pas après elle.

— Je le vois dans tes yeux, quand tu la regardes. Je sais que j'ai raison.

— Je ne suis pas venu te parler de Rayon-de-Soleil, mais de cet homme sur qui j'ai tiré pour te défendre.

Sans-Mocassins détourna son regard.

— Je n'ai rien dit aux tuniques bleues, mais il faut que je sache. Après mon départ, es-tu retourné sur les lieux où cela s'était passé ?

Le garçon hocha la tête. Une seule fois.

— Seul ?

Cette fois, il la secoua.

— Tu as tué cet homme ?

Sans-Mocassins releva la tête. Des larmes roulaient sur ses joues.

— Ils ont tiré des flèches, mais c'est mon coup de bâton qui l'a tué.

— Qui a tiré des flèches ?

— Cheval-qui-rue, Eclair-Rouge et Serpent-d'Eau.

— Des Sweetwater ?

Sans-Mocassins acquiesça.

— Plus jeunes ou plus âgés que toi ?

— Ils comptent seize ou dix-sept hivers, si bien qu'ils ne sont plus obligés d'aller à l'école.

Le garçon soupira.

— J'ai brisé le bâton de commandement de mon oncle.

— Où est-il, ce bâton ?

— Je l'ai bien caché.

— Loin d'ici ?

Sans-Mocassins secoua la tête.

— Montre-moi.

Il le suivit au fond d'une ravine. Le garçon s'agenouilla devant un terrier de lapin et fourragea dedans à l'aide d'un bâton, au cas où un serpent y aurait trouvé refuge. Il ramena au jour un objet enveloppé dans des feuilles nouées. Il défit le paquet improvisé et montra le casse-tête traditionnel, insigne de commandement des chefs de guerre.

Renard-du-Ciel le prit en main. Il n'eut aucun mal à retrouver les traces de sang séché sur la pointe du casse-tête et sur les cercles de cuivre cloués sur le gourdin. Le garçon avait tué un homme et s'était du même coup retrouvé dans une situation quasi inextricable. Un véritable nid de frelons.

— Tu vas le dire à mon oncle ?

— Non.

— Mais il n'y aura plus de nourriture, à cause de moi.

Il avait donc entendu les paroles de l'officier. Renard-du-Ciel regarda pensivement l'adolescent accablé. Il ne pouvait s'empêcher de superposer à cette image celle d'un autre garçon, défait par une responsabilité trop lourde pour lui et incapable d'y faire face… Il n'y avait guère de doute que Reilly voudrait faire des garçons un exemple et les condamnerait lourdement. Irait-il jusqu'à les faire pendre ? Il fallait le redouter.

Sans-Mocassins se tenait toujours devant lui, le visage à présent plein de détermination, même s'il était clair qu'il ne savait pas très bien ce qu'il devait faire.

— Je vais me rendre.

Exactement les mêmes mots que ceux que Renard-du-Ciel avait prononcés, bien des années plus tôt. Un frisson parcourut son échine et il eut l'étrange sentiment qu'il pouvait voir la grande boucle de la tradition lakota se fermer enfin pour ramener l'harmonie de l'univers.

— Non. Laisse-moi en parler à ton oncle. C'est aux anciens de prendre la décision.

Sans-Mocassins exprima son accord en acquiesçant silencieusement.

Mais Renard-du-Ciel savait parfaitement ce qu'il avait à faire. En fin de compte, le Grand Esprit ne l'avait pas fait revenir pour Lucie ni pour épouser les deux sœurs…

Aigle-Danseur passa la journée à recevoir les anciens du clan au sujet des rations de nourriture et, le matin suivant, Lucie entendit le murmure de nombreuses voix autour de la maison. C'était la tribu tout entière, venue assister aux délibérations de leurs représentants avec les tuniques bleues.

Renard-du-Ciel n'était pas parmi eux et Lucie redoutait qu'il soit reparti voir les deux sœurs. Toutefois, elle en doutait car il était peu probable qu'il laisse son vieil ami se débrouiller seul avec les soldats.

Elle quitta cette bruyante assemblée pour aller chercher de l'eau à la rivière et elle y trouva Renard-du-Ciel, qui l'attendait visiblement. A sa vue, le cœur de Lucie se mit à battre plus vite et un frisson d'excitation la parcourut tout entière. Il l'attendait dans cet endroit secret, c'était presque déjà un rendez-vous. Mais son plaisir retomba vite, lorsqu'elle vit son visage grave.

Elle se força à ne pas lui montrer son angoisse, mais sa main serrait très fort l'anse de son seau, tandis qu'elle attendait qu'il parle.

— Lucie, je suis venu vous dire au revoir.

Les mots la frappèrent aussi sûrement que s'il l'avait giflée. Comment pouvait-il penser à la laisser, alors que les soldats allaient venir d'une minute à l'autre ? Se moquait-il de ce qu'il allait advenir de ce peuple, qu'il prétendait tant aimer ?

Pourtant, ce n'était pas pour cela qu'elle voulait qu'il reste, et elle le savait parfaitement. Elle aurait fait n'importe quoi pour le garder près d'elle.

— Aigle-Danseur a besoin de vous.

Renard-du-Ciel hocha la tête.

— Avant qu'ils n'arrivent, j'ai besoin de vous dire, vous comprenez… C'est la seule façon pour moi d'expier ce que j'ai fait et de donner enfin un sens à ma vie.

C'était donc ça, il allait épouser les deux sœurs, quelles que soient les conséquences pour lui.

Elle lui tourna vivement le dos, pour qu'il ne voie pas son cœur se briser comme de la glace. La gorge de Lucie la brûlait atrocement. Pourquoi donc s'était-elle mis dans la tête qu'il était différent des autres ? Pourquoi avoir cru qu'il pouvait voir au-delà des apparences et l'aimer pour ce qu'elle était vraiment ?

Elle refoula ses larmes, commençant à se résigner à la terrible vérité : son amour était à sens unique. Il ne l'aimait pas. Il fallait oublier tout ce qu'il lui avait dit, tout l'espoir qu'elle avait placé en lui.

Le cœur en miettes, elle réalisa qu'elle se conduisait exactement comme Aigle-Danseur ; elle avait essayé de garder Renard-du-Ciel contre sa volonté, de le forcer à éprouver des sentiments qui n'étaient pas les siens. C'était une torture bien cruelle que de constater à quel point son attitude ressemblait à celle de son époux.

Mais elle n'allait pas continuer à se conduire comme lui.

Elle se tint très droite, se forçant à conserver une expression parfaitement neutre sur son visage, et se tourna de nouveau vers lui. Toutefois elle évita de croiser son regard.

— Très bien, rejoignez-les, alors. J'espère qu'elles vous rendront heureux…

— Comment ?

— Les deux filles de Chat-Sauvage. J'espère que vous serez heureux avec elles. Et je suis désolée pour les choses cruelles que j'ai pu vous dire. Vous suivez ce que votre cœur vous dicte, après tout.

Il la regarda, dans un silence médusé. Incapable de supporter plus longtemps ce face-à-face, Lucie tourna les talons, espérant que ses jambes la supporteraient jusqu'à la maison.

— Lucie, attendez ! Vous ne comprenez pas !

Elle continua son chemin sans s'arrêter. Lorsqu'elle fut parvenue en haut de la butte qui surplombait la rivière, ses larmes coulaient sans interruption et elle ne voyait pas même où elle allait. Tout ce qu'elle savait, c'était qu'il fallait qu'elle s'éloigne de Renard-du-Ciel. Mais sa voix la poursuivait, toute proche à présent.

— Lucie, écoutez-moi…

Elle se heurta à quelque chose. Non, à quelqu'un. C'était Aigle-Danseur. Il la saisit par le bras, sans parler, regarda longuement son visage battu de larmes, puis la silhouette de Renard-du-Ciel, derrière elle. Lucie baissa la tête et elle s'écarta, laissant les deux hommes derrière elle.

*
* *

Lorsque Lucie atteignit la maison, elle aperçut au loin le nuage de poussière qui annonçait l'arrivée du détachement de cavalerie. Ours-de-Fer et Taureau-Blanc se tenaient déjà au milieu des anciens, l'air grave. Sans doute était-ce pour cela qu'Aigle-Danseur était sorti, pour la prévenir que les soldats arrivaient. Les femmes se serraient peureusement les unes contre les autres. Elles savaient d'expérience de quoi la cavalerie était capable et Lucie était consciente, elle aussi, qu'elles avaient des raisons d'avoir peur.

Tous attendaient ce que l'armée allait faire, solidaires et désarmés, aussi inoffensifs que des moutons qui attendraient le couteau du berger, mais fiers et dignes. Lucie alla se placer au milieu des femmes, derrière les rangs des hommes.

Le major Reilly arrêta son cheval noir juste devant les anciens. Il avait emmené avec lui une force nombreuse, en dépit des traités qui voulaient que seules les milices indiennes puissent patrouiller dans les réserves. Leurs hommes étaient bien là, en effet, mais derrière les cavaliers et les fantassins qui composaient l'important détachement militaire.

— Etes-vous prêts à me livrer le responsable du meurtre ? lança le major d'une voix forte, habituée au commandement.

Certaines femmes, autour de Lucie, frémirent et crièrent de peur en entendant ce véritable aboiement.

Cette fois, il avait emmené son interprète avec lui. L'homme descendit de cheval en vacillant, récupérant difficilement de sa beuverie de la veille. Lucie était prête à intervenir s'il traduisait de travers, mais les mots qu'il prononça étaient bien ceux de l'officier.

Aigle-Danseur, qui était revenu se placer parmi les chefs, ne fit pas un geste. Beau et fier, il arborait la tenue traditionnelle : des guêtres en peau de bison, une tunique de guerre, une seule plume d'aigle sacré dans sa chevelure. Il était drapé dans une couverture rouge attachée à l'une de ses longues tresses. Tout le groupe de Sioux gardait un très impressionnant silence. Enfin, Aigle-Danseur parla.

— Cet homme blanc a été tué loin de nos terres et sans que nous en ayons connaissance. Vous nous punissez pour un crime que nous n'avons pas commis. En faisant cela, vous rompez votre propre traité et trahissez la parole du grand-père, à Washington. Et vous venez sur la terre des Lakotas prendre ce que nous ne pouvons vous donner.

L'interprète traduisit assez fidèlement, à part qu'il dit « le Président » au lieu du grand-père et « la réserve » au lieu de la terre des Lakotas.

— Ceci va peut-être vous faire réfléchir, dit le major, appuyé au pommeau de sa selle.

Il se tourna à demi vers un homme du détachement.

— Sergent, apportez les flèches !

Un sous-officier s'empressa de le rejoindre, un sac de toile à la main.

— Montrez-leur, ordonna le major.

Le sergent vint se camper devant Aigle-Danseur et ouvrit le sac, qui contenait plusieurs flèches.

— On les a retirées du corps, dit le major. C'est le directeur de l'école qui me les a fait apporter. Vous voulez vraiment me faire croire, à présent, que vous ne savez pas qui a fait ça ?

Aigle-Danseur se pencha brièvement sur les marques, puis il se redressa. Un peu trop vite… Il savait… Lucie était certaine qu'il avait reconnu les marques distinctives. Son visage demeurait impassible mais, du coin de l'œil, il semblait chercher instinctivement un appui. D'autres avaient également reconnu les flèches et leurs expressions les trahissaient plus encore.

— Quant à ceci, on l'a retiré de son crâne.

Il montra une pointe taillée, comme celle que l'on fixait au bout des bâtons de commandement. Puis il baissa enfin la voix.

— Vous ne pouvez pas le protéger plus longtemps, chef. Il doit venir avec nous. Nous savons qu'ils étaient au moins trois, mais nous nous contenterons d'un seul. Celui qui a porté le coup avec ceci.

Il remontra la pointe.

L'interprète souffla sa traduction au visage d'Aigle-Danseur et celui-ci se détourna, écœuré.

— Cet homme pue le mauvais whisky, grogna-t-il.

— Il ne dit rien d'important, commenta l'interprète.

C'est alors que Renard-du-Ciel s'avança. Il tenait dans ses mains un bâton de commandement traditionnel qu'il montra au major. Même d'où elle était, Lucie pouvait voir que la pointe en était brisée.

Où l'avait-il pris ? Reilly examina le bâton et essaya d'y apposer la pointe brisée. Puis il leva la tête avec un grand sourire.

— Bon travail, monsieur Renard-du-Ciel. Vous avez trouvé l'arme du crime.

Lucie retenait son souffle, saisie d'un mauvais pressentiment. Un filet de sueur froide lui coulait dans le dos.

Reilly se pencha vers Renard-du-Ciel.

— Vous savez qui est le coupable ? demanda-t-il.

— Oui, répondit tranquillement Renard-du-Ciel. C'est moi.

Le sourire du major Reilly s'effaça instantanément.

— Je l'ai surpris en train de violenter un jeune garçon et je l'ai abattu, acheva Renard-du-Ciel.

Soudain, tout devint clair pour Lucie. C'était cela qu'il avait voulu lui dire à la rivière. Renard-du-Ciel ne l'avait pas rejetée pour épouser les sœurs de Nuage-Sacré. Il avait trouvé un moyen de retrouver son honneur perdu en prenant sur ses épaules un crime qu'il n'avait pas commis.

Elle ouvrit la bouche, mais aucun son n'en sortit.

— Monsieur Renard-du-Ciel, vous rendez-vous compte de ce que vous dites ?

— Oui, je vous dis que je l'ai tué. Je l'ai abattu.

— Non !

La voix de Lucie lui était soudain revenue. Elle courut et se précipita dans les bras de Renard-du-Ciel.

— Non, ne faites pas ça !

— Emparez-vous de cet homme !

Deux soldats mirent immédiatement pied à terre et se saisirent de Renard-du-Ciel tandis que les autres empêchaient Lucie de s'approcher.

— Lucie ! lui cria son frère David sans descendre de son cheval. Tu n'as pas honte ?

Non, elle ne ressentait aucune honte. En revanche, elle éprouvait un immense, un formidable amour pour cet homme qui offrait sa vie pour sauver… pour sauver qui, d'ailleurs ?

Elle lutta de toutes ses forces et il fallut trois hommes pour la contenir. Pendant tout ce temps, Renard-du-Ciel resta immobile et silencieux. Il ne la regarda même pas.

— Laissez-le ! hurlait-elle toujours.

Elle continua à se débattre dans les bras des soldats qui la tenaient, les frappant et se tortillant pour se libérer, tandis que l'on liait les mains de Renard-du-Ciel derrière son dos.

Aigle-Danseur s'approcha de lui et lui parla tout bas. Lucie ne pouvait l'entendre, mais elle comprit la réponse que Renard-du-Ciel lui fit.

— Frère, laisse-moi faire. Je le dois.

Alors, Aigle-Danseur recula et on emmena le prisonnier. Le détachement se préparait à repartir d'où il venait.

— Non ! hurlait toujours Lucie. Ce ne sont pas ses flèches.

Les soldats la lâchèrent, mais leurs camarades avaient déjà jeté Renard-du-Ciel en travers d'un cheval. Lucie se précipita vers Aigle-Danseur.

— Sauve-le, je t'en supplie, implora-t-elle. Il ment. Tu sais qu'il ment. Ce n'est pas lui qui a fait ça.

— Il a pris sa décision, répondit lentement le chef sioux.

Lucie le regarda, désorientée.

— Et tu vas le laisser condamner pour un crime qu'il n'a pas commis ?

Il ne répondit rien. Lucie voulut suivre les soldats qui emmenaient Renard-du-Ciel, mais Aigle-Danseur l'agrippa par le bras.

— Attends, Rayon-de-Soleil, n'y va pas.

Elle le regarda droit dans les yeux et y vit une douleur au moins égale à la sienne. Chacun d'eux avait vu son cœur se briser aujourd'hui. Le chagrin et la compassion flottaient entre eux, presque palpables. Mais sans doute Aigle-Danseur ne voudrait-il pas l'aider, sachant qu'elle en aimait un autre.

— Laisse-moi le suivre, murmura-t-elle.

— J'ai attendu si longtemps pour voir cette lueur dans tes yeux, lui répondit-il, et à présent que je la vois, il faut que ce soit pour un autre homme…

Elle sentit son cœur se fêler, de nouveau.

— Je l'aime, murmura-t-elle, la voix blanche. Aide-moi, je t'en prie.

Aigle-Danseur la lâcha. Quand il parla de nouveau, sa voix était comme éteinte, lui aussi.

— Si c'est ce que tu veux…

Il s'éclaircit la gorge et se tourna vers son peuple. Cette fois, sa voix était ferme et ample…

— Je me sépare de cette femme. Elle n'est plus mon épouse, désormais.

La foule retint un instant son souffle, comme saisie, puis de nombreux murmures montèrent dans le silence.

Lucie resta figée, abasourdie. Elle n'en croyait pas ses oreilles. L'homme qui avait tout fait pour la posséder avait finalement renoncé à elle. Elle pensa à toutes les fois où elle l'avait supplié de la laisser partir. Pourquoi avait-il cédé, enfin… ? Etait-ce parce qu'il savait désormais qu'il ne pourrait l'empêcher de partir ? Elle partirait, ça oui. Avec ou sans sa permission.

Il semblait prendre de l'âge de seconde en seconde. Ses épaules s'affaissèrent et sa bouche prit un pli amer et fatigué. Quand il parla de nouveau, ce fut d'un ton très doux.

— N'est-ce pas la seule chose que tu aies jamais voulue de moi, Rayon-de-Soleil, ta liberté ?

Etranglée par les sanglots, elle ne pouvait répondre et se contenta de hocher la tête. Elle voulut s'éloigner, mais il la retint encore, cette fois avec une grande douceur.

— Dis-moi, Rayon-de-Soleil, pourquoi es-tu revenue ?

— Pour te remercier de m'avoir maintenue en vie toutes ces années et pour te dire que je t'ai pardonné.

Les yeux sombres d'Aigle-Danseur se brouillèrent de larmes.

— Où vas-tu aller, à présent ? murmura-t-il.

C'était une excellente question.

Lucie avait à choisir parmi trois options : soit retourner à l'école et supplier qu'on lui rende son poste, soit retourner chez ses parents, soit partir pour fort Scully et obtenir la libération de Renard-du-Ciel. Mais elle savait que, cette fois, cela ne se passerait pas aussi facilement que pour Aigle-Danseur. Les militaires tenaient leur coupable et ils n'allaient certainement pas se priver de le traduire devant une cour martiale. Les flèches ne lui appartenaient pas, mais le prouver n'aurait que peu de poids devant un tribunal déterminé à faire un exemple. Blanc, il n'en recueillerait que plus d'opprobre encore. Son histoire allait faire sensation. Lucie songea que même la sienne, celle de sa capture, de son esclavage et de son triste mariage, ferait piètre figure, à côté.

Elle ne savait toujours pas quels étaient les sentiments de Renard-du-Ciel à son égard, mais elle savait quels étaient les siens et c'était bien suffisant pour prendre une décision. Elle se rendrait à fort Scully. Mais auparavant, elle trouverait les véritables coupables, car elle ne voulait pas voir un innocent payer à leur place.

La matinée était déjà bien avancée et Lucie n'avait rien fait d'autre que pleurer et boucler ses bagages, pendant qu'Aigle-Danseur était au-dehors à conférer avec les anciens. Quand il revint, il s'annonça de la voix, comme si la maison était un tipi.

Elle n'essaya pas de lui cacher ses yeux rouges et ses joues trempées de larmes. Ils n'étaient que le reflet de son cœur. Elle s'avança pour parler à son ex-mari, espérant qu'il l'aiderait à sauver Renard-du-Ciel.

— Tu sais qui a fait cela, lui dit-elle d'emblée. Le responsable doit se dénoncer.

Aigle-Danseur hocha la tête.

— Est-ce que Renard-du-Ciel t'a parlé de son ami d'enfance ?

— Celui qu'il a tué d'une flèche ? Oui, je vois ce qu'il a voulu faire, mais…

— Ils se sont rejoints dans la grande boucle. Une action complète l'autre et l'efface.

Lucie secoua la tête, en pleine confusion.

— A cause de cette faute de jeunesse, reprit le chef, Renard-du-Ciel a vécu toute sa vie dans la honte et la culpabilité. Jamais il n'a pu se libérer de cette mort en comparaissant devant le conseil des anciens et en acceptant sa punition. Il souffrait d'être responsable de la mort d'un bon garçon, brave et droit.

— C'était une tragédie, mais c'était un accident.

— Je ne voulais pas qu'il meure pour avoir fait cela, mais je n'avais pas compris qu'il souffrirait toutes ces longues années pour ne pas avoir payé sa dette.

Aigle-Danseur secoua la tête.

— Il m'a dit qu'il n'avait plus jamais pris une vie, depuis, même pas pour défendre la sienne. Pourtant, il a survécu à des batailles au pistolet, à des bandits qui voulaient voler le bétail qu'il gardait, à des attaques de Comanches. Comment est-ce possible ?

— Il a eu beaucoup de chance, je suppose.

— Il a recherché la mort en maintes occasions. Il me l'a dit.

Aigle-Danseur resta songeur un long moment, puis il acheva :

— Notre peuple a eu un guerrier qui était à l'épreuve des balles. Il ne pouvait être tué que par l'un des nôtres.

Lucie comprit qu'il parlait du grand chef de guerre que les Blancs appelaient Cheval-Fou.

— Il était protégé par une puissante médecine, car c'était un saint homme, qui donnait sa vie pour les autres. Renard-du-Ciel suit son chemin.

Lucie frissonna. Elle se souvenait avoir eu exactement la même idée.

— Même un saint homme n'est pas obligé de se sacrifier pour protéger un meurtrier…

Elle allait continuer mais Aigle-Danseur leva la main pour l'arrêter. Il marcha vers la porte et appela son neveu, qui parut quelques secondes plus tard.

— Ce garçon ne compte que quatorze hivers, expliqua-t-il, à peu près l'âge de Renard-du-Ciel quand il a tué le fils de Chat-Sauvage.

Lucie le regardait sans comprendre.

— Les flèches appartenaient à trois autres garçons, mais le bâton de commandement qu'il a utilisé pour porter le coup fatal était à moi.

— A toi ?

Lucie regarda successivement Aigle-Danseur, puis Sans-Mocassins. En voyant celui-ci rougir et baisser les yeux, tout à coup, elle comprit.

Il était revenu sur les traces de l'employé de l'école pour se venger de lui. Les trois autres, eux, voulaient simplement goûter à la gloire des batailles qu'ils ne connaîtraient jamais. Celui qui avait tué un garçon de son âge à la suite d'un malheureux accident allait avoir l'occasion d'en sauver quatre. Bien sûr qu'il avait accueilli cette opportunité avec joie !

— Oh mon Dieu ! s'écria-t-elle. Renard-du-Ciel a voulu le sauver !

— Certainement !

Sans-Mocassins baissa plus encore la tête.

— Et aussi les trois autres !

Aigle-Danseur montra deux flèches.

— Cheval-qui-rue et son jeune frère.

Il en ajouta un troisième.

— Et Eclair-Rouge.

Sans-Mocassins releva la tête. Ses yeux étaient brillants de larmes. Aigle-Danseur continua sans quitter le garçon des yeux.

— Mais celui-ci — il le montra — ne sera pas hanté toute sa vie par le remords et la culpabilité, car il va faire comme Renard-du-Ciel et mener une vie qui rachètera son crime.

Le garçon regarda son oncle sans bien comprendre.

— Son chemin ne sera pas celui de l'homme blanc et il ne retournera pas à l'école. Il devra acquérir une autre forme d'éducation. Il sera gardien des rituels, de tous ces rites dont il se souviendra quand ses frères et sœurs auront tout oublié. Comme Renard-du-Ciel, il ne sera jamais un guerrier, mais un saint homme, il chérira notre peuple et le servira.

Sans-Mocassins se redressa, paraissant grandir d'un coup. Il n'avait plus l'air ni honteux, ni défait. Aigle-Danseur lui avait rendu sa dignité en lui offrant un but. Il avait vu ce qu'avait dû endurer Renard-du-Ciel et ne voulait pas faire deux fois la même erreur. Sans-Mocassins aurait son temps de pénitence et son absolution. Ainsi peut-être n'aurait-il pas besoin, lui, de se sacrifier.

Aigle-Danseur prit son neveu par l'épaule.

— Va voir Ours-de-Fer, lui dit-il. Dis-lui que tu voudrais apprendre tout ce qu'il pourra t'enseigner.

Le jeune garçon se précipita vers la porte.

Lucie sentit un nœud se former dans sa gorge et les larmes couler de nouveau sur ses joues.

— Si Renard-du-Ciel dit la vérité, ils tueront les garçons, lui dit Aigle-Danseur, très doucement. Veux-tu aller le rejoindre ?

Elle hocha la tête et le vit serrer les dents, en la regardant avec une telle douleur dans les yeux qu'elle sentit sa poitrine se serrer.

— Je savais qu'une fois que j'aurais ouvert la porte de sa cage mon bel oiseau s'envolerait, dit-il d'une voix blanche.

— Oui. Mais je ne suis pas le seul oiseau en cage. Tu devrais sortir ta nièce de cette école et la ramener auprès des siens.

Il eut l'air surpris.

— C'est toi qui me dis ça, après avoir travaillé là-bas ?

— Elle y est captive, tout comme je l'étais. Ramène-la chez elle.

Elle ramassa son baluchon et les fontes de selle de Renard-du-Ciel, tandis qu'il la regardait faire tristement. Quand elle eut fini, elle lui dit simplement :

— Au revoir.

Il resta silencieux et parfaitement immobile jusqu'à ce qu'elle disparaisse au loin.

Cette fois, Aigle-Danseur ne pouvait plus se réfugier dans le mensonge. Il devait affronter la réalité, et la réalité fouaillait sa chair, comme l'eût fait une lame. Elle ne l'aimait pas, ne l'avait jamais aimé et rien de ce qu'il pourrait dire ou faire n'y changerait quoi que ce soit.

Il regarda, autour de lui, la « maison de Blanc » qu'il avait construite pour elle. Ses quatre murs de planches élevés sur une illusion.

Il alla chercher une lampe à pétrole sur une étagère, l'alluma à l'aide de son briquet, en régla la flamme et resta un instant les yeux dans le vague, dans le halo de lumière dorée, puis il la lança de toutes ses forces contre le mur.

Le verre de lampe explosa et l'huile enflammée incendia immédiatement les fourrures au sol et les couvertures, près du feu. Une épaisse fumée noire s'en dégagea, forçant Aigle-Danseur à battre en retraite. Mais il ne trouva pas la porte, se heurta au mur et tomba au sol à demi étouffé. Alors, quelqu'un le saisit par sa tunique de guerre et le traîna au-dehors. Il put prendre une goulée d'air frais, mais ses yeux le piquaient toujours à cause de la fumée. Il mit un moment avant de pouvoir les rouvrir. C'est alors qu'il découvrit qui l'avait sauvé…

Son neveu, Sans-Mocassins.

# Chapitre 14

Heureusement, Lucie avait pu trouver de quoi payer son passage par bateau dans les fontes de Renard-du-Ciel. Elle avait aussi récupéré son revolver et sa ceinture d'armes, qu'elle avait laissés à la garde de Sans-Mocassins, comme le fidèle Ceta, qu'elle n'était pas sûre de pouvoir maîtriser seule.

A son arrivée au fort, elle apprit que le major Reilly ne voulait pas la recevoir. Elle avait réfléchi à la possibilité de lui dire qui étaient les vrais coupables, mais n'avait pas le courage d'accuser les quatre garçons, alors elle demanda à voir son frère. David la reçut hors du quartier des officiers célibataires, afin de ne pas trop attirer l'attention. Mais au lieu de l'appui qu'elle espérait recevoir de sa part, elle eut droit à une tirade furieuse.

— J'ai télégraphié à papa et maman et, juste après, je leur ai envoyé une longue lettre. Ils savent tout !

Tout petit déjà, il rapportait volontiers. S'il croyait qu'elle allait se décomposer à cette nouvelle, il se trompait lourdement.

— Très bien. Veux-tu m'aider à voir Renard-du-Ciel ?

— Tu cours après celui-là, maintenant ? Et ton mari, le chef peau-rouge ?

— Nous avons rompu notre mariage. Consentement mutuel.

David prit le temps d'absorber cette nouvelle et quand il parla, son ton était nettement moins accusateur.

— Lucie, soupira-t-il, rentre à la maison. Tu n'as rien à faire là.

— Non, David, tu te trompes. Ma place est ici, justement.

Il soupira encore.

— Mais tu ne peux rien pour lui !

— Je peux au moins le voir.

David pinça ses lèvres.

— Bien, je vais voir ce que je peux faire.

Lucie serra furtivement son bras pour le remercier et le laissa retourner à son service. Elle savait pertinemment qu'elle lui rendait la vie difficile, mais elle était déterminée à tout faire pour pouvoir parler à Renard-du-Ciel.

Hélas ! le deuxième jour, Lucie n'avait toujours pas obtenu la permission de le voir. Comme elle avait besoin d'un prétexte pour justifier sa présence au fort, elle décida de proposer ses services au maître tailleur, pour ravauder des uniformes. A ce poste, elle pouvait attendre et observer l'activité de la garnison à loisir, depuis l'atelier où elle travaillait ou bien en arpentant la cour avec une corbeille à linge. Elle savait déjà où se trouvaient les locaux disciplinaires, et elle apprit vite que Renard-du-Ciel y était gardé par des soldats. L'un des hommes, affecté aux cuisines, venait lui apporter ses repas à 13 heures et 20 heures, et la garde était relevée le soir.

Une semaine s'était écoulée ainsi quand Aigle-Danseur arriva au fort, accompagné de l'agent du Bureau des affaires indiennes. Lorsqu'elle l'aperçut, Lucie fut submergée par l'inquiétude. Comment Aigle-Danseur avait-il voyagé jusqu'ici ? Pourvu qu'il ne soit pas venu à pied ! Un tel effort n'aurait pas manqué d'aggraver sa consomption. Mais quel autre moyen avait-il ? Il n'avait pas l'argent pour payer son passage par bateau…

Quand le chef indien traversa la cour, elle remarqua qu'une partie de ses cheveux et de son visage paraissait brûlée, comme s'il était tombé dans le feu. Que s'était-il passé ?

Elle s'avança pour le rejoindre et il ralentit son pas quand il la vit, sans pour autant s'arrêter ou dévier sa trajectoire. Lucie hésita, pas bien sûre de savoir si elle serait bien reçue.

A quoi pouvait-elle s'attendre ? Pouvait-il être son allié, après ce qu'elle lui avait fait ?

Les soldats le fouillèrent avant qu'il ne pénètre dans les locaux disciplinaires. C'est seulement alors qu'une idée traversa l'esprit de Lucie. Aigle-Danseur était-il lui aussi en état d'arrestation ?

Renard-du-Ciel entendit des bruits de bottes. Etrange, il n'était pas encore l'heure de souper. Il se passait sûrement quelque chose d'anormal. Il regarda à travers le guichet de sa porte et vit s'avancer Aigle-Danseur et son escorte.

— T'a-t-on de nouveau arrêté, mon frère ? lui demanda-t-il en lakota.

— Non.

Un des militaires se tourna vers Livingstone.

— Qu'est-ce qu'il dit ?

— Il lui demande s'il a été arrêté, traduisit l'agent des Affaires indiennes.

— Pas encore, grogna le caporal en tripotant la détente de son fusil.

Renard-du-Ciel eut un instant d'hésitation face à son vieil ami. L'attitude de Lucie, au moment de sa propre arrestation, n'avait pu laisser aucun doute quant aux sentiments qu'elle lui portait. Il regrettait de faire de la peine à Aigle-Danseur, tout autant que de ne pas avoir pu expliquer son projet à Lucie.

— Mon frère, commença-t-il, pourras-tu expliquer à Lucie...

Le chef secoua la tête.

— Inutile, elle sait tout.

Renard-du-Ciel en ressentit un profond soulagement. Les mots d'Aigle-Danseur le tiraient d'un terrible tourment.

— Comment as-tu fait, pour la ramener auprès de moi ? lui demanda soudain son ami. Lui as-tu dit que j'étais malade, misérable, en prison... mourant ?

Renard-du-Ciel aurait voulu lui mentir, mais il le respectait bien trop pour cela.

— Au début, elle a refusé de me suivre. Elle a changé d'avis quand elle a su que tu avais été arrêté.

Aigle-Danseur ferma les yeux, comme s'il endurait une terrible torture.

— Qu'est-ce qu'ils disent, maintenant ? demanda le caporal.

— Ils parlent de Lucie West, répondit Livingston.

Le militaire ricana. Renard-du-Ciel serra les poings sur les barreaux de sa cellule. Il se força à maîtriser sa colère et regarda Aigle-Danseur. Le chef du clan des Sweetwater respira profondément et lui dit :

— Nous n'oublierons jamais ce que tu es en train de faire pour nous.

— Je ne fais que rendre la vie que j'ai prise. Ce jour-là, la boucle a été brisée. Il faut la refermer.

— Et là, qu'est-ce qu'ils disent ?

— Il confesse son crime.

— Tu t'occuperas de Lucie ? Rien de tout cela n'est sa faute.

— Il n'y a plus rien que je puisse faire, répondit Aigle-Danseur.

— Comment cela ? demanda Renard-du-Ciel, éberlué.

— J'ai prononcé les mots du divorce. Elle n'est plus ma femme, à présent. Si tu meurs, je pense qu'elle se coupera les cheveux et cela sera un horrible gâchis, car ils sont très beaux.

Renard-du-Ciel sentit ses yeux lui brûler et ne répondit rien.

Lucie poussa un soupir de soulagement quand Aigle-Danseur sortit finalement des locaux disciplinaires. Son visage demeurait rigoureusement impassible, mais cette fois, au lieu de passer son chemin sans s'arrêter, il vint droit vers elle. Livingston était en train de parler avec un officier, si bien qu'il laissa Aigle-Danseur seul avec Lucie.

Ce fut seulement lorsque le chef fut devant elle, que Lucie s'aperçut qu'il avait réellement une brûlure au visage. Elle tressaillit. Mais avant qu'elle ait pu lui demander la moindre explication, il se mit à parler d'une voix pressante.

— On ne m'a pas permis d'entrer, lui dit-il. Il y a deux gardes avec des fusils qui ne le quittent jamais. Qui peut avoir la clé de sa cellule ? Je n'en sais rien. Sans-Mocassins est en route avec Ceta, il t'attendra de l'autre côté de la rivière, sur la terre des Bitterroot. Tu pourras me faire passer un message par n'importe quel membre de notre peuple qui passera par ici.

Livingston les rejoignit, alors même que Lucie venait de comprendre le sens des instructions d'Aigle-Danseur. Il voulait l'aider à sauver Renard-du-Ciel. Elle le regarda avec une immense gratitude, qui grandissait encore davantage à chaque seconde.

— Très bien, chef, dit Livingston. Tu l'as vu. Maintenant, nous devons nous en aller.

Aigle-Danseur acquiesça mais, avant de tourner les talons, il regarda Lucie droit dans les yeux et lui dit très distinctement :

— Souviens-toi du bon tour que nous a joué ta mère.

L'instant d'après, il n'était plus là.

Sa mère ? Qu'avait-il voulu dire ?

Lucie passa en revue tout ce qu'Aigle-Danseur pouvait savoir de Sarah West. Il l'avait rencontrée lorsqu'elle avait visité le camp des Sweetwater, ce fameux jour où Lucie s'était échappée…

Sarah West avait usé d'un stratagème, en effet. Elle avait pris sa place. Les gardes avaient vu une femme blanche entrer dans le tipi et une autre en sortir. Ils n'avaient pas cherché plus loin. Et pourtant…

Mais comment aurait-elle pu en faire autant avec Renard-du-Ciel ?

— Mais je ne peux pas…, commença-t-elle tout haut.

Elle s'arrêta net, s'apercevant que M. Livingston n'était pas loin.

Aigle-Danseur revint vers elle, accompagné d'une femme qui portait dans ses bras un paquet enveloppé de laine rouge. Lucie comprit tout de suite que c'était l'une des filles de Chat-Sauvage, Jolie-Antilope.

— Nous t'avons apporté un pain de maïs, lui dit son ex-mari.

Elle prit le paquet, qui était trop lourd pour n'être que du pain, puis regarda Aigle-Danseur, Jolie-Antilope et Livingston s'éloigner vers le portail du fort. C'était un crève-cœur que de le voir ainsi à pied. Lucie se souvenait du temps où il montait toujours un cheval magnifique et où il était cité, parmi les Sioux, comme un exemple de pouvoir et de virilité. L'élégance et la fierté étaient toujours là, mais le pouvoir avait disparu.

Lucie attendit qu'il ne fût plus en vue pour ouvrir le paquet. Sous le pain de maïs annoncé, elle trouva le revolver de Renard-du-Ciel.

Elle était si stupéfaite par sa découverte qu'elle faillit ne pas voir son frère qui se dirigeait justement vers les locaux disciplinaires. Elle se dépêcha de mettre le paquet dans son panier à linge et se précipita vers lui.

— Où vas-tu, David ?

— Lucie, rentre à la maison, je te l'ai déjà dit. Il n'y a rien de bon pour toi, ici.

Elle se campa devant lui, cherchant à deviner quelle mission il allait accomplir dans les locaux disciplinaires.

— Tu avais promis de parler au major, pour ma demande de droit de visite.

Son frère exhala un lourd soupir et il eut pour elle un regard qui n'était pas exempt de sympathie.

— Il n'a pas droit aux visites, dit-il, je suis désolé. Il est coupable et a reconnu son crime. Il n'est rien que je puisse faire.

Soudain, Lucie sentit son estomac se nouer et elle comprit. Elle agrippa l'impeccable veste d'uniforme de David.

— Quand ?

Il détourna les yeux.

— Samedi. Par pendaison.

Lucie s'effondra à ses pieds, ses jambes refusant soudain de la porter. Il la rattrapa de justesse.

— Ah bon Dieu ! Caporal, venez m'aider !

Mais Lucie se remit sur pied aussitôt, refusant d'un geste de la main l'aide des soldats qui se précipitaient.

— Il faut que tu me laisses le voir, plaida-t-elle. Je dois lui dire adieu.

— Il n'en est pas question.

— Et si je promets de partir, ensuite ?

— Tu ferais ça ? Tu rentrerais la maison ?

— Je… Je ne veux pas y retourner.

Le visage de David se ferma. Sa sœur connaissait cette expression et savait que, d'une minute à l'autre, il pouvait se montrer intraitable. Elle se jeta à l'eau.

— D'accord, j'irai, je le jure. Mais je dois le voir… Je veux lui apporter… un peu de réconfort. C'est possible ?

Les yeux de David s'étrécirent comme s'il voyait clairement dans son jeu. Ce devait être le cas. Il la connaissait trop bien.

— Je vais en parler au major. Mais, Lucie, je préfère te prévenir : tu seras fouillée à l'entrée de la cellule…

Elle essaya de feindre l'indifférence, mais il ne s'y laissa pas prendre.

— J'essaie simplement de te protéger, tu sais…

Elle hocha la tête.

— Merci, petit frère.

Sarah West avait souvent raconté à sa fille qu'elle n'avait pas prémédité de la faire évader, mais qu'elle avait simplement saisi au vol l'occasion qui s'était présentée. Mais Lucie, elle, n'avait pas trop confiance dans l'improvisation et, jusqu'ici, la chance ne lui avait guère souri, du moins jusqu'au moment où Renard-du-Ciel était apparu, porteur du message qui avait changé sa vie.

Elle s'avançait vers la porte des locaux disciplinaires en serrant dans sa main un laissez-passer signé de la main du major Reilly. David avait tenu parole et lui avait finalement ouvert l'accès des locaux disciplinaires de la garnison. Elle avait apporté avec elle une bible et une grosse tarte aux pommes.

Elle avait pris soin de vérifier les noms des soldats qui seraient de garde en cette fin d'après-midi : Pritchard et Fink. Ce dernier était plus grand et plus large que son acolyte, sa taille approchait de celle de Renard-du-Ciel.

Lorsqu'elle arriva devant la cellule, Fink portait la clé de la serrure bien en vue, accrochée à sa ceinture. Pritchard manipula nerveusement son fusil, tandis que Fink examinait le laissez-passer qu'elle lui avait donné. Puis il inspecta Lucie des pieds à la tête. David lui avait dit qu'elle serait fouillée et le major Reilly le lui avait confirmé. Elle appréhendait cette épreuve.

— Pas d'armes ?

— Bien sûr que non !

Elle se félicita de ne pas avoir emporté son couteau à dépouiller, cette fois.

— Et sous ces jupons, là ?

Le menton fièrement levé, elle lui lança un regard dédaigneux.

— J'ai dit : non.

Il paraissait tenté de vérifier, mais se contenta de lui ordonner de faire un tour sur elle-même. Pendant qu'elle s'exécutait, il colla son nez sur la serviette qui couvrait la tarte. Puis il tira son couteau, coupa la tarte en deux, puis en quatre. Enfin, il en préleva une part et la plaça sur un morceau de tissu. Il garda les trois quarts de la tarte pour lui en faisant un clin d'œil à Lucie.

— Je vais vérifier qu'il n'y a pas d'armes, là-dedans.

— Bien sûr ! répondit-elle, pleine d'ironie.

Elle couvrit le morceau et ajouta sur le même ton :

— Il n'a même pas d'assiette pour la manger ni de couverts…

— Il n'aura qu'à la déguster avec ses doigts, ce vaurien, grogna le geôlier. Je lui réglerais bien son compte moi-même !

Pritchard regarda Lucie, puis son camarade, et se mit à rougir. Aussitôt, elle décida qu'elle préférait avoir affaire à lui.

— Soldat Pritchard, pourriez-vous me trouver une assiette, s'il vous plaît ?

Pritchard allait obéir, mais Fink le retint.

— Il ne bouge pas d'ici.

Lucie accepta sa défaite en souriant. Cet homme était son seul véritable adversaire. Elle devait en tenir compte.

— Très bien alors. Je suis prête.

Fink déverrouilla la porte sans toutefois l'ouvrir.

— Faut que ce soit vous qui l'ouvriez. Nous, on doit garder les mains sur nos armes, expliqua-t-il.

Lucie dut jongler quelque peu avec la tarte pour y parvenir. Elle pénétra dans un petit couloir qui donnait sur trois cellules, toutes du même côté.

— La dernière, dit Fink, la bouche pleine de tarte.

Elle s'avança dans le boyau obscur avec précaution.

— C'est plutôt sombre, non ?

Les deux soldats la suivaient, les armes à la main, comme s'ils escortaient une prisonnière. Elle s'arrêta devant la troisième porte et se tourna vers les deux hommes, l'air d'attendre qu'on lui ouvre.

— Vous devez rester en dehors de la cellule, lui dit le geôlier.

— Et la tarte ? objecta Lucie. Je ne peux tout de même pas la lui passer à travers les barreaux ?

— Ben si, il va falloir. Je vous la couperai et vous lui passerez les tranches par le guichet.

Lucie bouillait intérieurement, mais elle fut bien forcée d'acquiescer. Renard-du-Ciel ne pourrait pas l'aider sans que cette maudite porte soit ouverte. Elle l'appela doucement et quelque chose bougea dans l'obscurité de la cellule. Un instant plus tard, il était devant l'ouverture. Son visage était souillé de traînées de poussière et ses cheveux étaient en désordre. Mais elle était folle de joie de le voir.

— Bonjour, Renard-du-Ciel…

Elle aurait tant voulu le toucher, l'embrasser à travers les barreaux. Elle songea à ce que sa mère aurait fait en pareilles circonstances. Les hommes de garde ne l'avaient pas vraiment fouillée. Cela voulait dire que, la prochaine fois, elle pourrait lui apporter son revolver en le dissimulant sous ses jupons.

— Lucie ?

Il paraissait très surpris et même choqué de la voir.

— J'ai reçu la permission du major de vous apporter un peu de réconfort et de prier avec vous.

Renard-du-Ciel s'interrogeait visiblement sur les vraies raisons de sa présence.

— Et je vous ai apporté de la tarte aux pommes.

Elle lui en passa une tranche à travers les barreaux.

En jetant rapidement un coup d'œil par-dessus son épaule, elle vit Pritchard le fusil à la main et Fink appuyé au mur, la main sur son étui à revolver. Elle sourit aux deux geôliers.

— Vous n'auriez pas dû venir, murmura Renard-du-Ciel.

— Je viendrai demain aussi et puis vendredi. Que voulez-vous que je vous apporte ? Que diriez-vous d'un bon steak avec des pommes de terre ?

Il la regardait, la tête un peu penchée, visiblement désorienté par son ton badin.

— Goûtez donc la tarte, le pressa-t-elle.

Elle attendit qu'il se fût exécuté, puis il vint tout près d'elle, contre les barreaux.

— Lucie, soupira-t-il, qu'est-ce que vous êtes venue faire ici ?

— Je veux être une bonne chrétienne, comme ma mère.

Elle avait appuyé presque insensiblement sur ces trois

derniers mots. Sans cesser de le regarder de ses yeux si bleus, Renard-du-Ciel leva ses sourcils d'un air interrogateur et répondit en haussant la voix pour être entendu des deux gardes :

— Vous ne pourrez pas me sauver.

— Lisons les Saintes Ecritures..., dit-elle en ouvrant sa bible. Luc, 15:4 : « *Si l'un de vous avait cent brebis et en perdait une seule, ne laisseraient-ils pas les quatre-vingt-dix-neuf autres sans surveillance, pour aller à la recherche de celle qui s'est égarée ?* »

Il murmura son prénom à voix très basse, comme un doux reproche.

— Peut-être cet autre passage, alors : « *Père, entends notre prière quand nous te supplions de nous sauver du royaume des ténèbres et de nous ramener dans ta lumière...* »

Elle continua sa lecture pendant quelques minutes, puis referma sa bible.

— En espérant t'avoir apporté un peu de réconfort, mon frère.

Elle aurait voulu pouvoir lui parler en lakota, mais elle savait que cela éveillerait immanquablement les soupçons. Alors elle passa simplement un doigt par le guichet pour caresser l'un des siens. Il lâcha immédiatement le barreau auquel il s'agrippait pour serrer sa main dans la sienne. Ses yeux la suppliaient de ne rien entreprendre et ceux de Lucie, eux, le priaient de bien vouloir la comprendre.

— Je reviendrai demain soir, dit-elle.

C'était presque insupportable de le lâcher, mais elle y parvint. Elle plaqua sur son visage un sourire aimable à l'attention des deux geôliers.

— Les grands pécheurs ont besoin de la parole de Dieu !

Puis elle s'éloigna dans le couloir, toujours escortée par les deux geôliers. La porte qui donnait sur l'extérieur avait été verrouillée, elle aussi, pendant la visite. Elle prit mentalement note de la clé que Fink utilisait pour l'ouvrir.

— Merci, messieurs, leur lança-t-elle en partant. Vous me reverrez demain soir.

Une journée. Vingt-quatre heures pour trouver un moyen d'attirer l'un des deux hommes au-dehors et de neutraliser l'autre. Lucie s'inquiétait aussi de ce que lui avait dit Aigle-Danseur. Sans-Mocassins attendrait-il bien de l'autre côté de la rivière avec Ceta ? Pouvait-elle vraiment faire passer un message par l'un ou l'autre des Sioux qui tournaient autour du fort ?

# Chapitre 15

Le lendemain soir, Lucie se présenta devant les locaux disciplinaires avec, sur un plateau, un steak garni, plus une bonne bouteille de vin où elle avait versé suffisamment de laudanum pour assommer un cheval. Elle portait ses mocassins, le couteau à dépouiller passé dans la tige, et sur sa cuisse, là où elle aurait pu avoir un porte-jarretelles, elle avait attaché le revolver de Renard-du-Ciel.

Elle tapa à la porte et attendit. Derrière elle, des bruits de marteau résonnaient dans la cour. Chacun d'eux la faisait trembler : on édifiait un gibet, à une vitesse terrifiante.

Le guichet de la porte d'entrée s'ouvrit et une paire d'yeux s'encadra dans l'ouverture.

— C'est pour quoi ? demanda une voix.

Lucie tressaillit. C'était un garde qu'elle ne connaissait pas.

— Qui c'est ? demanda une autre voix, à l'intérieur.

C'était celle de Fink.

— Une femme, caporal.

— Celle que les Indiens ont marquée ? C'est bon, elle peut entrer.

La porte tourna sur ses gonds et Lucie vit apparaître un véritable géant. Elle le regarda en levant la tête, comme on considère une tour quand on est à son pied. C'était un officier, sa large poitrine sanglée dans un uniforme impeccable, un insigne à deux sabres croisés sur le col haut de sa vareuse. L'anxiété lui noua l'estomac.

— J'apporte le dîner de Renard-du-Ciel, expliqua-t-elle d'une voix blanche.

— Il a déjà dîné, dit la montagne galonnée.

— La dame a une autorisation de visite, mon capitaine, dit Fink.

L'officier la laissa passer, en la regardant avec une sorte de mépris dégoûté. Lucie mit un pied devant l'autre d'un pas hésitant et fit halte devant Fink, lequel n'était pas beaucoup plus à l'aise qu'elle, en présence de son supérieur.

— Je suis Lucie West, dit-elle.

— Je sais qui vous êtes, répliqua l'officier. Celle qu'ils ont capturée. Il paraît que vous avez épousé l'un d'entre eux.

— C'est exact.

— Le pays ne se portera que mieux, sans ces bandits, ces voleurs, ces…

— Oui, le coupa-t-elle, je crois que je comprends votre position.

— Mais vous êtes retournée voir votre mari, alors vous êtes pire qu'eux, puisque vous trahissez les vôtres. Ces sauvages ont tué mon frère. Je voudrais les exterminer moi-même, les uns après les autres…

Il fit un pas vers Lucie, qui ne put s'empêcher de reculer, et lui prit le plateau des mains.

— Pas de nourriture pour le prisonnier…

Il le déposa sans précautions particulières sur la table du poste de garde. Fink lorgnait sur la bouteille, qu'il espérait bien ne pas laisser perdre.

Lucie réfléchit à toute vitesse pour essayer d'imaginer un nouveau plan. Elle avait pensé feindre de se trouver mal. Ainsi, l'un des gardes serait sorti chercher le médecin, et elle serait restée seule avec l'autre. Elle était à peu près certaine que Fink aurait envoyé l'autre soldat à l'infirmerie, ce qui aurait arrangé les plans de Lucie, puisque Fink gardait le trousseau de clés. Mais à présent… l'énorme capitaine resterait là, lui aussi. Si elle s'évanouissait, peut-être bien qu'il la pousserait négligemment du pied sur le sol.

Elle se mordit la lèvre. Demain, Renard-du-Ciel verrait se lever l'aube de son dernier jour. Cette seule idée la terrifiait complètement, menaçant de lui faire perdre tous ses moyens. Elle la chassa momentanément de ses pensées.

Réfléchir, il fallait réfléchir. L'aumônier allait venir et le major Reilly aussi. On allait probablement prendre des mesures de sécurité exceptionnelles pour assurer le « bon » déroulement de cette horreur. Maintenant, c'était maintenant qu'il fallait agir. Mais comment ?

Elle examina discrètement les hommes présents. Par chance, le capitaine venait de renvoyer le jeune soldat qui avait terminé sa garde. Mais un autre allait probablement venir, il ne fallait pas tarder. Fink n'était qu'un lâche, elle le devinait. La veille, il traitait Pritchard de haut, mais aujourd'hui il n'en menait pas large devant le capitaine. Mieux valait l'affronter, lui. C'était donc l'officier qu'elle devait faire partir.

Elle se creusait les méninges sans parvenir à trouver une solution.

En fait, elle n'avait qu'une option…

Bien sûr, elle risquait de s'évanouir avant de mener à bien son action, mais elle irait jusqu'au bout. Elle allait libérer Renard-du-Ciel, ou bien elle viendrait occuper la cellule voisine de la sienne.

— Rouvrez la porte, ordonna le capitaine. Madame ressort.

— Bien, mon capitaine ! s'empressa Fink.

Au lieu de le suivre jusqu'à la porte, Lucie se rapprocha de la table et du plateau.

— Une minute, capitaine, annonça-t-elle fermement. Si vous croyez que je vais vous abandonner cette ruineuse bouteille de vin, vous vous trompez.

L'officier approcha d'elle sa gigantesque carcasse.

— Le prisonnier ne l'aura pas !

Elle se haussa sur la pointe des pieds et brandit un index accusateur sous le nez du géant.

— Eh bien, vous ne l'aurez pas non plus, capitaine !

Il la regarda, les yeux étrécis, comme s'il la tenait en ligne de mire d'une carabine. Que faisait Fink, de son côté ? Elle n'aurait su le dire. Il n'était pas dans son champ de vision et elle était entièrement concentrée sur l'officier.

— Le major Reilly le saura ! dit elle en prenant la bouteille et en la pressant sur sa poitrine.

Les lèvres du capitaine se retroussèrent sur un sourire carnassier, devant cette bien légère menace. Puis il croisa les bras sur sa large poitrine et s'appuya à la table, qui grinça sinistrement sous son poids, avant de se pencher vers Lucie.

La jeune femme lâcha simplement la bouteille, qui explosa en mille morceaux sur le sol. Tout de suite, elle fit mine de s'accroupir pour ramasser les morceaux, mais en fait pour atteindre le revolver dissimulé sous ses jupons et attaché à sa jambe par une série de rubans. Fink s'accroupit auprès d'elle lui aussi, pour l'aider. Les yeux du caporal s'agrandirent de surprise et de peur quand elle lui braqua sous le nez le canon du revolver. Il lâcha les morceaux de verre qu'il tenait à la main et, instinctivement, se releva, sans se rendre compte que de cette façon il gênait un tir possible du capitaine sur Lucie. Alors, très vite, il s'écarta, les mains en l'air, et Lucie braqua son arme en direction de l'officier.

Celui-ci esquissa le geste de se saisir de la sienne, dans son étui de cuir, mais sentant qu'il n'en aurait pas le temps, il interrompit son geste.

— Allons, mademoiselle West, dit-il sourdement, ne faites pas ça !

— Vous allez passer devant, par cette porte, répondit-elle en montrant le couloir qui menait aux cellules.

— Si vous tirez sur moi, répondit le capitaine sans bouger d'un pouce, Fink vous tuera.

Lucie ne daigna même pas lancer un regard au caporal qui essayait de s'éloigner discrètement de son capitaine pour sauver sa vie.

— J'en doute fort, répondit-elle tranquillement.

— On entendra les coups de feu, on viendra à notre secours.

— Nous ne serons plus là quand cela arrivera. Vous voulez vraiment risquer votre vie en les prévenant, capitaine ?

— Fink, faites ce qu'elle dit, ordonna l'officier, grognant plutôt qu'il ne parlait.

— Par ici, dit Lucie en montrant brièvement du bout du canon de son revolver le couloir des cellules.

Elle était elle-même surprise de s'entendre parler d'une voix aussi glaciale.

Fink se rua dans le couloir, mais le capitaine ne le suivit pas. La croyait-il assez bête pour emboîter le pas au caporal et le laisser en arrière ?

— Tous les deux ! ordonna-t-elle d'une voix sans réplique.

Elle songea brièvement que c'était la première fois qu'elle parlait ainsi à quiconque. Jusqu'ici, c'était elle qui obéissait aux ordres. A présent, à cause de cet objet étrange qu'elle tenait dans la main, un homme puissant se liquéfiait littéralement devant elle et faisait tout ce qu'elle disait.

Elle n'aimait pas cela, ni cette sensation de pouvoir ni la peur qu'elle déclenchait.

Le capitaine lui lança un regard meurtrier.

— Vous n'irez pas loin.

Du bout du canon elle lui montra la première cellule.

— Entrez là-dedans, capitaine. Fink, ouvrez-lui.

Le caporal introduisit l'une des clés de son trousseau dans la serrure et ouvrit la porte. Son supérieur y pénétra.

— Verrouillez-la, à double tour.

Il s'exécuta encore. Alors, Lucie lui montra la cellule de Renard-du-Ciel et lui ordonna de l'ouvrir. Le prisonnier bondit dans le couloir dès que ce fut fait et il s'arrêta net en voyant Lucie.

— Mais qu'est-ce que vous faites ? demanda-t-il, éberlué.

— Je vous libère, répondit-elle.

Puis, faisant signe à Fink, toujours avec le canon du revolver :

— Allez, entrez !

Le caporal prit la place du prisonnier.

— Enlevez votre uniforme et vos bottes.

Renard-du-Ciel regarda, sans en croire ses yeux, son geôlier enlever ses vêtements, jusqu'à ce qu'il se retrouve pieds nus et en caleçon long crasseux au milieu de la cellule. Fink était loin d'avoir les larges épaules et les hanches étroites de Renard-du-Ciel, et Lucie attendait avec anxiété de voir celui-ci essayer les oripeaux du militaire. Elle poussa un soupir de soulagement quand elle le vit parvenir à s'introduire dans les vêtements réglementaires. Si l'on n'y regardait pas de trop près, peut-être ne ferait-on pas attention à la toile de la chemise, très tendue sur les boutonnières. Lucie lui tendit son revolver et tourna elle-même la clé dans la serrure pour enfermer Fink.

Mais quand Renard-du-Ciel se tourna vers elle, au lieu de la joie et de la fierté, sur son visage, elle ne vit que de la tristesse.

— Il faut que vous partiez maintenant, lui dit-il.

— Oui, avec vous !

Il ne bougea pas. Une terrible appréhension saisit Lucie. Comme si un terrible drame allait immanquablement arriver.

— Renard-du-Ciel ?

Il parla en lakota.

— Je ne sais pas pourquoi j'ai accepté de mettre ces vêtements. Sans doute parce que j'ai été tellement surpris par ce que tu as fait. Mais ce n'est pas possible. Je reste ici.

— Comment ?

— Je ne veux pas que tu aies de remords, ni que tu paies le prix de ce que j'ai fait.

Elle répondit dans la même langue.

— Tu n'as rien fait et nous pouvons y arriver. Tout marche comme prévu, jusqu'ici.

— Je dois rester ici.

Ses yeux l'imploraient de le comprendre et de lui pardonner.

— Ne le vois-tu pas ? Ma mort va sauver la vie de quatre garçons. C'est de cette façon que je paierai celle que j'ai prise.

Lucie resta un instant abasourdie. Cela n'avait aucun sens.

— Mais tu les as déjà sauvés. Tout le monde croit que tu as tué Carr, personne ne les soupçonne. Tu ne vas pas les laisser te pendre, n'est-ce pas suffisant que tu sois accusé d'un crime que tu n'as pas commis ?

— J'en ai commis un autre.

Lucie mit du temps à comprendre ce qu'il voulait dire.

— Il ne s'agit donc pas des garçons, mais bien de toi ?

Il ne le nia pas.

— Tu cherches encore à fuir.

— Non, justement, cette fois, je ne fuis pas !

C'en était trop. La colère et la déception de Lucie l'emportèrent.

— Si, tu fuis ! lui cria-t-elle en le poussant. Tu as toujours fui ! Tu as toujours refusé le bonheur de peur de le perdre ! En fait… tu as raison : tu es un lâche !

Renard-du-Ciel resta bouche bée, conscient qu'elle avait raison. En effet, il avait toujours fui le bonheur. Et il avait essayé de ne pas l'aimer. Il acceptait d'affronter l'échafaud, mais pas… pas le pari de s'échapper avec elle. Il ne pouvait pas risquer la vie de Lucie parce que… parce qu'il l'aimait !

Oui, par le Grand Esprit, il l'aimait et s'il se moquait bien de risquer sa vie, il ne pouvait imaginer risquer la sienne.

— Il faut que tu partes maintenant, je t'en prie, il le faut.

Tout en parlant, il se rendait compte que sa supplique était inutile face à une femme aussi brave, aussi battante.

— Mais pourquoi ?

— Parce que…

C'est à peine s'il pouvait parler, avec cette boule qui montait dans sa gorge.

— Parce que j'ai besoin… que tu sois en sécurité.

Il suffisait de la regarder pour comprendre qu'elle ne lui obéirait pas. Elle était la plus entêtée de toutes les femmes qu'il avait rencontrées. S'il refusait de partir avec elle, il était certain qu'elle resterait avec lui. Derrière eux, Fink se mit à appeler à l'aide.

— Viens, lui dit-elle fermement en prenant son bras.

Mais il ne bougea pas. Il était comme paralysé par le constat qu'il venait de faire : malgré toutes les barrières qu'il avait érigées pour se protéger, cette femme avait gagné son cœur. Il était plus terrifié qu'il ne l'avait jamais été de toute sa vie. Et si on la lui prenait, et si on la tuait ? Il ne pourrait se le pardonner.

Il fallait la sortir d'ici.

Il lui emboîta le pas et ils filèrent vers l'entrée du bâtiment. Renard-du-Ciel examina précautionneusement les alentours. Lucie lui tendit un chapeau à larges bords de la cavalerie.

— Cache tes cheveux et rabats le bord du chapeau sur ton visage, lui conseilla-t-elle.

— S'ils te prennent, murmura-t-il, je ne me le pardonnerai jamais !

Elle se haussa sur la pointe des pieds et l'embrassa furieusement sur la bouche.

— Eh bien, faisons en sorte de ne pas nous faire prendre, dit-elle quand ils eurent repris leur souffle.

Renard-du-Ciel avait récupéré son revolver et Lucie avait celui de Fink, qu'elle dissimula sous son châle en priant pour ne pas avoir à s'en servir. Renard-du-Ciel la saisit par le bras et l'escorta vers le portail d'entrée. Comme il l'atteignait, elle sentit son cœur battre à tout rompre. Renard-du-Ciel allait devoir échanger quelques mots avec la sentinelle. Qu'allait-il se passer si celle-ci se doutait de quelque chose ? Ils pourraient bien ne pas atteindre la rivière.

Mais c'est avec naturel et autorité que Renard-du-Ciel déclara :

— Caporal Fink. J'escorte la dame jusqu'au bateau. Ordre du major.

Il essayait de tirer discrètement sur sa chemise bleue, mais la sentinelle n'y prêta aucune attention.

— Vous feriez bien de vous presser, caporal, lui dit-il, parce qu'il s'en va, le bateau.

Renard-du-Ciel entraîna sa compagne vers la rive du fleuve. Lucie écoutait les bruits qui venaient du fort, s'attendant à entendre sonner les trompettes d'un instant à l'autre. De très longs moments s'écoulèrent avant qu'ils soient hors de vue des bâtiments.

Ils descendirent le plan incliné qui menait à la berge.

— Ils vont nous retrouver, prévint Renard-du-Ciel. Le bateau est le premier endroit où ils vont chercher.

— Nous n'allons pas le prendre, répondit Lucie en essayant de scruter l'obscurité. Peux-tu imiter le cri de la chouette ? Je lui ai dit que ce serait le signal…

Renard-du-Ciel s'exécuta et le même cri revint, poussé de l'autre rive. Quelques minutes plus tard, Sans-Mocassins apparut, glissant silencieusement dans un grand canoë d'écorce le long de la coque du bateau à aubes. C'est tout juste s'il s'arrêta, le temps de les faire embarquer. Quelques vigoureux coups de pagaie plus tard, ils étaient au milieu de la rivière.

— Je serais étonné que personne ne nous ait vus..., commenta Renard-du-Ciel.

Mais malgré ce sombre pronostic, ils atteignirent l'autre rive sans encombre. Sans-Mocassins les conduisit vers un bosquet, où il avait attaché Ceta et un autre cheval, que Lucie fut bien surprise de voir.

— Mais... d'où vient-il ? demanda-t-elle, éberluée.

Sans-Mocassins sourit.

— Je l'ai attrapé, il n'y a pas que Renard-du-Ciel qui sait parler aux chevaux.

Renard-du-Ciel lui donna une claque dans le dos.

— Est-ce qu'il est rompu à la selle ? lui demanda-t-il.

Sans-Mocassins haussa les épaules.

— Je suis meilleur pour les attraper que pour les dresser, bougonna-t-il.

Lucie, intimidée, recula devant le mustang à demi sauvage. C'était une jolie jeune jument, à la robe fauve, avec une crinière noire. Elle portait une petite selle sioux, étrange objet dont Lucie trouvait toujours qu'il ressemblait à deux pommeaux fixés sur des plaques de bois articulées. Renard-du-Ciel avança vers l'animal, les mains ouvertes, en murmurant une sorte de mélopée, jusqu'à placer doucement sa main sur son encolure. D'abord, il la prit par la bride et la conduisit en cercle. Quand, enfin, il se hissa souplement en selle, Lucie retint son souffle. La jument essaya de donner quelques coups de reins, mais ne put les accompagner de mouvements de tête, tant Renard-du-Ciel lui tenait les rênes courtes.

Sans-Mocassins secoua la tête d'un air dégoûté.

— Elle m'a jeté à terre, chaque fois que j'ai fait ça ! Ça m'a pris un temps fou, rien que pour la seller.

Lucie et Sans-Mocassins montèrent sur Ceta et Renard-du-Ciel garda la jument qui suivit le grand étalon, les oreilles frémissantes.

Ils prirent la route du Nord, vers la réserve de Cheyenne

River. Sur leur passage, les membres de la tribu Bitterroot leur faisaient de grands signes d'encouragement.

Renard-du-Ciel rabattit son chapeau sur ses yeux, comme s'il voulait disparaître complètement.

— Que font tous ces gens dehors, à cette heure de la nuit ? demanda-t-il, surpris.

— Je leur ai dit que tu allais passer, alors ils sont là, dit Sans-Mocassins d'une voix pleine de fierté.

— Je ne vois pas ce qui les rend si heureux. Les tuniques bleues vont partir à notre recherche, cela va leur attirer des ennuis.

— Pas tant que cela puisque nous serons loin, dit Lucie. Ils veulent te voir, Renard-du-Ciel. Tu es un héros à présent.

— Ne dis pas n'importe quoi !

— Mais bien sûr ! lui répondit Lucie. Tu es l'homme qui a sauvé quatre jeunes garçons lakotas. Renard-du-Ciel, le brave, qui s'est joué des Wasichus et a traversé les murs de leur prison !

Elle voyait bien qu'il n'y croyait pas. Avait-il été si longtemps plongé dans la honte et le mépris de lui-même qu'il ne pouvait s'apercevoir que tout avait changé à l'instant où il avait pris ce crime sur ses épaules ?

Il regardait, éberlué, les gens qui l'acclamaient, le bénissaient et lui criaient des encouragements au passage. Les femmes essayaient même de le toucher.

— Je raconterai cette histoire pendant de nombreux, très nombreux hivers et mes enfants la connaîtront par cœur, promit Sans-Mocassins. Notre peuple va te guider et te protéger à travers la terre des Bitterroot. Chat-Sauvage me l'a promis. Nous allons nous arrêter chez lui.

Tombant littéralement des nues, Renard-du-Ciel arrêta net sa jument.

Sans-Mocassins dut enfoncer ses talons dans les flancs de Ceta, qui s'immobilisa immédiatement, lui aussi.

— Il faut que nous y allions, sinon tu vas le déshonorer, fit-il remarquer, plutôt joyeusement.

Renard-du-Ciel se tourna vers Lucie. Son visage était si catastrophé qu'elle en fut touchée au cœur.

— J'ai promis d'épouser ses filles.

Etait-ce une obligation dont il était heureux de se défaire ou bien, comme elle le redoutait, préférait-il rester avec les Sioux ?

Mais Sans-Mocassins interrompit sa réflexion.

— Tu arrives trop tard. Aigle-Danseur a demandé l'autorisation de leur faire la cour.

Le visage de Renard-du-Ciel s'éclaira et il se tourna de nouveau vers Lucie, qui lui sourit. Etait-il réellement soulagé ou bien était-ce qu'elle désirait tellement le lire dans ses yeux qu'elle s'en persuadait ?

— Dépêchons-nous ! leur cria Sans-Mocassins.

Les manifestations de soutien continuèrent durant toute la nuit. Même dans les villages les plus reculés de la réserve et les maisons isolées, les Lakotas avaient tenu à être présents au bord de la route. Les femmes, avec leurs bébés dans les bras, les hommes et les vieillards. Il ne manquait que les enfants en âge d'aller à l'école… Lucie soupira en le constatant. Ils auraient dû recevoir une éducation ici, sur leur terre, près de leurs foyers. Pourquoi s'était-elle mis dans la tête de forcer ces petits êtres à accomplir une transition que l'on ne demandait à aucun autre enfant dans ce pays ? L'enfermement dans lequel on les tenait n'avait rien à envier à celui qu'elle avait elle-même connu, et eux, ils n'avaient aucune chance d'y échapper. Elle se sentait à présent honteuse d'avoir participé à cette scandaleuse entreprise.

Ils pressèrent leurs chevaux, afin d'arriver chez Chat-Sauvage avant que la garde ne soit changée à fort Scully.

Le chef se tenait devant son tipi, entouré d'Ours-de-Fer et d'Aigle-Danseur, ainsi que de ses deux filles, Jolie-Antilope et Fleur-Eternelle. Renard-du-Ciel descendit de cheval et aida Lucie à mettre pied à terre. Alors, Chat-Sauvage s'avança et plaça ses deux mains sur les épaules de l'enfant prodigue du clan.

— Les Bitterroot souhaitent la bienvenue à leur frère trop longtemps perdu. Il a fait un bien long voyage et nous sommes heureux de le voir revenir s'asseoir auprès de notre feu. Mais nous savons qu'il ne peut rester, car les tuniques bleues en veulent à sa vie. Cette vie que moi aussi, il y a peu encore, j'aurais voulu prendre.

A côté de Renard-du-Ciel, une main sur son épaule, il ajouta en désignant Aigle-Danseur :

— Le chef du clan des Sweetwater y voyait plus clair que moi quand, il y a bien des années, il a éloigné le jeune garçon que tu étais. Il savait, lui, que la vengeance ne compense pas la perte.

A côté de Lucie, Sans-Mocassins écoutait, les yeux dans le vague. Pensait-il au prix qu'il devrait payer pour sa propre vengeance ?

Chat-Sauvage continua :

— Sans lui, quatre de nos garçons seraient en cet instant dans la prison des Wasichus, à attendre la mort. Ils sont en sécurité et ont le loisir de réfléchir à leur acte stupide et de le regretter. Je sais qu'il y a quelqu'un qui aurait aimé être là, en cet instant, pour honorer ta bravoure. Il était mon ami. En son honneur, je prends sa place et deviens, aujourd'hui, ton père.

Il éleva solennellement la voix.

— Renard-du-Ciel est revenu. Il est de notre clan et le bienvenu autour de mon feu. De nouveau, il est Renard-du Ciel, des Bitterroot.

Le clan assemblé poussa des bravos et des cris de joie. Des amis d'enfance de Renard-du-Ciel, qu'il n'avait pas vus depuis bien des années, vinrent le saluer. Ses « sœurs », Fleur-Eternelle et Jolie-Antilope, lui offrirent leurs vœux de bienvenue et Fleur-Eternelle montra le vaste tipi.

— Nous allons peindre dessus un grand renard bleu, afin que chacun sache que tu es de notre famille et aussi pour t'aider à retrouver souvent le chemin de notre foyer.

Ensuite, Aigle-Danseur s'avança pour parler à Renard-du-Ciel. Le groupe fit silence.

— Au revoir, mon frère, lui dit-il. Prends bien soin d'elle.

Renard-du-Ciel lui répondit d'une voix à peine audible. Alors, Aigle-Danseur se tourna vers Lucie. Elle se raidit un peu, appréhendant ses paroles.

— Puisses-tu… pardonner à un homme qui a essayé de capturer un rayon de soleil.

Ils se sourirent, mais Lucie sentit son cœur se serrer, car elle voyait bien qu'il l'aimait encore.

— Merci pour cela, lui murmura-t-elle en l'embrassant sur la joue.

En hâte, on leur apporta des cadeaux et des provisions pour la route. Des gourdes pleines d'eau, un couteau pour Renard-du-Ciel. Lucie dut accepter des pare-flèches remplis de nourriture, de beaux objets de cuir peints de couleurs vives et faciles à accrocher derrière une selle. Bientôt, on leur en offrit trop. Lucie et Renard-du-Ciel savaient que les Sioux avaient davantage besoin qu'eux de tous ces vivres pour passer l'hiver à venir.

— Il nous faut voyager léger, si nous voulons échapper à l'armée, expliqua gentiment et diplomatiquement Renard-du-Ciel à leurs donateurs.

— Ils s'attendent à ce que vous suiviez la rivière vers le nord, intervint Chat-Sauvage. Allez plutôt vers l'ouest et cachez-vous dans les Black Hills. Là, vous pourrez monter vers le nord, bien dissimulés à la vue de vos ennemis.

Renard-du-Ciel hocha la tête.

— Merci, père, répondit-il.

Les deux hommes s'étreignirent.

Renard-du-Ciel se tourna vers Aigle-Danseur. Chacun posa

sa main sur l'épaule de l'autre et ils restèrent ainsi longtemps. Non loin d'eux, Sans-Mocassins attendait son tour.

— Merci, petit frère, pour cette belle jument, lui dit Renard-du-Ciel, en venant vers lui.

— Et moi, je te remercie de m'avoir sauvé la vie, répondit le garçon.

Renard-du-Ciel lui sourit.

Sans-Mocassins retint Ceta pendant que Lucie se mettait en selle. Renard-du-Ciel, lui, avait déjà enfourché la jument sauvage.

— Et nos traces ? demanda Lucie.

— Avant demain, elles seront effacées par des dizaines de mocassins, lui répondit Chat-Sauvage. Les tuniques bleues nous poserons des questions et voudront fouiller nos tipis...

Il sourit.

— Nous les aiderons à chercher. Et puis à chercher encore. Et encore.

Tout en parlant, il faisait mine de mettre sa main en visière. Tout son peuple éclata de rire. Aigle-Danseur surenchérit :

— Cette recherche prendra sûrement des jours et des jours...

Avant de partir, Lucie lui fit ses adieux à la manière indienne.

— Que toujours, sur ton chemin, la beauté t'environne.

Il répondit de même.

Quelques minutes plus tard, les fugitifs quittaient le village, prenant la direction de l'Ouest. Lucie aurait aimé prendre directement la route du Nord, droit vers la frontière canadienne, mais ils suivirent le conseil de Chat-Sauvage, qui leur paraissait sage.

Ils chevauchèrent la plus grande partie de la nuit, ne s'arrêtant que quand Lucie faillit tomber de sa selle tant elle était fatiguée. Alors Renard-du-Ciel attacha la jument derrière Ceta et installa celle qu'il aimait tout contre lui. Bercée par le pas de l'étalon, elle sombra immédiatement dans le sommeil.

Cela continua durant les trois jours suivants, avec très peu de repos. Ils mangeaient leurs provisions et ne s'arrêtaient que pour reposer et nourrir leurs chevaux. Une fois, au cours d'une de ces haltes, Lucie s'éveilla à demi et vit Renard-du-Ciel chanter une étrange mélopée à la jument, en marchant devant elle. Quand il s'arrêtait, elle s'arrêtait aussi. On eût dit un ballet et Lucie se demanda si elle n'avait pas rêvé. Peu après, trop peu de temps après, ils étaient de nouveau en selle. Mais chaque jour qui passait apportait un peu plus d'espoir. A présent, ils faisaient de nouveau route vers le nord.

Renard-du-Ciel décida bientôt de voyager la nuit. Ils avaient devant eux une large portion de prairie ouverte où ils seraient trop visibles, de jour. La lune à son dernier quartier, additionnée à la clarté des étoiles, ne les signalerait pas trop, mais leur permettrait toujours de voir un peu devant eux. Ces nuits à cheval rappelèrent à Lucie celle de son enlèvement, à la différence qu'elle était à présent sur la selle de Renard-du-Ciel, devant lui et non pas jetée en travers d'un cheval, et qu'elle n'avait pas les mains liées dans le dos. Il y avait d'autres différences. A l'époque, la vue d'un uniforme bleu aurait signifié le salut, à présent, il signifierait la mort. Lucie ignorait si l'on pendait les femmes et préférait ne pas le savoir.

Elle fut tirée de ces inquiétantes pensées par un arrêt de Renard-du-Ciel, qui se dressa sur ses étriers et tendit l'oreille. Elle n'entendait, elle, que le crissement des insectes dans la nuit.

— Accroche-toi ! lui murmura-t-il.

Elle n'eut que le temps d'agripper le pommeau. Déjà, il galopait à bride abattue vers la ligne d'arbres.

Une fois à couvert, il l'aida à descendre de cheval. Elle regarda autour d'elle et s'aperçut qu'ils étaient dans une forêt de sapins. Un piètre pâturage, mais un excellent abri, s'il y avait vraiment urgence.

Elle ouvrit la bouche pour parler, mais Renard-du-Ciel coupa court à sa question en montrant quelque chose du doigt. Le jour se levait, striant le vaste ciel de traînées roses qui donnaient au paysage un air de danger. Un tapis de fleurs nouvelles piquetait l'océan d'herbes. Elle faillit laisser échapper une exclamation sur la beauté des lieux, mais la perception d'un mouvement la fit se figer.

Les minutes passèrent, pendant lesquelles la lumière monta.

Une file d'une trentaine de cavaliers s'avançait dans la plaine. Les cliquetis des équipements et le murmure de leurs voix commençaient à se faire entendre, comme un roulement de tambour dans le lointain.

— Tu les as entendus ? demanda Lucie.

— Mon cheval, avant moi, répondit Renard-du-Ciel en flattant doucement l'encolure de Ceta.

— Des soldats !

— Ils viennent probablement de fort Buford. C'est à l'est d'ici.

— Tu crois qu'ils nous cherchent ?

La voix de Lucie trembla un peu sur la fin de sa question. Renard-du-Ciel croisa rapidement son regard et il hocha simplement la tête.

Ils virent la colonne entrer dans la forêt, à une centaine de mètres de l'endroit où ils étaient cachés.

— J'avais raison de me méfier des endroits découverts. Si nous avions eu une lumière, ou fait du feu, ils nous auraient vus, dit Renard-du-Ciel.

— Ils sont devant nous, maintenant. Qu'allons-nous faire ?

— Ils semblent vouloir se diriger vers le sud. Laissons-les faire.

— Et si nous en rencontrons d'autres ?

Lucie sursautait à chaque brindille que les chevaux faisaient craquer sous leurs sabots. Elle suivait à pied les deux montures, que Renard-du-Ciel menait par la bride à travers la forêt. Il suivait un itinéraire très complexe, qui lui fit bientôt perdre tout sens de l'orientation.

Finalement, quand ses jambes se mirent à trembler de

fatigue, Renard-du-Ciel trouva un carré de verdure entre des arbres abattus, lesquels avaient ouvert dans ce bois sombre un espace de lumière, propice à la végétation. C'était une herbe douce, tendre, bien différente du foin de la prairie.

— On va se reposer un peu ici, lui dit-il.

Elle alla s'asseoir, se laissa tomber, plutôt, sur l'un des troncs abattus, tandis qu'il dessellait les chevaux. Ceux-ci étaient plus affamés que réellement fatigués et, tout de suite, ils profitèrent de cette herbe qui s'offrait à eux. Lucie se releva et étendit sa couverture pour qu'ils puissent s'installer. La mousse, en dessous, faisait le plus doux des tapis. Renard-du-Ciel lui tendit sa gourde et elle but avec reconnaissance. Ils partagèrent ensuite le dernier morceau de pemmican donné par les filles de Chat-Sauvage. Le rustique boudin de chair de bison séchée, aromatisé aux baies sauvages, fut un bonheur pour leurs estomacs vides. Mais Lucie ne put finir sa part, tans ses paupières se fermaient toutes seules, de sommeil.

Renard-du-Ciel remballa les restes de nourriture et prépara leur couchage. C'était étrange de se coucher à cette heure-ci, alors que les rayons du soleil, de plus en plus hauts, striaient la forêt.

— Tout semble si paisible, murmura-t-elle, on a vraiment peine à croire que des hommes nous cherchent, tout près d'ici...

— Ils ne savent pas que nous sommes dans les parages. Nous n'avons qu'à passer toute la journée ici, histoire d'être bien sûrs qu'ils se seront éloignés.

Elle songea que la décision qu'il avait prise, de ne pas se risquer en terrain découvert durant les heures du jour, les avait probablement sauvés. Et en plus, elle allait pouvoir profiter de plusieurs heures de sommeil. Le bonheur !

Mais ce soulagement fut de courte durée. Et si les soldats revenaient sur leurs pas ?

— S'ils se cachaient dans les bois pour nous guetter ? dit Lucie en frissonnant, songeant à l'horreur d'être capturés.

— Je pense pouvoir les détecter avant, répondit tranquillement Renard-du-Ciel. Ils ont deviné que nous ne voyagions pas par la rivière, mais ils ont sous-estimé notre vitesse de déplacement…

Il regarda sa compagne avec un sourire admiratif.

— … Je n'aurais jamais cru, moi non plus, qu'une femme pouvait être aussi résistante.

L'admiration qu'il lui témoignait effaça ses tracas plus efficacement que n'importe quel baume. Ils restèrent un moment assis sur leur couche, appuyés contre un tronc d'arbre, à écouter le chant des oiseaux dans les branches. Bientôt, Lucie se mit à dodeliner de la tête.

Alors, Renard-du-Ciel l'aida à s'étendre à côté de lui. Depuis quand n'avaient-ils plus pris un vrai repos ? Elle ne pouvait pas même s'en souvenir. Elle savait qu'elle allait bientôt basculer dans le sommeil, qu'elle le veuille ou non. Mais elle luttait encore.

— Sommes-nous en sécurité, ici ? demanda-t-elle.

— Nous sommes aussi difficiles à trouver qu'une aiguille dans une meule de foin…

Et se penchant à son oreille, il ajouta :

— Tu es en sécurité avec moi…

Lucie soupira. Aussi étrange que cela puisse paraître, ces mots suffirent à apaiser ses craintes. Elle leva les yeux vers lui. Ses joues étaient mangées d'une barbe dure, mais ses yeux étaient toujours de cet incroyable bleu…

Il lui sourit.

— Dors !

Alors elle mit sa tête sur son bras replié, et ferma ses paupières lourdes. Renard-du-Ciel veillait sur elle, il la protégerait et la réveillerait si les soldats arrivaient. Elle était en sécurité avec lui…

# Chapitre 16

Renard-du-Ciel s'éveilla alors que les ombres du soir s'allongeaient déjà sur le sol. Lucie, roulée en boule à côté de lui, dormait toujours profondément.

Il se leva et alla voir les chevaux, qui paissaient tranquillement. Il ne lui fallut pas longtemps pour repérer quelques terriers de lapins. Dès la tombée de la nuit, ils deviendraient actifs. Trouver un ruisseau limpide lui prit un peu plus de temps, mais il en dénicha un, une source claire qui sourdait de la terre entre les troncs. Il se dépêcha d'y remplir leurs gourdes, craignant que Lucie ne se réveille avant qu'il ait fini et, ne le trouvant pas, s'alarme. Mais quand il revint, elle dormait toujours et n'avait pas bougé. Elle était même tellement immobile, qu'il s'approcha pour vérifier que tout allait bien.

Même dans le sommeil, elle était belle, avec ses lèvres légèrement entrouvertes. Elle était pelotonnée sur elle-même, peut-être avait-elle froid ? Renard-du-Ciel collecta du bois et construisit un feu derrière une petite butte, qui dissimulerait les flammes dans la nuit. Il valait mieux en effet attendre l'obscurité complète, pour cacher également la fumée. En attendant, il recouvrit la forme étendue de Lucie de sa propre couverture, en supplément, puis il s'allongea auprès d'elle et dormit encore quelques heures.

C'est un bruit inhabituel, qui l'éveilla. La nuit était tombée. Les chevaux étaient immobiles et, d'après leur respiration, dormaient tranquillement. Pourtant, il avait bien entendu quelque chose. Il tira son revolver et arma le chien du pouce.

— Renard-du-Ciel ?

Il se tourna à demi et vit Lucie à moitié dressée sur son coude.

— Je crois qu'il faut que je m'excuse..., dit-elle très calmement.

— Qu'est-ce qui t'a réveillée ?

— Ma vessie, je pense... J'ai à peine rejeté mes couvertures que tu avais déjà le revolver à la main.

— Je suis désolé, dit-il.

Ils se regardèrent un instant en silence, un silence que Renard-du-Ciel rompit :

— Ne va pas trop loin...

Elle acquiesça, se leva, sembla se raviser et lui dit, par-dessus son épaule :

— Ne me tire pas dessus quand je reviendrai...

Ses cheveux brillaient au clair de lune et son visage paraissait taillé dans de l'ivoire poli.

Il montra ses deux mains vides. Il avait rangé le revolver. Il détestait en porter un. Peut-être, quand tout ceci serait terminé, pourrait-il l'abandonner tout à fait.

Lucie s'éloigna, soulevant ses jupes sur ses beaux mollets. Durant le temps que dura son absence, Renard-du-Ciel écouta attentivement les bruits alentour, mais il n'entendit rien.

Quand elle revint, il était toujours assis sur le tronc, aux aguets.

— Il faut que j'aille relever mes collets, lui dit-il.

— Je viens avec toi.

— Pas la peine. Je reste à portée de voix.

Elle hocha la tête et retourna s'asseoir sur sa couverture, adossée au tronc d'arbre.

Renard-du-Ciel fut surpris de constater à quel point il lui était pénible de s'éloigner d'elle. Mais il était suffisamment imprégné de l'esprit indien pour refuser de prendre une vie sans nécessité, fût-ce celle d'un lapin. Un gibier devait être consommé, procurer de la force, et non pas pourrir dans un piège abandonné.

Deux de ses collets avaient pris, et il soupesa les petits corps encore chauds, en les remerciant d'avoir donné leurs vies et d'être suffisamment nombreux dans la nature pour que le voyageur qui savait les attraper ne risque pas de mourir de faim.

Lucie l'attendait et ses épaules s'affaissèrent de soulagement lorsqu'elle l'aperçut. Ce constat le toucha profondément. Pour la première fois de sa vie, il comprenait ce que c'était que de revenir auprès d'une femme qu'on aimait… de la retrouver, de la garder, de la protéger, de la chérir.

Seulement c'était une femme qui ne voulait pas être gardée et encore moins prise. Une ancienne captive, qui ne voulait plus jamais connaître les chaînes. Comment la convaincre que son amour n'était pas, ne serait jamais, une prison ?

C'était impossible, car cela serait un mensonge. Il voulait la posséder, comme Aigle-Danseur l'avait voulu. Et si elle le repoussait ?

Il eut soudain l'impression d'être une coquille vide. Il devait parler à Lucie, lui ouvrir son cœur. Mais il redoutait de la voir le repousser, comme elle avait rejeté l'amour d'Aigle-Danseur. Peut-être n'avait-elle voulu l'aider que parce qu'elle avait trouvé généreux de sa part de sauver les garçons…

Pourtant, elle s'était désespérément accrochée à lui quand on l'avait emmené, puis avait risqué sa vie pour le tirer de sa cellule. Cela voulait-il dire qu'elle avait quelques sentiments pour lui ? Après ce qui lui était arrivé, pouvait-elle encore faire confiance à un homme ?

Il lui tendit ses deux lapins, qu'elle prit avec un sourire.

— De la viande fraîche, quelle merveille !

Son sourire s'éteignit très vite.

— Mais pouvons-nous faire du feu ?

— Un petit.

Elle tira son couteau à dépouiller pendant que Renard-du-Ciel craquait une allumette au-dessus du bois qu'il avait ramassé. Quand il eut obtenu un tapis de braise incandescente, il se retourna vers Lucie, pour s'apercevoir qu'elle avait déjà dépouillé et vidé les deux animaux.

— J'ai l'impression d'avoir fait ça toute ma vie, soupira-t-elle en souriant.

Renard-du-Ciel l'observa en silence. Il avait envie d'elle, désespérément. Mais elle avait besoin de recouvrer ses forces et il devait y veiller. Il déposa donc les deux carcasses sur la braise et l'odeur de la viande grillée ne tarda pas à éveiller son appétit. A voir briller la gourmandise dans les yeux de Lucie, il se dit qu'il devait en être de même pour elle.

Il s'assit à son côté tout en se demandant comment il pourrait lui ouvrir son cœur. Il l'avait laissé en sommeil si longtemps qu'il avait cru ne plus jamais pouvoir éprouver de la tendresse. Et puis, si elle acceptait son amour, elle voudrait tout de même vivre dans le monde des Blancs. Ce monde-là, Renard-du-Ciel l'avait rejeté depuis longtemps. Mais comment l'avoir à lui, sinon en passant par ce qu'elle voulait ?

— Cela me rappelle toutes ces fois où nous avons dû partir vers le nord, dit-elle pensivement, loin des routes des caravanes de chariots. Nous, les femmes, et les enfants devant, les guerriers protégeant notre retraite.

Renard-du-Ciel hocha la tête. Il se souvenait lui aussi. En ce temps-là, son père était un chef, pour la paix comme pour la guerre. Il lui avait fait le grand honneur de le laisser chevaucher juste entre les hommes et les femmes, sur le premier poney qu'il ait jamais capturé. L'animal avait été chassé de sa harde par l'étalon dominant et Renard-du-Ciel avait utilisé, pour le prendre, une longe qu'il avait tressée lui-même, avec la fibre de plantes de la prairie.

— Tu as l'air d'être bien loin, lui fit remarquer Lucie.

— Je pensais à mon premier cheval…

Lucie se leva pour aller tourner les lapins, dont la viande devenait brune et craquante sur la braise qui grésillait.

— Le poney blanc avec la grande tache fauve sur le dos ? demanda-t-elle.

Il sourit.

— Oui, celui-là.

— Il n'avait pas les genoux cagneux ?

Son sourire indiquait clairement qu'elle le taquinait.

— Un peu, mais il était très rapide. Sur son dos, j'allais comme le vent.

Le sourire de Lucie se crispa quelque peu. Bien sûr, ses souvenirs de ce temps-là n'étaient sans doute pas aussi plaisants que ceux de Renard-du-Ciel.

— On l'avait appelé Suit-le-Garçon. Il me manque.

— Que lui est-il arrivé ?

— Je l'ignore. Je n'ai pas pu l'emmener quand je suis parti.

Renard-du-Ciel baissa les yeux. Il avait perdu son cheval, comme tout ce qu'il aimait. Et s'il perdait Lucie, à présent ?

Ils avaient beau être assis côte à côte, il craignait qu'elle ne découvre qu'ils n'avaient rien en commun. La simple évocation de ce souvenir prouvait bien qu'un monde les séparait.

Lucie le ramena à la réalité en lui tendant l'un des bâtons sur lesquels les lapins avaient été enfilés. L'odeur de la viande grillée emplissait leurs narines. Elle prit l'autre et ils passèrent les minutes qui suivirent à déguster la viande tendre et savoureuse, tout en soufflant sur leurs doigts échaudés. Lucie déclara qu'elle n'avait plus faim avant même d'avoir tout à fait terminé la sienne.

— Quand serons-nous en sécurité ? demanda-t-elle soudain.

Il hésitait à le lui dire car il savait que, dès qu'ils atteindraient un village ou un endroit habité, elle pourrait le quitter, si elle le désirait. Il n'aurait pas le droit de l'en empêcher.

— Si tout va bien, nous serons à la frontière avant le début de la prochaine lune.

Elle déposa les restes de la carcasse du lapin.

— Déjà ?

Avait-il bien entendu une note de regret dans sa voix ? Il eut un moment d'espoir.

— L'armée ne la traversera pas ?

Il secoua la tête.

— Ils n'en ont pas le droit, et puis ils ne le sauront probablement pas avant au moins une semaine.

— Et la police montée canadienne ? Elle te laissera rester ?

Pourquoi n'avait-elle pas dit « *nous* laissera rester » ? Elle allait donc le quitter, dès la frontière franchie ? Participer à son évasion avait-il été une de ses actions charitables, comme de vouloir intégrer les jeunes Indiennes parmi les Blancs ?

Il était resté seul bien des années, mais alors il ne la connaissait pas, n'avait aucune idée de l'enfer que pourrait représenter une vie sans elle.

— Renard-du-Ciel ? Tu ne me réponds pas ?

Il réfléchit un instant, essayant de tourner sa réponse de manière à ce qu'elle avoue sans détour ce qu'elle comptait faire.

— Ils peuvent nous ordonner de quitter le Canada, mais ils ne me livreront pas à l'armée américaine.

Les épaules de Lucie se détendirent, comme si elle était soulagée et rassurée. Voudrait-elle rester avec lui ? Elle était une femme libre, à présent. Libre de rester, libre de partir.

Il se rembrunit.

— Tu ne peux pas rentrer, Lucie. Tu es recherchée, toi aussi.

— Je le sais.

Elle n'ajouta rien, mais le regarda droit dans les yeux.

Pourquoi avait-il dit ça ? Pourquoi ne lui ouvrait-il pas son cœur, plutôt que de raviver ses blessures ?

En fait, il aurait voulu pouvoir lui dire que son plus cher désir était de l'aimer chaque jour de sa vie, que si le Grand

Esprit voulait les bénir, il lui construirait une belle maison où ils pourraient élever des enfants et des chevaux. A cet instant, il sut que la peur qu'il avait de la perdre n'était pas aussi puissante que son désir de l'aimer. Il lui construirait une maison d'homme blanc, si c'était ce qu'elle voulait. Il irait même s'asseoir tous les dimanches sur les bancs d'une église, pour lui faire plaisir. Elle apprendrait à leurs fils et à leurs filles à lire et à écrire en anglais, et lui leur apprendrait le lakota et les histoires du clan Bitterroot, les exploits de leurs deux grands-pères, Dix-Chevaux et Chat-Sauvage… trois, corrigea-t-il mentalement en pensant au père de Lucie, Thomas West. Il l'avait un peu côtoyé, au fort, peu après qu'il avait quitté les Sioux. L'homme n'était pas commode et menait bonne garde auprès de sa fille. C'était pour cela que, intimidé, il avait évité Lucie à cette époque. Que penserait de lui Thomas West, en tant que gendre potentiel ?

Il baissa la tête.

— Peut-être n'est-ce pas de très bon augure d'en parler déjà, alors que nous ne sommes pas encore au Canada, dit-il tristement.

Lucie s'essuya les mains avec une poignée d'herbe et revint s'asseoir à côté de lui en silence.

Renard-du-Ciel regardait fixement devant lui. Jamais il n'avait été confronté à une telle peur. Pas même quand Aigle-Danseur l'avait amené, après la mort de Nuage-Sacré, à quelque distance du fort et qu'il lui avait dit de partir. Il ne pouvait plus parler, plus raisonner. Devant la perspective de perdre Lucie, il était paralysé de terreur. Elle avait eu bien raison de lui dire, dans sa prison, qu'il était lâche. Oui, elle ne se trompait pas, il avait toujours refusé d'être heureux. Bien sûr, il aurait risqué sa vie pour elle sans hésiter. Mais dès qu'il s'agissait d'ouvrir son cœur… Il était incapable de prononcer les mots qui pouvaient changer sa vie à jamais.

Qu'avait-il à lui offrir ? Il était un vagabond, sans foyer

et sans famille. Certes, Chat-Sauvage lui avait permis de redevenir un Bitterroot, mais Lucie ne voulait plus rien avoir à faire avec les Lakotas. Elle voulait habiter une maison de Blancs, avec des murs qui se coupaient à angle droit. Elle désirait, sans doute, un homme capable de lui offrir ce dont une femme blanche avait besoin. Mais quels étaient-ils, ces besoins, au juste ?

Renard-du-Ciel avait de l'argent, après tout, et même une centaine de pièces d'or, cousues dans la doublure de ses fontes. Etait-ce assez ? Chez les Sioux, les pères demandaient au moins trois chevaux pour leurs filles et certains, jusqu'à vingt. Les Blancs, il le savait, n'acceptaient pas ce type d'arrangement. La dot des filles, c'était le sujet favori de l'épouse du mormon chez qui il avait vécu durant trois ans. Elle parlait souvent de la « corbeille de la mariée », mais du diable si Renard-du-Ciel avait jamais vu ce qu'on pouvait bien mettre dedans.

De l'or, on pouvait le supposer, puisque les Blancs n'aimaient que cela. Il songea à sa pile de pièces et la trouva insuffisante pour la femme qu'il convoitait.

— Renard-du-Ciel, je sais que nous avons dormi, mais j'ai encore sommeil… Devons-nous nous remettre en route cette nuit où puis-je prendre encore un peu de repos ?

Il ne répondit pas, la regardant à la lueur des braises rougeoyantes.

Elle fronça les sourcils et le dévisagea avec étonnement.

— Que se passe-t-il ? lui demanda-t-elle. Tu parais préoccupé.

Il n'avait jamais bien compris ceux de son monde, mais elle connaissait le sien. Peut-être était-ce suffisant ?

Il prit sa main. Surprise, elle fixa sur lui des yeux écarquillés.

— J'ai voyagé seul pendant bien des années. Je n'ai pas trop l'habitude de parler aux gens, surtout aux femmes… Mais si quelqu'un peut me comprendre, alors, c'est bien toi.

Elle pinça un peu ses lèvres et il sentit ses chances s'éloigner. Mais les mots ne demandaient qu'à sortir de ses lèvres, à présent, comme l'eau coulant d'une brèche dans une digue.

— Je sais que tu étais forcée de te marier et peut-être ne veux-tu plus entendre parler de mariage. Mais j'ai vu combien tu étais seule. Nous ressemblons aux deux derniers poneys en liberté d'une harde capturée : l'un est à moitié fou et l'autre a des marques sur sa robe, que personne n'aime.

Lucie fronça les sourcils et, instantanément, il sut qu'il n'avait pas dit ce qu'il fallait. Il s'empressa de se reprendre.

— Ce n'est pas pour cela que je vais te faire ma demande. Pas parce que personne ne veut de toi, ou parce que je ne peux avoir personne d'autre. C'est moi qui ne veux personne d'autre que toi, tu comprends ?

Elle secoua lentement la tête.

— J'espère que ta solitude n'est pas la seule raison qui t'a poussée vers moi, reprit-il. Parce que moi… je t'aime de toutes mes forces, Lucie.

Elle eut un sursaut.

— Qu'est-ce que tu dis ?

— Je veux t'épouser, Lucie. Je veux que tu sois mon épouse. Ma première, ma seule épouse, pour toujours.

Elle le regarda en silence tandis que Renard-du-Ciel voyait déjà ses rêves voler en éclats et se disperser comme de la cendre. Elle cherchait une échappatoire, c'était évident et il allait devoir la laisser partir, comme l'avait fait son précédent mari, qu'elle n'aimait pas.

Lucie déglutit difficilement. Elle avait cru que Renard-du-Ciel lui annoncerait leur séparation. Elle s'était d'ailleurs préparée à ce rejet de sa part ou, du moins, avait essayé de s'y préparer. Et voilà qu'il lui demandait d'être sa femme, sa seule et unique ! Beaucoup, sans doute, n'auraient pas compris cette nuance, mais elle la comprenait. Renard-du-Ciel était prêt à n'aimer qu'elle, à n'avoir des enfants qu'avec elle, à ne chérir et ne protéger qu'elle. Nul ne lui avait jamais fait un tel don.

Elle plongea ses yeux dans ceux de son amant, qui étaient pleins d'incertitude, et trouva finalement les mots :

— Renard-du-Ciel, j'ai été mariée une fois et un autre, depuis, a demandé ma main. Mais je n'ai jamais été amoureuse…

Vaincu, il baissa la tête et laissa échapper la main de Lucie.

— … jusqu'à ce que je te rencontre.

Il releva la tête instantanément et la saisit par les épaules, avec une telle force qu'elle en trembla. Il relâcha un peu la pression de ses mains, mais ses yeux scrutaient les traits de Lucie comme s'il essayait d'y trouver la confirmation de ses paroles. Elle lui sourit.

— Tu m'aimes ? balbutia-t-il.

Elle hocha la tête.

— J'en ai bien peur. Follement, désespérément, complètement. Je ne sais pas ce que j'aurais fait si tu m'avais quittée à la frontière. Ou plutôt si, je le sais : je t'aurais suivi.

— Te quitter ?

Il avait l'air ébahi.

— C'est ce que tu as cru ?

— Tu disais toi-même que tu n'avais pas l'habitude des femmes et puis, tu étais tellement distant ! J'ai cru que tu essayais de trouver un moyen de me détacher de toi sans que j'en souffre trop.

— Moi, je pensais à tout ce que tu m'avais dit, concernant ta liberté. Je croyais que tu n'y renoncerais pas pour moi.

— La seule chose à laquelle je renonce, c'est à ma solitude, répondit-elle en riant.

Il serra ses mains dans les siennes.

— Je te construirai un ranch avec les plus grands sapins de Vancouver !

— Vancouver ?

— Ou ailleurs. Où tu voudras. C'est du bon côté de la

frontière et, en même temps, le plus près possible de ta famille. De plus, la région est bonne pour l'élevage des chevaux.

Elle acquiesça.

— Nous pouvons nous marier dès que nous aurons trouvé une église et un prêtre. Tu veux ?

Lucie eut l'impression de voler dans les airs. Renard-du-Ciel venait de lui proposer un véritable mariage, alors qu'elle savait bien qu'il n'était sans doute jamais entré volontiers dans le lieu de culte des Blancs. Cela montrait, sans nul doute possible, à quel point il voulait la voir heureuse.

— Ce serait merveilleux, répondit-elle, mais il est inutile d'attendre si longtemps.

Elle se leva et reprit les mains de Renard-du-Ciel dans les siennes, l'invitant à se lever, lui aussi. En le regardant droit dans les yeux, elle prononça en lakota les mots qui les liaient l'un à l'autre.

— Je te prends pour mari.

Renard-du-Ciel lui décocha un sourire comblé.

— Je te prends pour épouse. Jamais tu n'auras faim et je te protégerai toujours.

Elle se glissa sur la pointe des pieds pour lui donner le baiser de la mariée, puis elle jeta ses bras autour de son cou en espérant qu'il sente toute la joie et toute l'espérance qu'elle y mettait. Puis elle se recula un peu, pour jouir de l'émerveillement qu'il avait dans les yeux.

— Ma femme, murmura-t-il. Je ne peux pas le croire…

Il se pencha pour ramasser la couverture et s'enveloppa avec elle dans la laine épaisse. Il savait que Lucie comprenait la signification de son geste. C'était toujours sous une couverture comme celle-ci que les jeunes mariés lakotas échangeaient leur premier baiser d'époux.

# Chapitre 17

La joie qui remplissait le cœur de Renard-du-Ciel était si grande qu'il avait l'impression que sa poitrine allait exploser. Lucie se dressa de nouveau sur la pointe des pieds et l'embrassa. Cette fois non plus avec la chaste réserve d'une fiancée, mais avec tout le désir que pouvait éprouver une femme.

— Lucie…

Sa voix était comme une caresse.

Elle plongea dans l'océan de ses yeux.

— Je t'aime et je ne veux jamais te quitter, dit-il, mais je respecterai la tradition lakota, tu seras libre de te séparer de moi quand tu le voudras.

— Je ne veux pas être une captive, mon mari, mais cela ne veut pas dire que je ne veux pas que l'on me possède…

Il eut une expression surprise quand il comprit ce qu'elle voulait dire. Puis leurs bouches se collèrent l'une à l'autre et la pression de leurs lèvres se transforma vite en une danse frénétique, langue contre langue.

La couverture glissa de leurs épaules et Renard-du-Ciel attendit pour être bien sûr de ce qu'elle désirait. Prenant les devants, Lucie ramassa le bout de tissu et l'étendit près du feu, avant de défaire les boutons de son chemisier qu'elle fit glisser de ses épaules. Sa jupe se trouva bien vite au sol elle aussi.

Renard-du-Ciel l'imita, passant sa chemise par-dessus sa tête sans même la déboutonner, révélant son large torse musculeux.

*
* *

La vue de ce corps à demi nu, cette soif d'elle qu'elle pouvait lire clairement dans son regard bouleversèrent Lucie. Elle commença à enlever ses jupons les uns après les autres, mais, soudain, le souvenir de sa nuit de noces avec Aigle-Danseur pénétra son esprit. Elle songea à l'embarras et à la honte qu'elle avait ressentis alors. Cette pensée la troubla profondément et dissipa une bonne partie de ses ardeurs. Alors Renard-du-Ciel s'agenouilla devant elle, posa une main sur sa jambe et caressa doucement son genou sans chercher à monter plus haut.

— Les fantômes du passé, murmura-t-elle.

Il acquiesça, prouvant qu'il comprenait.

— Ils sont comme des loups, ils bondissent sur vous comme sur une proie, quand vous vous y attendez le moins, commenta-t-il.

Sa voix était douce, compréhensive, il n'avait montré aucune impatience ou réprobation dans ses paroles.

— Je ne sais pas s'ils partiront jamais, mais je vais tout faire pour nous construire de nouveaux souvenirs, plus heureux, afin qu'ils effacent les autres, déclara-t-il.

Elle pressa sa main et hocha la tête en signe d'approbation.

— Lucie, murmura-t-il, je sais que tu as déjà été mariée, mais je te jure que ce sera différent avec moi.

Elle acquiesça, certaine au fond de son cœur qu'il ne mentait pas. Elle caressa doucement le visage de son mari, s'attardant sur l'angle de sa mâchoire. A présent, elle ne pensait plus qu'à lui. Elle tira sur le cordon qui fermait sa camisole et le col s'ouvrit. Bientôt, les mains de Renard-du-Ciel encerclaient sa taille et il se pencha pour embrasser sa gorge découverte. Un geste encore et le diaphane vêtement tomba sur ses hanches. Renard-du-Ciel le suivit des lèvres sur la peau du ventre de Lucie, pointant sa langue au creux de son nombril.

Il saisit alors sa main et la fit s'étendre sur la couverture, complètement nue. Il prit le temps de la contempler à la lumière du feu. Elle n'avait plus la moindre honte ni la plus petite crainte, car elle se savait belle et prête à lui donner du plaisir. Dans les yeux de Renard-du-Ciel, elle pouvait lire tout un monde de désir, d'amour et de respect qui la faisait se sentir parfaitement bien.

— Je n'ai jamais rien vu de si joli, murmura-t-il.

Elle tendit sa main.

— Viens… viens !

Un sourire flottait sur les lèvres de Renard-du-Ciel quand il se releva pour se débarrasser de son pantalon, comme si celui-ci le brûlait, offrant à Lucie une vue affriolante de ses hanches minces avant de se laisser tomber auprès d'elle et de couvrir son corps du sien.

Sa bouche se perdit dans son cou tandis qu'elle rejetait la tête en arrière en gémissant de plaisir. Renard-du-Ciel prit entre ses lèvres le lobe de son oreille et le suça. Le doux mouvement de sa bouche la grisait et, les yeux fermés, elle appuya ses hanches contre les siennes. Elle l'entendit pousser un gémissement rauque tandis qu'elle se frottait à son sexe dressé.

Il se laissa tomber sur le côté, pour caresser ses seins, d'abord du pouce puis de la langue, faisant dresser les pointes roses et les exacerbant de sensations. Tout le corps de Lucie pulsait à présent, envahi par une vague d'excitation impatiente de déferler en elle.

Ainsi, songea-t-elle, c'était cela, vouloir un homme, brûler de goûter ses caresses. Son corps, lui, semblait l'avoir toujours su, comme s'il reconnaissait celui qui allait lui donner vie, enfin.

Elle tendit ses bras vers Renard-du-Ciel, refusant de l'attendre passivement. Cette sensation était nouvelle également. Autrefois, dans sa misérable autre vie, elle avait enduré le dégoût et la douleur. A présent, elle chérissait le satin de la peau de son amant, son odeur…

Il glissa doucement son genou entre ses cuisses, mais elle ne voulait pas presser les choses. Il ne fit d'ailleurs rien pour la brusquer. Au contraire, il se mit à effleurer l'intérieur de ses jambes, caressant son sexe avec légèreté.

Bientôt, Lucie ressentit un besoin impérieux d'être charnellement liée à lui, contrebalancé par le plaisir qu'il lui procurait par cette caresse. Tout en elle était concentré sur cette merveilleuse sensation et elle s'arc-boutait pour en jouir davantage encore. A l'oreille, il lui murmurait en lakota combien elle était belle et combien il l'aimait. Elle le croyait. Ses mots si doux l'aidaient à se détendre et à s'ouvrir à cette vague qui allait la submerger tout entière. Renard-du-Ciel prendrait soin d'elle, l'aimerait, la protégerait.

Enfin, la vague se brisa, déversant des ruisseaux de plaisir dans tout son corps. Quelque chose éclata en elle, à la faire crier de joie. Son corps se relâcha, malléable, tandis qu'elle retombait sur le moelleux tapis d'herbe, sous la couverture. Elle avait presque de la peine à respirer et tremblait tandis qu'il caressait doucement ses bras et son front.

Quand elle rouvrit les yeux, il était au-dessus d'elle et la regardait.

— Ma belle, si belle épouse, murmura-t-il.

Elle pressa ses lèvres contre les siennes, ses doigts agrippant les cheveux de Renard-du-Ciel pour que surtout il n'interrompe pas leur baiser. Elle se servit de sa cuisse pour caresser sa verge tendue, lui arrachant un grognement de plaisir.

Elle ne put s'empêcher de sourire en voyant son visage tendu. Puis elle prit son sexe dans sa main et le guida vers elle. Il la pénétra doucement, la saisissant par les hanches pour mieux aller et venir en elle, dans un mouvement puissant. C'était à son tour, à présent, de combattre l'excitation qui montait. Lucie le regardait faire. La vue de son corps la rendait folle et elle épousa le mouvement de ses hanches avec les siennes, comme si elle le chevauchait. Plus vite il bougeait, mieux il la pénétrait et plus la sensation était agréable. Elle se cambra quand le plaisir éclata en elle une seconde fois, plus délicieusement encore. Renard-du-Ciel poussa lui aussi un soupir rauque tandis qu'ils se regardaient, foudroyés par la commune déflagration de leur jouissance. Puis Lucie laissa retomber sa tête sur le tapis d'herbe tendre, recouverte par le corps chaud et luisant de sueur de Renard-du-Ciel.

Elle se mit alors à caresser les cheveux de son mari, de son amant. Ils restèrent longtemps ainsi, les membres entrelacés, jusqu'à ce que le froid de la nuit les fasse frissonner. Lucie sourit et se blottit contre Renard-du-Ciel.

— C'était merveilleux, murmura-t-elle.

Pour toute réponse, il la serra plus fort. Mais comme elle se penchait un peu pour le regarder, elle vit son œil briller de satisfaction.

— Je n'aurais jamais cru que cela serait comme ça un jour…, soupira-t-elle.

— Moi non plus !

— Toi non plus ?

Elle n'avait pas pu dissimuler l'étonnement, dans sa voix.

— Lucie, j'avais déjà fait l'amour à des femmes, bien sûr, mais je n'en avais encore jamais aimé une. Cela fait toute la différence, tu comprends ?

Ce fut à son tour de rayonner de satisfaction.

— Oui, une grande différence.

Il caressa son bras.

— Ta peau est blanche comme un rayon de lune, c'est comme cela qu'on aurait dû t'appeler !

— Je ne suis pas vraiment le genre de femme que tu aurais pensé épouser, n'est-ce pas ?

Il eut une sorte de petit rire bref.

— En fait, je ne pensais pas du tout me marier, pas depuis que j'ai quitté les Sioux, en tout cas. Mais avant, lorsque j'étais plus jeune, oui, j'y ai parfois pensé.

— Comment imaginais-tu ta femme ?

Il sourit et secoua lentement la tête. Elle lui donna un coup de coude dans les côtes.

— Dis-moi !

— Je savais bien que, étant donné mes origines, les guerriers ne seraient pas pressés de me donner l'une de leurs filles. Trois ou quatre poneys n'y auraient pas suffi. Il en fallait davantage et, comme j'étais trop jeune pour participer à des raids, j'ai appris à chanter pour apprivoiser les mustangs.

— Oui, je t'ai entendu chanter.

— Dans ma chanson, je leur parlais de cette nouvelle vie qui s'ouvrait à eux, je leur disais combien nous avions besoin d'eux, parce qu'ils étaient forts et braves, et que nous ne pouvions pas survivre sans leur aide. Ils m'écoutaient. Mon premier cheval est venu à moi de cette façon et beaucoup d'autres, depuis. Ils viennent parce qu'ils le veulent bien.

Elle s'assit sur la couche.

— Les chevaux sauvages ?

Il acquiesça.

— Je voudrais bien voir ça !

— Tu le verras ! J'imaginais donc le jour où je conduirais cinquante chevaux vers le tipi du père de celle que je choisirais. Avec un aussi gros cadeau, il serait bien obligé de constater que, même si je n'étais pas le gendre dont il avait rêvé, il allait avoir du mal à me refuser sa fille. Quant à la bien-aimée, eh bien, elle saurait que pour moi elle avait plus de valeur que toutes les autres.

— Oui, la fiancée, parlons-en… Comment la voyais-tu ?

Il rit.

— En fait, j'étais tellement occupé à attraper des chevaux que je n'avais pas vraiment le temps de me poser la question.

Il la regarda droit dans les yeux.

— Si tu veux savoir si je désirais épouser une femme lakota, la réponse est oui. Lorsque j'étais enfant. Plus tard, je me suis dit que je ne méritais pas le bonheur d'avoir une femme, quelle qu'elle soit.

— Mais ça, c'était avant, dit-elle en posant sa tête sur sa poitrine et en étreignant son torse.

Il lui caressa les cheveux.

— Je n'aurais jamais pu imaginer avoir une femme comme toi, Lucie. Jamais je n'aurais pu croire à un tel bonheur.

Elle se laissa dériver dans le sommeil, tandis que Renard-du-Ciel caressait doucement ses cheveux et son dos. Elle ressentait une joie immense, comme elle n'en avait jamais connu de toute sa vie.

Le lendemain, ils levèrent le camp avant l'aube et s'enfoncèrent dans les bois jusqu'à la rivière, en évitant soigneusement de sortir en plaine. Ils ne revirent pas de soldats.

Durant les jours qui suivirent, ils chevauchèrent longuement, ne se reposant que quelques heures par jour au mieux. Les chevaux perdirent beaucoup de poids, mais Renard-du-Ciel était résolu à échapper au plus vite à l'armée. Durant cette fuite, ils ne virent pas de preuves évidentes qu'on les suivait toujours. Puis, un matin, Renard-du-Ciel arrêta son cheval sur la berge de la rivière qu'ils avaient atteinte.

— Que se passe-t-il ? lui demanda Lucie.

— Regarde… l'eau coule vers l'est.

Elle acquiesça, sans comprendre ce qu'il pouvait bien en déduire.

— Aigle-Danseur disait que, pour échapper à l'armée, il faudrait marcher jusque là où la rivière coule vers l'est. C'est ici. Nous l'avons fait, Lucie, nous y sommes arrivés !

— Au Canada ?

— Oui.

Il mit pied à terre et la souleva de sa selle. Elle jeta ses bras autour de son cou.

— Nous sommes sauvés ! cria-t-elle.

— Et personne ne nous séparera plus jamais !

Lucie eut un sourire malicieux.

— Tu n'as pas encore parlé à mes parents, lui fit-elle remarquer.

Le sourire de Renard-du-Ciel s'évanouit instantanément et elle éclata de rire.

# Épilogue

Un peu moins d'un an après que Renard-du-Ciel et Lucie eurent atteint la frontière canadienne, Thomas West descendit du train en gare de Vancouver. Lucie, venue l'accueillir, se rua pour l'embrasser en pleurant de joie. Quand elle put enfin ouvrir un peu les yeux à travers ses larmes, elle vit que ses sœurs le suivaient : Julia, d'abord, ravissante dans une robe bleu ciel avec un canotier et des gants de fil blanc, puis Nelly et Cary, si impatientes qu'il avait fallu les empêcher de sauter en marche et, enfin, leur mère tenant Théodore, le petit dernier, par la main.

Tout en les embrassant, elle observait du coin de l'œil Thomas West tendre sa main à Renard-du-Ciel, mais d'une façon froide et compassée. Elle soupira. Ses parents auraient dû comprendre que, s'ils l'avaient protégée toute sa vie, le relais était pris, à présent. Elle leur avait pourtant dit clairement qu'elle était heureuse et en sécurité.

Elle parla durant tout le voyage du retour, expliquant comment Renard-du-Ciel avait travaillé dur pour construire le ranch et les enclos. Heureusement, il avait pu engager des ouvriers pour l'aider car il vendait des chevaux aussi vite qu'il pouvait les entraîner. Sarah l'écouta faire le panégyrique de son époux en souriant, Thomas, avec davantage de raideur. Lucie savait qu'ils n'appréciaient pas que Renard-du-Ciel et elle aient échangé leurs vœux dans la première église rencontrée sur leur route, sans même les prévenir. Le rapport de David sur la façon dont Lucie avait aidé à faire évader son futur époux ne leur avait pas davantage plu.

Au ranch, elle installa les enfants dans la même chambre, à l'exception de Julia, qui était assez grande pour dormir seule. Sa famille dévora le plat qu'elle avait préparé et, bientôt, la fatigue du voyage se fit sentir : Nelly faillit s'endormir sur la table et Julia étouffa un bâillement discret. Alors, Lucie montra à ses parents la chambre d'amis, laquelle, elle l'espérait, serait bientôt une chambre d'enfant, bien qu'elle ne soit pas certaine encore d'être enceinte. Sarah et Thomas se retirèrent.

Lucie se tourna vers Renard-du-Ciel.

— Eh bien ?

— Quoi donc ?

— Il t'a dit quelque chose ?

Il hocha la tête.

— Eh bien, quoi donc ? Dis-le ! s'impatienta son épouse.

— Il m'a dit : « Si jamais vous lui faites du mal, vous aurez affaire à moi. »

Lucie eut un sourire appréciateur.

— Pas si mal, pour un début !

Celui de Renard-du-Ciel fut plus sardonique.

— Mais ta mère a ajouté quelque chose à propos de couper je ne sais quoi en petits morceaux…

— Oh… non, elle n'a pas dit ça ?

Par une simple mimique, Renard-du-Ciel lui confirma que c'était bien la vérité.

— En tout cas, elle ne le ferait pas !

Il rit franchement, cette fois.

— Bien sûr que si !

Lucie lui prit la main et le conduisit vers leur chambre.

Ils firent, ce soir-là, l'effort de ne pas faire de bruit pour ne pas déranger leurs visiteurs mais, comme toutes les nuits, il lui fit merveilleusement l'amour, ce qui la préparait toujours parfaitement au sommeil. C'est pourquoi elle crut que c'était juste l'instant d'après que, s'éveillant à demi, elle le sentit se lever, plus tôt que d'habitude.

— Où vas-tu ? lui murmura-t-elle.

— Voir les chevaux.

Elle se retourna sur son oreiller et ferma les yeux, ne pensant dormir encore qu'un petit moment. Mais c'est la voix de sa mère qui l'éveilla finalement.

— Lucie ? Tu dors ?

Elle se dépêcha de sortir du lit et d'enfiler la chemise de nuit qu'elle ne portait plus guère, depuis qu'elle était mariée. Puis, elle alla ouvrir la porte.

— Excuse-moi, lui dit sa mère, mais il se passe quelque chose d'étrange. Est-ce que Renard-du-Ciel est allé à une vente de chevaux, ce matin ?

— Une vente de chevaux ? Non, je ne pense pas, pourquoi ?

— Eh bien…

Sarah jeta un coup d'œil par-dessus son épaule.

— Je crois qu'il vaut mieux que tu viennes voir.

Lucie la suivit jusqu'à la porte d'entrée et elle vit la file de chevaux dans la cour. Le premier, une magnifique jument noire, était attaché à l'un des poteaux du porche. Elle portait un collier de cuir auquel était fixée la bride du deuxième cheval et ainsi de suite. La file s'étirait jusqu'à la grange. Son père sortit en se grattant la tête et il regarda, éberlué lui aussi, le spectacle.

Lucie éclata de rire.

— Mais qu'est-ce que c'est ? demanda sa mère.

— Un cadeau de Renard-du-Ciel à papa. Cinquante poneys indiens en échange de sa fille.

Sa mère passa, sans transition aucune, de l'hébétude à la sévérité.

— Les chrétiens ne vendent pas leurs filles, voyons Lucie, tu devrais le savoir !

Mais Lucie n'avait pas l'intention de se laisser gâcher son plaisir. Elle s'avança pour caresser le chanfrein de la première jument. Elle était à la fois fine et musclée, avec un large garrot et un dos droit.

— C'est ma dot.

Elle se tourna vers son père.

— Si tu les acceptes, cela veut dire que tu acceptes notre mariage.

— Mais nous l'avons déjà accepté ! dit Sarah.

Lucie se retourna et soutint le regard de sa mère.

— Tu en es sûre ?

Sarah hésita un très bref instant avant de hocher la tête.

— La dot va au mari, normalement, pas au père, objecta-t-elle.

— Pas dans ce cas.

Puis, à son père :

— Tu les acceptes ?

— Mais, c'est trop !

— Trop ? Pour ta fille aînée ! protesta sa mère, acide.

Lucie sourit.

— Si tu les acceptes, emmène-les dans cet enclos. Par ce geste, tu consens à ce que Renard-du-Ciel devienne ton gendre.

Thomas acquiesça et commença à détacher la jument du poteau. Mais il s'interrompit et se tourna vers sa fille.

— Et… qu'allons-nous en faire ?

Lucie rit de nouveau.

— Ce que tu voudras.

Lorsque tous les chevaux furent dans l'enclos, Renard-du-Ciel apparut, monté sur Ceta. Il traversa la cour au pas, avec un tel air d'autorité que tous en restèrent médusés. Il dirigea le grand étalon droit vers Lucie.

Elle savait ce qui allait suivre, alors elle lui tendit les bras. Il se pencha et, d'un seul mouvement souple, la hissa devant lui sur sa selle. Puis il enfonça ses talons dans les flancs de Ceta, qui parut s'envoler.

— Et le petit déjeuner ? leur cria Sarah.

— Commencez sans nous ! répondit Lucie par-dessus son épaule.

# À découvrir ce mois-ci

## 7 nouveaux romans dans la collection

# Les Historiques

### SCANDALEUSE ALLIANCE

***de Mary Brendan - n°559***

Emily en est sûre : cette fois-ci, son frère s'est attiré de gros ennuis. Habitués à la vie débauchée de leur fils, ses parents ne semblent pas s'inquiéter de sa disparition ; Emily, au contraire, est convaincue qu'il court un grave danger. Aussi se décide-t-elle à demander l'aide de Mark Hunter — le meilleur ami de son frère. Mais avec quelle réticence ! Séducteur cynique, bien trop conscient de son charme dévastateur, Hunter représente tout ce que déteste Emily chez un homme. Un sentiment qu'elle ne s'est jamais retenu d'exprimer, surtout en sa présence. Mais il en faudrait bien davantage pour déstabiliser Mark, qui s'empresse d'accepter de l'aider, visiblement ravi de faire d'Emily sa débitrice…

### MARIÉE À L'ENNEMI

***de Terri Brisbin - n°560***

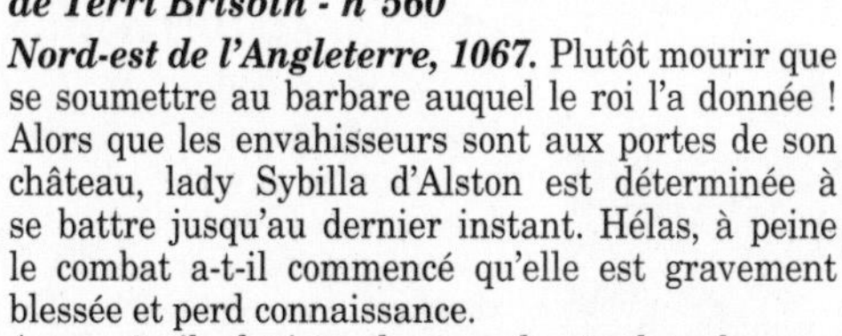

***Nord-est de l'Angleterre, 1067.*** Plutôt mourir que se soumettre au barbare auquel le roi l'a donnée ! Alors que les envahisseurs sont aux portes de son château, lady Sybilla d'Alston est déterminée à se battre jusqu'au dernier instant. Hélas, à peine le combat a-t-il commencé qu'elle est gravement blessée et perd connaissance.

A son réveil, plusieurs heures plus tard, un homme se tient à son chevet. Une longue cicatrice barre son visage pourtant parfait et lui donne un air sombre et incroyablement viril. Dans ses yeux brille l'éclat de la revanche, farouche et implacable. Frissonnante, Sybilla comprend aussitôt que ce ténébreux guerrier n'est autre que celui auquel on l'a promise : Soren Fitzrobert…

## L'HÉRITIER DE SHELBOURNE
### *de ANNE HERRIES - n°561*

***Angleterre, Régence.*** Lorsque le duc de Shelbourne, gravement malade, lui annonce l'arrivée de son héritier à Londres, Hester croit avoir une idée très précise du personnage auquel elle est chargée de trouver une épouse : un Américain opportuniste et sans le sou, un aventurier qui lorgne sur la fortune de son oncle bien aimé. La réalité lui donne tort : loin du rustre qu'elle imaginait, Jared Clinton est riche. Et surtout, incroyablement séduisant. Si séduisant qu'Hester, en dépit de son éducation irréprochable, éprouve immédiatement pour lui un irrésistible désir. Dans ces conditions, la mission dont l'a chargée son oncle ne tarde pas à devenir la plus frustrante des expériences...

## L'HONNEUR DE LUCIE
### *de Jenna Kernan - n°562*

***Dakota 1884.*** Libérée de son union forcée avec un chef indien, et revenue dans sa famille, Lucie a le plus grand mal à trouver sa place parmi les siens. A jamais marquée par ce mariage, elle sent la réprobation partout autour d'elle. Même dans l'école pour orphelins où elle s'occupe avec ferveur de ses élèves qu'elle adore, on la condamne du regard...
L'arrivée d'un mystérieux étranger va de nouveau bouleverser sa vie. Paré comme un Sioux, mais doté d'yeux bleus comme l'azur, le troublant émissaire affirme qu'il est venu la chercher pour la ramener à son époux...

## LE CADEAU DE LA REINE
### *de Deborah Simmons - n°563*

***Philtwell, Angleterre, régence.*** Glory Sutton n'en dort plus. Quel secret plane donc sur son héritage pour que des vandales s'y attaquent la nuit et que les villageois la vilipendent le jour ? Elle ne fait pourtant que rénover les Eaux de la Reine, ces thermes qui ont fait la fortune de ces ancêtres... Résolue à retrouver le sommeil et la paix, Glory mise tous ses espoirs sur l'arrivée d'un procureur qui doit l'aider à démasquer les coupables. Mais elle déchante quand elle apprend son nom : le duc de Westfield ! Celui-là même qui l'exaspère — et la trouble, hélas — avec son charme envoûtant et son insupportable arrogance ! Pourra-t-il se ranger de son côté, ou va-t-il s'amuser des tourments dont elle est victime ?

## LE PACTE DE VELOURS

### *de Tori Phillips - n°564*

***Angleterre, 1528.*** Las de sa vie de dangers et de frasques, Cavendish s'apprête à renoncer aux femmes et au monde. Mais, avant cela, il doit accomplir une dernière mission : escorter Céleste de Montcalm, une inconnue qu'il a retrouvé blessée, alors qu'elle était en chemin pour rejoindre son fiancé. Tout de suite, la fragilité et la beauté de la jeune femme le troublent plus qu'il ne faudrait, éveillant en lui le désir qu'il veut désormais s'interdire. Plus vite elle sera en sécurité auprès de l'homme qu'elle doit épouser, plus vite Cavendish se sentira libéré. Mais voilà qu'il apprend que Céleste est promise à un félon, un individu cruel entre les mains duquel aucun homme d'honneur n'abandonnerait une femme. Fût-elle la tentation incarnée...

## LA CITADELLE DES PASSIONS

### *de Catherine Archer - n°565*

***Angleterre, 1188.*** Quand lady Lillian disparait tragiquement, lord Tristan est anéanti. Lui qui, faisant fi de la guerre des Deux-Roses, s'était épris de la fille d'un ennemi à la grande colère de son père, est désormais seul avec un bébé qui ne connaîtra jamais sa mère... Mais, trois ans après le drame, Tristan croit assister à un miracle: dans une auberge, il tombe face à face avec une jeune femme qui ressemble trait pour trait à celle qu'il pensait avoir perdue pour toujours. Lillian, *sa* Lillian, est là devant lui. Émerveillé, il ne songe d'abord qu'à remercier le Ciel pour ce prodige. Mais, très vite, vient le temps des questions, et l'émotion de Tristan se mue en incrédulité : il semble que Lillian ne garde – ou feint de ne garder ? – aucun souvenir de leur amour passé...

# A paraître le 1er octobre 2012

## DANS LES BRAS D'UN HIGHLANDER

### *de Marguerite Kaye - n°566*

***Ecosse, 1747.*** Madeleine est désemparée. Alors qu'elle a fui sa Bretagne natale pour retrouver son fiancé disparu, la voilà fascinée par le mystérieux Ecossais qui lui sert de guide, et dont elle ne sait presque rien. Certes, Calumn Munro lui est venu en aide à son arrivée à Edimbourg, et sans lui, Madeleine n'aurait jamais pu traverser les Highlands ; mais peut-elle vraiment faire confiance à cet inconnu ? Calumn ne s'est-il pas moqué de ses fiançailles avec Guillaume en lui affirmant que cette union n'était qu'une comédie ? Ne lui a-t-il pas promis qu'avant la fin de leur périple, il lui ferait connaitre le plaisir qu'elle n'éprouvera plus jamais dans les bras d'un autre ? Le pire dans tout cela, c'est que Madeleine ne peut s'empêcher de déceler une part de vérité dans les paroles du Highlander. Une vérité qui pourrait bouleverser sa vie…

## LE SECRET DES HAUTES-TERRES

### *de Suzanne Barclay - n°567*

***Kennecraig, Ecosse, 1407.*** En ces temps incertains, Cathlyn Boyd ne peut se fier à personne et l'hostilité de ses hommes n'est pas la plus alarmante des difficultés qu'elle connaît. En plus de leur mépris, elle redoute une attaque : celle que risque de lancer Hakon Fergusson, ennemi juré de sa famille, pour voler le légendaire secret dont elle est désormais la dépositaire et qui a fait la fortune de son père. Alors comment accueillir sans frissonner le ténébreux Ross Sutherland, chef d'un clan voisin, lorsqu'il vient à Krennecraig demander asile après être, dit-il, tombé dans une embuscade ? Comment s'assurer que ce guerrier n'est pas au service de ceux qui la menacent ? Et, surtout, qu'il ne va pas se servir de son arme la plus redoutable : le désir irrépressible qu'il fait tout de suite naître en elle…

## LA VENGEANCE DE FORD BARRETT

### *de Deborah Hale - n°568*

***Angleterre, 1821.*** Epouser Ford Barrett, l'héritier de son défunt mari, et devenir chaque jour l'objet de sa vengeance ? Pour Laura Penrose, ce serait sacrifier sa vie. Elle a beau avoir été éperdument amoureuse de Ford sept ans plus tôt, elle refuse de se voir imposer un nouvel époux, une nouvelle union sans amour, qui plus est avec un homme incapable de lui pardonner leur rupture de jadis, et décidé à la lui faire payer. Mais en voulant sauver son indépendance, Laura sait qu'elle prend des risques : Ford n'est plus le jeune garçon charmant d'autrefois. Devenu un homme froid, arrogant, il n'hésitera sans doute pas à la placer face à un dilemme : soit elle l'épouse, soit il les chasse, elle et sa famille des terres sur lesquelles elle vit, mais qui sont désormais à lui…

## LA REBELLE DE GREEN VALLEY

***de Lynna Banning - n°569***

***Green Valley, 1867.*** Quitter sa propriété, comme essaie de l'y forcer Wash Halliday ? Pour Jeanne, c'est une inconcevable perspective ! Après la terrible guerre civile qui a ravagé le pays, son champ de lavande et sa modeste maison sont tous les biens qu'il lui reste. Ce Halliday peut bien être envoyé par le président en personne, jamais elle ne cèdera ! D'ailleurs, elle a déjà prouvé que rien ni personne ne pouvait l'arrêter s'il s'agit de protéger son avenir et celui de sa fillette. Rien, sans doute, mais… personne ? Le jour où Wash Halliday décide de se présenter chez elle, Jeanne, saisie par tant de séduction, sent chavirer sa chère indépendance…

## LA MAÎTRESSE DU LIBERTIN

***de Christine Merrill - n°570***

***Londres, Régence.*** Le père d'Esme, un homme cruel et violent, a prévu de la marier à un vieil aristocrate dans le seul but de servir ses intérêts. C'est oublier le caractère impétueux de sa fille qui, lorsqu'elle devine ses intentions, décide d'échapper à l'union qu'il veut lui imposer. Comment ? En ruinant sa réputation, en provoquant un scandale, par tous les moyens… Et très vite, une solution apparaît clairement dans l'esprit d'Esme, ou plutôt un visage : celui du capitaine John Radwell, son séduisant voisin, un incorrigible débauché dont on ne compte plus les innombrables conquêtes. Aussitôt, Esme fuit la demeure familiale et s'introduit chez le célèbre capitaine, convaincue qu'un libertin tel que lui ne la repoussera pas…

## FIANÇAILLES IMPROMPTUES

***de Tori Phillips - n°571***

***Angleterre, 1528.*** Quand Henry VIII décide d'unir sir Brandon Cavendish et lady Katherine Fitzhugh, c'est un couperet qui s'abat sur la tête des intéressés. Désespéré, le premier s'épanche auprès de son meilleur ami John : comment pourrait-il être un bon époux, lui qui a toujours été le pire des débauchés ? Quant à la seconde, elle confie à Miranda, sa cousine, combien il lui coûte de renoncer à sa liberté après une première union désastreuse. L'idéal, bien sûr, consisterait à infléchir la décision du roi. Hélas, il est trop tard : les bans ont déjà été publiés, et la rencontre des fiancés est prévue pour la Saint Jean... Le premier choc passé, Brandon se présente donc au rendez vous - mais en se faisant passer pour John ! Son plan est savamment orchestré, à un détail près : il ignore que Katherine, elle aussi, a échangé sa place avec Miranda…

*A paraître le 1er septembre*

*Best-Sellers n°532 • historique*

**Le secret d'Elysse - Brenda Joyce**

*Irlande, 1839*

Si Elysse De Varenne occupe une place d'honneur dans la haute société irlandaise, elle n'ignore pas les cruelles rumeurs qui circulent sur son mariage. Des rumeurs qu'elles s'efforcent de démentir par tous les moyens. Pas question d'admettre qu'elle n'a pas vu son époux depuis le jour où ils ont échangé leurs vœux, et encore moins que leur union n'a jamais été consommée ! Car on ne tarderait pas alors à découvrir le scandaleux secret qui a poussé le ténébreux Alexi De Varenne à l'épouser… Hélas, son personnage de parfaite épouse vole en éclats lorsqu'après six ans d'absence, Alexi décide de rentrer en Angleterre. En effet, comment continuer à faire croire en leur mariage quand l'irrésistible Alexi refuse de lui adresser la parole ?

*Best-Sellers n°533 • historique*

**Le mystérieux fiancé - Shannon Drake**

*19ème siècle, Londres.*

Sous la protection des Carlyle depuis son enfance, Ally a grandi dans un havre de paix, loin des troubles qui agitent le royaume. Et si cette existence dorée a des inconvénients – comme celui d'être promise à un inconnu –, Ally a bien conscience que ses origines modestes auraient pu la conduire à un sort moins enviable. Aussi est-ce résignée qu'elle se rend au bal qui officialisera ses fiançailles avec Mark Farrow, l'époux que son parrain lui a choisi. Mais alors qu'elle est en chemin, sa voiture est attaquée par un ténébreux bandit. L'homme, aussi inquiétant que séduisant, fait aussitôt naître en elle un désir implacable. Un désir qu'elle s'efforce de réprimer pour lui tenir tête : comment ose-t-il s'en prendre à elle, Alexandra Grayson, pupille du puissant comte de Carlyle ? Son argument, elle le sait, est peu convaincant… Pourtant, contre toute attente, l'homme la libère dès qu'il apprend son nom, visiblement bouleversé par sa découverte…